Jean-Claude **Corbeil**
Ariane **Archambault**

le mini ■ visuel

DICTIONNAIRE FRANÇAIS/ANGLAIS

QUÉBEC AMÉRIQUE

REMERCIEMENTS

Nous tenons à exprimer notre plus vive reconnaissance aux personnes, organismes, sociétés et entreprises qui nous ont transmis la documentation technique la plus récente pour la préparation du *Mini Visuel*.

Arcand, Denys (réalisateur); Association Internationale de Signalisation Maritime; Association canadienne des paiements (Charlie Clarke); Association des banquiers canadiens (Lise Provost); Automobiles Citroën; Automobiles Peugeot; Banque du Canada (Lyse Brousseau); Banque Royale du Canada (Raymond Chouinard, Francine Morel, Carole Trottier); Barrett Xplore inc.; Bazarin, Christine; Bibliothèque du Parlement canadien (Service de renseignements); Bibliothèque nationale du Québec (Jean-François Palomino); Bluechip Kennels (Olga Gagne); Bombardier Aéronautique; Bridgestone-Firestone; Brother (Canada); Canadien National; Casavant Frères ltée; C.O.J.O. ATHENES 2004 (Bureau des Médias Internationaux); Centre Eaton de Montréal; Centre national du Costume (Recherche et Diffusion); Cetacean Society International (William R. Rossiter); Chagnon, Daniel (architecte D.E.S. – M.E.Q.); Cohen et Rubin Architectes (Maggy Cohen); Commission Scolaire de Montréal (École St-Henri); Compagnie de la Baie d'Hudson (Nunzia Iavarone, Ron Oyama); Corporation d'hébergement du Québec (Céline Drolet); École nationale de théâtre du Canada (bibliothèque); Élevage Le Grand Saphir (Stéphane Ayotte); Énergie atomique du Canada ltée; Eurocopter; Famous Players; Fédération bancaire française (Védi Hékiman); Fontaine, PierreHenry (biologiste); Future Shop; Garaga; Groupe Jean Coutu; Hôpital du Sacré-Cœur de Montréal; Hôtel Inter-Continental; Hydro-Québec; I.P.I.Q. (Serge Bouchard); IGA Barcelo; International Entomological Society (Dr. Michael Geisthardt); Irisbus; Jérôme, Danielle (O.D.); La Poste (Colette Gouts); Le Groupe Canam Manac inc.; Lévesque, Georges (urgentologue); Lévesque, Robert (chef machiniste); Manutan; Marriot Spring Hill suites; MATRA S.A.; Métro inc.; ministère canadien de la Défense nationale (Affaires publiques); ministère de la Défense, République française; ministère de la Justice du Québec (Service de la gestion immobilière – Carol Sirois); ministère de l'Éducation du Québec (Direction de l'équipement scolaire- Daniel Chagnon); Muse Productions (Annick Barbery); National Aeronautics and Space Administration; National Oceanic and Atmospheric Administration; Nikon Canada inc.; Normand, Denis (consultant en télécommunications); Office de la langue française du Québec (Chantal Robinson); Paul Demers & Fils inc.; Phillips (France); Pratt & Whitney Canada inc.; Prévost Car inc.; Radio Shack Canada ltée; Réno-Dépôt inc.; Robitaille, Jean-François (Département de biologie, Université Laurentienne); Rocking T Ranch and Poultry Farm (Pete and Justine Theer); RONA inc.; Sears Canada inc.; Secrétariat d'État du Canada, Bureau de la traduction ; Service correctionnel du Canada; Société d'Entomologie Africaine (Alain Drumont); Société des musées québécois (Michel Perron); Société Radio-Canada; Sony du Canada ltée; Sûreté du Québec; Théâtre du Nouveau Monde; Transports Canada (Julie Poirier); Urgences-Santé (Éric Berry); Ville de Longueuil (Direction de la Police); Ville de Montréal (Service de la prévention des incendies); Vimont Lexus Toyota; Volvo Bus Corporation; Yamaha Motor Canada Ltd.

Le Mini Visuel a été conçu par
Les Éditions Québec Amérique inc.
329, rue de la Commune Ouest, 3ᵉ étage
Montréal (Québec) H2Y 2E1 Canada
T 514.499.3000 F 514.499.3010

©2005 Les Éditions Québec Amérique inc.

Nous reconnaissons l'aide financière du gouvernement du Canada par l'entremise du Programme d'aide au développement de l'industrie de l'édition (PADIÉ) pour nos activités d'édition.
Les Éditions Québec Amérique tiennent également à remercier les organismes suivants pour leur appui financier :

onseil des Arts du Canada — Canada Council for the Arts — SODEC Québec — Développement des ressources humaines Canada

Catalogage avant publication de Bibliothèque et Archives Canada
Corbeil, Jean-Claude
Le mini visuel : dictionnaire français/anglais
Comprend un index.
Texte en français et en anglais.
ISBN 2-7644-0838-2
1. Dictionnaires illustrés français. 2. Dictionnaires illustrés anglais.
3. Français (Langue) - Dictionnaires anglais. 4. Anglais (Langue) -
Dictionnaires français. I. Archambault, Ariane. II. Titre.

AG250.C65 2005   443'.1   C2005-940654-2F

Imprimé et relié à Singapour.
10 9 8 7 6 5 4 3 2   10 09 08 07
www.quebec-amerique.com

DIRECTION

Éditeur : Jacques Fortin
Auteurs : Jean-Claude Corbeil et Ariane Archambault
Directeur éditorial : François Fortin
Rédacteur en chef : Serge D'Amico
Designer graphique : Anne Tremblay

PRODUCTION

Guylaine Houle
Mac Thien Nguyen Hoang

RECHERCHES
TERMINOLOGIQUES

Jean Beaumont
Catherine Briand
Nathalie Guillo

ILLUSTRATION

Direction artistique : Jocelyn Gardner
Jean-Yves Ahern
Rielle Lévesque
Alain Lemire
Mélanie Boivin
Yan Bohler
Claude Thivierge
Pascal Bilodeau
Michel Rouleau
Anouk Noël
Carl Pelletier

MISE EN PAGE

Pascal Goyette
Janou-Ève LeGuerrier
Véronique Boisvert
Josée Gagnon
Karine Raymond
Geneviève Théroux Béliveau

DOCUMENTATION

Gilles Vézina
Kathleen Wynd
Stéphane Batigne
Sylvain Robichaud
Jessie Daigle

GESTION DES DONNÉES

Programmeurs : Daniel Beaulieu et Éric Gagnon
Josée Gagnon

RÉVISION

Marie-Nicole Cimon

PRÉIMPRESSION

Sophie Pellerin
Kien Tang
Karine Lévesque

CONTRIBUTIONS

Québec Amérique remercie les personnes suivantes pour leur contribution au présent ouvrage :
Jean-Louis Martin, Marc Lalumière, Jacques Perrault, Stéphane Roy, Alice Comtois, Michel Blais, Christiane Beauregard, Mamadou
Togola, Annie Maurice, Charles Campeau, Mivil Deschênes, Jonathan Jacques, Martin Lortie, Raymond Martin, Frédérick Simard, Yan
Tremblay, Mathieu Blouin, Sébastien Dallaire, Hoang Khanh Le, Martin Desrosiers, Nicolas Oroc, François Escalmel, Danièle Lemay,
Pierre Savoie, Benoît Bourdeau, Marie-Andrée Lemieux, Caroline Soucy, Yves Chabot, Anne-Marie Ouellette, Anne-Marie Villeneuve,
Anne-Marie Brault, Nancy Lepage, Daniel Provost, François Vézina.

Présentation
du *Mini Visuel*

POLITIQUE ÉDITORIALE

Le *Mini Visuel* fait l'inventaire de l'environnement matériel d'une personne qui participe au monde industrialisé contemporain et qui doit connaître et utiliser un grand nombre de termes spécialisés dans des domaines très variés.

Il est conçu pour le grand public. Il répond aux besoins de toute personne à la recherche des termes précis et sûrs, pour des raisons personnelles ou professionnelles fort différentes : recherche d'un terme inconnu, vérification du sens d'un mot, traduction, publicité, enseignement des langues (maternelles, secondes ou étrangères), matériel pédagogique d'appoint, etc.

Ce public cible a guidé le choix du contenu du *Mini Visuel* : réunir en un seul ouvrage les termes techniques nécessaires à l'expression du monde contemporain, dans les domaines de spécialités qui façonnent notre univers quotidien.

STRUCTURE DU PETIT VISUEL

L'ouvrage comprend trois sections : les pages préliminaires, dont la liste des thèmes et la table des matières; le corps de l'ouvrage, soit le traitement détaillé de chaque thème; l'index des langues de l'édition : français et anglais.

L'information est présentée du plus abstrait au plus concret : thème, sous-thème, titre, sous-titre, illustration, terminologie.

Le contenu du *Mini Visuel* se partage en 17 THÈMES, d'Astronomie à Sports et Jeux. Les thèmes les plus complexes se divisent en SOUS-THÈMES. Ainsi, par exemple, le thème Terre se divise en Géographie, Géologie, Météorologie et Environnement.

Le TITRE remplit diverses fonctions : nommer l'illustration d'un objet unique, dont les principales parties sont identifiées (par exemple, *glacier, fenêtre*); regrouper sous une même appellation des illustrations qui appartiennent au même univers conceptuel, mais qui représentent des éléments différents les uns des autres, avec chacun leurs propres désignations et terminologies (exemple : *configuration des continents, appareils électroménagers*).

Parfois, les principaux membres d'une même classe d'objets sont réunis sous un même SOUS-TITRE, avec chacun leurs noms, mais sans analyse terminologique détaillée (exemple : sous *fauteuil*, les *exemples de fauteuils*).

L'ILLUSTRATION montre avec réalisme et précision un objet, un processus ou un phénomène et les détails les plus importants qui les constituent. Elle sert de définition visuelle à chacun des termes qu'elle présente.

LA TERMINOLOGIE

Chaque mot du *Mini Visuel* a été soigneusement sélectionné à partir de l'examen d'une documentation de haute qualité, au niveau de spécialisation requis.

Il arrive parfois qu'au vu de la documentation, différents mots soient employés pour nommer la même réalité. Dans ces cas, le mot le plus fréquemment utilisé par les auteurs les plus réputés a été retenu.

Il arrive parfois qu'au Québec, le mot diffère de celui de France et qu'il soit nécessaire de connaître l'un et l'autre, légitime chacun dans leur usage respectif de la langue française. Le terme utilisé au Québec est alors écrit à la suite du terme français et précédé d'un point-virgule.

Le *Mini Visuel* contient 13 750 entrées, soit plus de 26 000 mots en français, et 23 700 en anglais, langues dont les termes techniques sont très souvent composés de plusieurs mots, par exemple *fond de l'océan/ocean floor*.

L'INDEX cite tous les mots du dictionnaire en ordre alphabétique, pour chacune des langues.

MODES DE CONSULTATION

On peut accéder au contenu du *Mini Visuel* de plusieurs façons :

• À partir de la liste des THÈMES, au dos de l'ouvrage et à la fin des pages préliminaires.

• Avec l'INDEX, on peut consulter le *Mini Visuel* à partir du mot, pour mieux voir à quoi il correspond ou pour en vérifier l'exactitude, en examinant l'illustration où il figure.

• Originalité fondamentale du *Mini Visuel* : l'illustration permet de trouver un mot à partir de l'idée, même floue, qu'on en a. Le *Mini Visuel* est le seul dictionnaire qui le permette. La consultation de tous les autres dictionnaires exige d'abord qu'on connaisse le mot.

UNE ÉDITION REVUE ET AUGMENTÉE

À la suite du succès mondial du *Visuel* depuis 1992, une nouvelle édition a été conçue et mise en chantier, résultat de plusieurs années d'observation et de travail.

Tous les sujets ont été examinés un à un pour en évaluer la pertinence et les modifier au besoin, s'ils avaient évolué substantiellement depuis la dernière édition. Par exemple, la section informatique est entièrement refondue, en fonction de l'évolution rapide des technologies et pour tenir compte de la généralisation d'Internet. Tous ont été, d'une manière ou de l'autre, enrichis, souvent en ajoutant les principaux représentants d'une classe d'objets, par exemple les oiseaux, les poissons, les animaux familiers, etc. Le thème Sports et Jeux est notablement plus étoffé, avec l'ajout de nombreuses disciplines choisies dans le programme des Jeux olympiques d'été et d'hiver.

Deux nouveaux thèmes s'ajoutent. Le thème Société présente les illustrations et le vocabulaire des lieux publics de la vie en société, comme l'école, l'hôpital, le restaurant ou le centre commercial. Le thème Alimentation et Cuisine fait l'inventaire des éléments qui composent notre nutrition, les fruits et les légumes, la viande et les poissons, les pâtes, les légumineuses, les épices et les fines herbes, etc.

LE REPÈRE DE COULEUR

Sur la tranche et au dos du livre, il identifie et
accompagne chaque thème pour faciliter l'accès rapide
à la section correspondante du livre.

LE TITRE

Il est mis en évidence dans la langue principale de
l'édition, alors que les autres langues, s'il y a lieu,
figurent en dessous, en caractères plus discrets. Si le
titre court sur plusieurs pages, il se présente en grisé
sur les pages subséquentes à la première où il est
mentionné.

LE SOUS-THÈME

La majorité des thèmes se subdivisent en sous-thèmes.
Il est unilingue, bilingue ou plurilingue, selon les
éditions.

LE FILET

Il relie le mot à ce qu'il désigne. Là où les filets étaient trop nombreux
et rendaient la lisibilité difficile, ils ont été remplacés par des codes
de couleurs avec légendes ou, dans de rares cas, par des numéros.

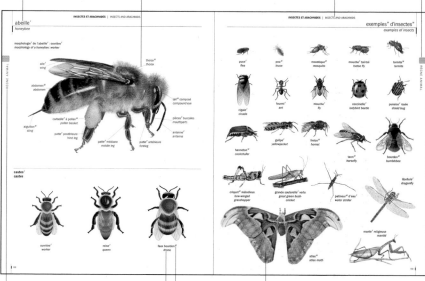

INSECTES ET ARACHNIDES | INSECTS AND ARACHNIDS

abeille^F
honeybee

morphologie^F de l'abeille^F : ouvrière^F
morphology of a honeybee: worker

aile^F
wing

thorax^M
thorax

abdomen^M
abdomen

œil^M composé
compound eye

corbeille^F à pollen^M
pollen basket

pièces^F buccales
mouthparts

aiguillon^M
sting

patte^F postérieure
hind leg

antenne^F
antenna

patte^F médiane
middle leg

patte^F antérieure
foreleg

castes^F
castes

ouvrière^F
worker

reine^F
queen

faux bourdon^M
drone

INSECTES ET ARACHNIDES | INSECTS AND ARACHNIDS

exemples^M d'insectes^M
examples of insects

puce^F
flea

pou^M
louse

moustique^M
mosquito

mouche^F tsé-tsé
tsetse fly

termite^M
termite

cigale^F
cicada

fourmi^F
ant

mouche^F
fly

coccinelle^F
ladybird beetle

punaise^F rayée
shield bug

guêpe^F
yellowjacket

frelon^M
hornet

hanneton^M
cockchafer

taon^M
horsefly

bourdon^M
bumblebee

criquet^M mélodieux
bow-winged
grasshopper

grande sauterelle^F verte
great green bush-
cricket

patineur^M d'eau^F
water strider

libellule^F
dragonfly

atlas^M
atlas moth

mante^F religieuse
mantid

LE THÈME

Il est toujours unilingue, dans la langue principale de
l'édition. L'équivalent anglais se trouve dans la page de
présentation du thème, première double page de
chacun d'entre eux.

L'ILLUSTRATION

Elle sert de définition visuelle à chacun des termes qui
y sont associés.

L'INDICATION DU GENRE

F : féminin
M : masculin

Le genre de chaque mot d'un terme est indiqué. Lorsque le terme est
composé de plusieurs mots, le genre de l'ensemble est celui du premier
nom. Ainsi, *station^F-service^M* est féminin à cause du genre de *station*.

Les personnages représentés dans le dictionnaire sont tantôt des
hommes, tantôt des femmes lorsque la fonction illustrée peut être
remplie par les uns ou les autres. Le genre alors attribué au mot dépend
de l'illustration. En fait, dans la réalité, ce mot est masculin ou féminin
selon le sexe de la personne.

LE TERME

Chaque terme figure dans l'index avec les pages
où il apparaît. Il se présente dans toutes les langues,
avec, en tête, la langue principale de l'édition.

Table des matières

Liste des thèmes

ASTRONOMIE

système^M solaire
solar system

planètes^F externes
outer planets

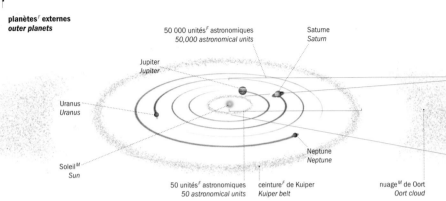

Jupiter
Jupiter

50 000 unités^F astronomiques
50,000 astronomical units

Saturne
Saturn

Uranus
Uranus

Soleil^M
Sun

Neptune
Neptune

50 unités^F astronomiques
50 astronomical units

ceinture^F de Kuiper
Kuiper belt

nuage^M de Oort
Oort cloud

planètes^F et satellites^M
planets and satellites

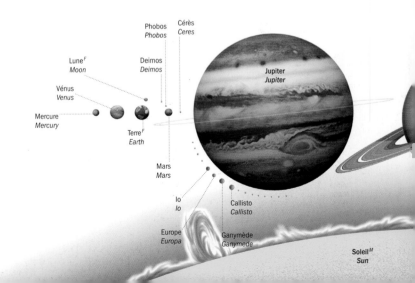

Phobos
Phobos

Cérès
Ceres

Lune^F
Moon

Deimos
Deimos

Jupiter
Jupiter

Vénus
Venus

Mercure
Mercury

Terre^F
Earth

Mars
Mars

Io
Io

Callisto
Callisto

Europe
Europa

Ganymède
Ganymede

Soleil^M
Sun

planètes^F internes
inner planets

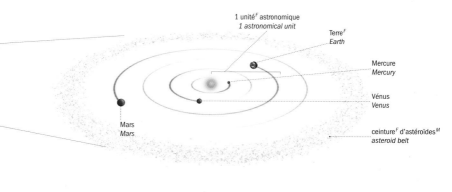

1 unité^F astronomique
1 astronomical unit

Terre^F
Earth

Mercure
Mercury

Vénus
Venus

ceinture^F d'astéroïdes^M
asteroid belt

Mars
Mars

planètes^F et satellites^M

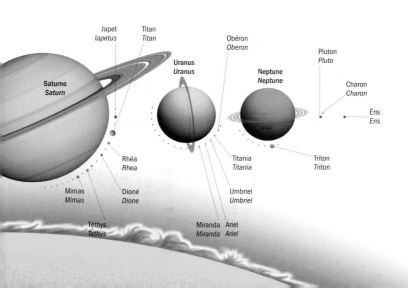

Japet
Iapetus

Titan
Titan

Obéron
Oberon

Pluton
Pluto

Uranus
Uranus

Neptune
Neptune

Charon
Charon

Éris
Eris

Saturne
Saturn

Rhéa
Rhea

Titania
Titania

Triton
Triton

Mimas
Mimas

Dioné
Dione

Umbriel
Umbriel

Téthys
Tethys

Miranda
Miranda

Ariel
Ariel

Soleil[M]
Sun

structure[F] du Soleil[M]
structure of the Sun

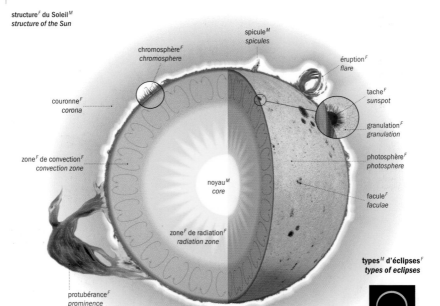

spicule[M]
spicules

éruption[F]
flare

chromosphère[F]
chromosphere

tache[F]
sunspot

couronne[F]
corona

granulation[F]
granulation

zone[F] de convection[F]
convection zone

photosphère[F]
photosphere

noyau[M]
core

facule[F]
faculae

zone[F] de radiation[F]
radiation zone

protubérance[F]
prominence

types[M] d'éclipses[F]
types of eclipses

éclipse[F] annulaire
annular eclipse

éclipse[F] de Soleil[M]
solar eclipse

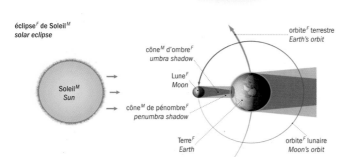

orbite[F] terrestre
Earth's orbit

cône[M] d'ombre[F]
umbra shadow

Lune[F]
Moon

Soleil[M]
Sun

cône[M] de pénombre[F]
penumbra shadow

Terre[F]
Earth

orbite[F] lunaire
Moon's orbit

éclipse[F] partielle
partial eclipse

éclipse[F] totale
total eclipse

Lune^F

Moon

types^M d'éclipses^F
types of eclipses

relief^M lunaire
lunar features

éclipse^F partielle
partial eclipse

éclipse^F totale
total eclipse

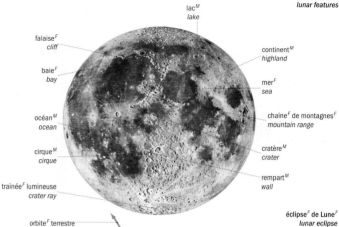

lac^M
lake

falaise^F
cliff

continent^M
highland

baie^F
bay

mer^F
sea

océan^M
ocean

chaîne^F de montagnes^F
mountain range

cirque^M
cirque

cratère^M
crater

trainée^F lumineuse
crater ray

rempart^M
wall

éclipse^F de Lune^F
lunar eclipse

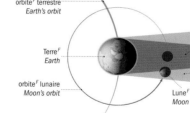

orbite^F terrestre
Earth's orbit

Soleil^M
Sun

Terre^F
Earth

orbite^F lunaire
Moon's orbit

cône^M d'ombre^F
umbra shadow

cône^M de pénombre^F
penumbra shadow

Lune^F
Moon

phases^F de la Lune^F
phases of the Moon

nouvelle Lune^F
new moon

premier croissant^M
new crescent

premier quartier^M
first quarter

gibbeuse^F croissante
waxing gibbous

pleine Lune^F
full moon

gibbeuse^F décroissante
waning gibbous

dernier quartier^M
last quarter

dernier croissant^M
old crescent

ASTRONOMIE

galaxie^F
galaxy

Voie^F lactée
Milky Way

Voie^F lactée (vue^F de
dessus^M)
Milky Way (seen from above)

Voie^F lactée (vue^F de
profil^M)
Milky Way (side view)

noyau^M galactique
nucleus

halo^M
halo

disque^M
disk

bulbe^M
bulge

amas^M globulaire
globular cluster

bras^M spiral
spiral arm

comète^F
comet

coma^F
coma

tête^F
head

noyau^M
nucleus

queue^F de poussières^F
dust tail

queue^F ionique
ion tail

télescope^M spatial Hubble
Hubble space telescope

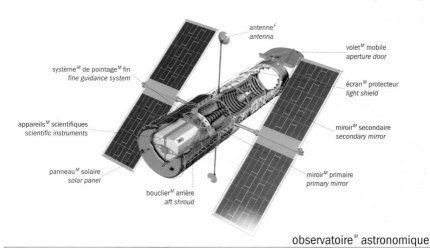

antenne^F
antenna

volet^M mobile
aperture door

système^M de pointage^M fin
fine guidance system

écran^M protecteur
light shield

appareils^M scientifiques
scientific instruments

miroir^M secondaire
secondary mirror

panneau^M solaire
solar panel

miroir^M primaire
primary mirror

bouclier^M arrière
aft shroud

observatoire^M astronomique
astronomical observatory

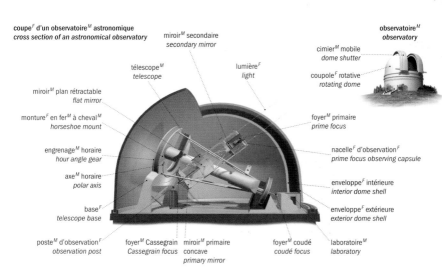

coupe^F d'un observatoire^M astronomique
cross section of an astronomical observatory

miroir^M secondaire
secondary mirror

télescope^M
telescope

lumière^F
light

observatoire^M
observatory

cimier^M mobile
dome shutter

coupole^F rotative
rotating dome

miroir^M plan rétractable
flat mirror

foyer^M primaire
prime focus

monture^F en fer^M à cheval^M
horseshoe mount

nacelle^F d'observation^F
prime focus observing capsule

engrenage^M horaire
hour angle gear

axe^M horaire
polar axis

enveloppe^F intérieure
interior dome shell

base^F
telescope base

enveloppe^F extérieure
exterior dome shell

poste^M d'observation^F
observation post

foyer^M Cassegrain
Cassegrain focus

miroir^M primaire
concave
primary mirror

foyer^M coudé
coudé focus

laboratoire^M
laboratory

ASTRONOMIE

lunette^F astronomique
refracting telescope

chercheur^M
finderscope

bride^F de fixation^F
cradle

tube^M
main tube

pare-soleil^M
dew shield

oculaire^M
eyepiece

tube^M porte-oculaire^M
eyepiece holder

oculaire^M coudé
star diagonal

bouton^M de mise^F au point^M
focusing knob

réglage^M micrométrique (azimut^M)
azimuth fine adjustment

réglage^M micrométrique (latitude^F)
altitude fine adjustment

fourche^F
fork

plateau^M pour accessoires^M
tripod accessories shelf

cercle^M de déclinaison^F
declination setting scale

vis^F de blocage^M (azimut^M)
azimuth clamp

vis^F de blocage^M (latitude^F)
altitude clamp

cercle^M d'ascension^F droite
right ascension setting scale

contrepoids^M
counterweight

trépied^M
tripod

coupe^F d'une lunette^F astronomique
cross section of a refracting telescope

oculaire^M
eyepiece

lumière^F
light

lentille^F objectif^M
objective lens

tube^M
main tube

télescope^M
reflecting telescope

support^M de fixation^F
support

chercheur^M
finderscope

oculaire^M
eyepiece

bride^F de fixation^F
cradle

tube^M
main tube

bouton^M de mise^F au point^M
focusing knob

cercle^M de déclinaison^F
declination setting scale

vis^F de blocage^M (azimut^M)
azimuth clamp

vis^F de blocage^M (latitude^F)
altitude clamp

cercle^M d'ascension^F droite
right ascension setting scale

réglage^M micrométrique (azimut^M)
azimuth fine adjustment

réglage^M micrométrique
(latitude^F)
altitude fine adjustment

coupe^F d'un télescope^M
cross section of a reflecting telescope

oculaire^M
eyepiece

miroir^M secondaire
secondary mirror

miroir^M primaire
concave
concave primary mirror

lumière^F
light

tube^M
main tube

scaphandre^M spatial
spacesuit

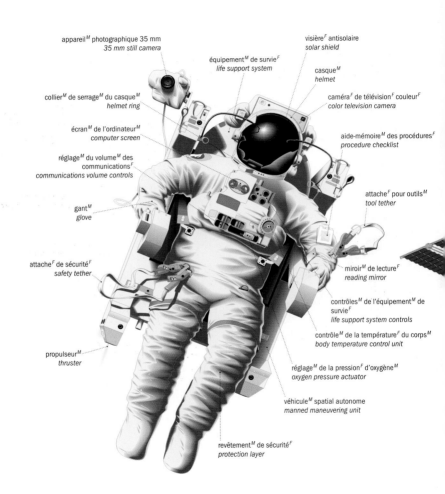

appareil^M photographique 35 mm
35 mm still camera

équipement^M de survie^F
life support system

visière^F antisolaire
solar shield

casque^M
helmet

collier^M de serrage^M du casque^M
helmet ring

caméra^F de télévision^F couleur^F
color television camera

écran^M de l'ordinateur^M
computer screen

aide-mémoire^M des procédures^F
procedure checklist

réglage^M du volume^M des
communications^F
communications volume controls

attache^F pour outils^M
tool tether

gant^M
glove

attache^F de sécurité^F
safety tether

miroir^M de lecture^F
reading mirror

contrôles^M de l'équipement^M de
survie^F
life support system controls

contrôle^M de la température^F du corps^M
body temperature control unit

propulseur^M
thruster

réglage^M de la pression^F d'oxygène^M
oxygen pressure actuator

véhicule^M spatial autonome
manned maneuvering unit

revêtement^M de sécurité^F
protection layer

station^F spatiale internationale
international space station

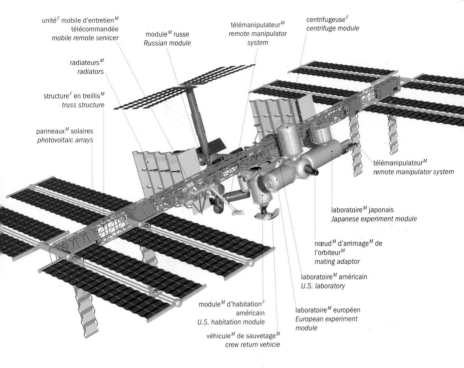

unité^F mobile d'entretien^M
télécommandée
mobile remote servicer

module^M russe
Russian module

télémanipulateur^M
*remote manipulator
system*

centrifugeuse^F
centrifuge module

radiateurs^M
radiators

structure^F en treillis^M
truss structure

panneaux^M solaires
photovoltaic arrays

télémanipulateur^M
remote manipulator system

laboratoire^M japonais
Japanese experiment module

nœud^M d'arrimage^M de
l'orbiteur^M
mating adaptor

laboratoire^M américain
U.S. laboratory

module^M d'habitation^F
américain
U.S. habitation module

laboratoire^M européen
*European experiment
module*

véhicule^M de sauvetage^M
crew return vehicle

navette^F spatiale
space shuttle

navette^F spatiale au décollage^M
space shuttle at takeoff

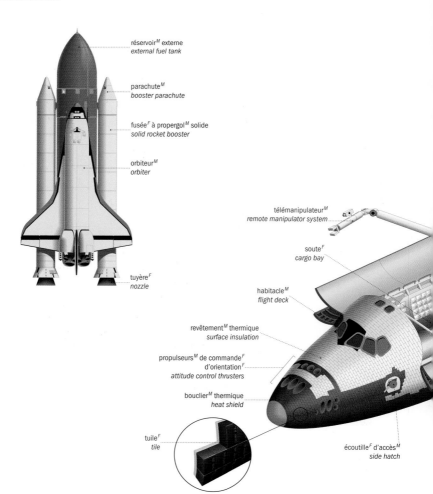

réservoir^M externe
external fuel tank

parachute^M
booster parachute

fusée^F à propergol^M solide
solid rocket booster

orbiteur^M
orbiter

tuyère^F
nozzle

télémanipulateur^M
remote manipulator system

soute^F
cargo bay

habitacle^M
flight deck

revêtement^M thermique
surface insulation

propulseurs^M de commande^F
d'orientation^F
attitude control thrusters

bouclier^M thermique
heat shield

tuile^F
tile

écoutille^F d'accès^M
side hatch

navette^F spatiale

orbiteur^M
orbiter

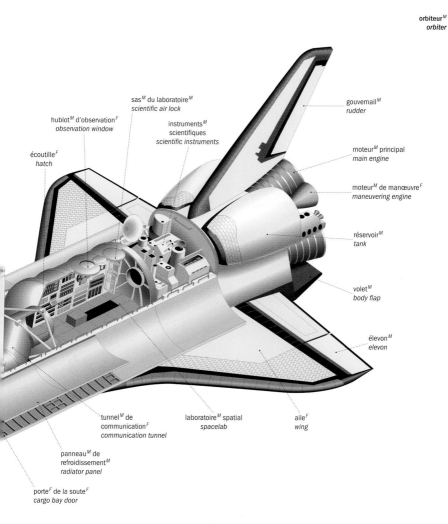

sas^M du laboratoire^M
scientific air lock

hublot^M d'observation^F
observation window

instruments^M
scientifiques
scientific instruments

écoutille^F
hatch

gouvernail^M
rudder

moteur^M principal
main engine

moteur^M de manœuvre^F
maneuvering engine

réservoir^M
tank

volet^M
body flap

élevon^M
elevon

tunnel^M de
communication^F
communication tunnel

laboratoire^M spatial
spacelab

aile^F
wing

panneau^M de
refroidissement^M
radiator panel

porte^F de la soute^F
cargo bay door

configuration^F des continents^M
configuration of the continents

TERRE

planisphère^M
planisphere

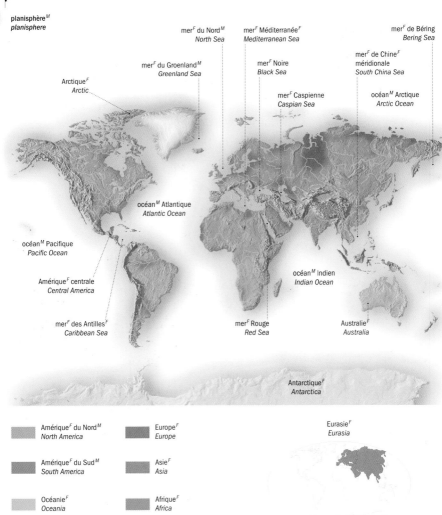

mer^F du Nord^M
North Sea

mer^F Méditerranée^F
Mediterranean Sea

mer^F de Béring
Bering Sea

mer^F du Groenland^M
Greenland Sea

mer^F Noire
Black Sea

mer^F de Chine^F
méridionale
South China Sea

Arctique^F
Arctic

mer^F Caspienne
Caspian Sea

océan^M Arctique
Arctic Ocean

océan^M Atlantique
Atlantic Ocean

océan^M Pacifique
Pacific Ocean

Amérique^F centrale
Central America

océan^M Indien
Indian Ocean

mer^F des Antilles^F
Caribbean Sea

mer^F Rouge
Red Sea

Australie^F
Australia

Antarctique^F
Antarctica

Amérique^F du Nord^M
North America

Europe^F
Europe

Eurasie^F
Eurasia

Amérique^F du Sud^M
South America

Asie^F
Asia

Océanie^F
Oceania

Afrique^F
Africa

TERRE

Antarctique^F
Antarctica

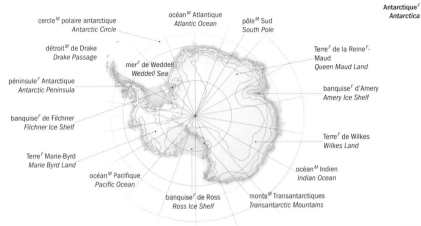

cercle^M polaire antarctique
Antarctic Circle

détroit^M de Drake
Drake Passage

péninsule^F Antarctique
Antarctic Peninsula

banquise^F de Filchner
Filchner Ice Shelf

Terre^F Marie-Byrd
Marie Byrd Land

océan^M Pacifique
Pacific Ocean

banquise^F de Ross
Ross Ice Shelf

océan^M Atlantique
Atlantic Ocean

mer^F de Weddell
Weddell Sea

pôle^M Sud
South Pole

Terre^F de la Reine^F-Maud
Queen Maud Land

banquise^F d'Amery
Amery Ice Shelf

Terre^F de Wilkes
Wilkes Land

océan^M Indien
Indian Ocean

monts^M Transantarctiques
Transantarctic Mountains

Océanie^F
Oceania

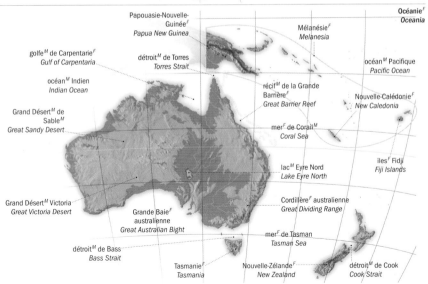

Papouasie-Nouvelle-Guinée^F
Papua New Guinea

golfe^M de Carpentarie^F
Gulf of Carpentaria

océan^M Indien
Indian Ocean

Grand Désert^M de Sable^M
Great Sandy Desert

Grand Désert^M Victoria
Great Victoria Desert

détroit^M de Bass
Bass Strait

Tasmanie^F
Tasmania

détroit^M de Torres
Torres Strait

Mélanésie^F
Melanesia

océan^M Pacifique
Pacific Ocean

récif^M de la Grande Barrière^F
Great Barrier Reef

Nouvelle-Calédonie^F
New Caledonia

mer^F de Corail^M
Coral Sea

îles^F Fidji
Fiji Islands

lac^M Eyre Nord
Lake Eyre North

Cordillère^F australienne
Great Dividing Range

Grande Baie^F australienne
Great Australian Bight

mer^F de Tasman
Tasman Sea

Nouvelle-Zélande^F
New Zealand

détroit^M de Cook
Cook Strait

TERRE

Amérique^F du Nord^M
North America

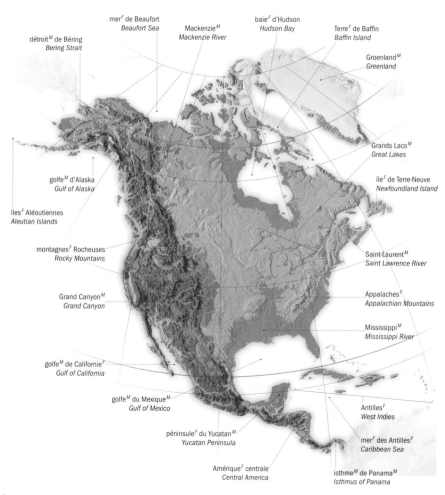

mer^F de Beaufort
Beaufort Sea

Mackenzie^M
Mackenzie River

baie^F d'Hudson
Hudson Bay

Terre^F de Baffin
Baffin Island

détroit^M de Béring
Bering Strait

Groenland^M
Greenland

golfe^M d'Alaska
Gulf of Alaska

Grands Lacs^M
Great Lakes

île^F de Terre-Neuve
Newfoundland Island

îles^F Aléoutiennes
Aleutian Islands

montagnes^F Rocheuses
Rocky Mountains

Saint-Laurent^M
Saint Lawrence River

Grand Canyon^M
Grand Canyon

Appalaches^F
Appalachian Mountains

Mississippi^M
Mississippi River

golfe^M de Californie^F
Gulf of California

golfe^M du Mexique^M
Gulf of Mexico

Antilles^F
West Indies

péninsule^F du Yucatan^M
Yucatan Peninsula

mer^F des Antilles^F
Caribbean Sea

Amérique^F centrale
Central America

isthme^M de Panama^M
Isthmus of Panama

Amérique^F du Sud^M
South America

TERRE

Orénoque^M
Orinoco River

golfe^M de Panama^M
Gulf of Panama

Amazone^F
Amazon River

équateur^M
Equator

cordillère^F des Andes
Andes Cordillera

lac^M Titicaca
Lake Titicaca

désert^M d'Atacama
Atacama Desert

Paraná^M
Paraná River

Patagonie^F
Patagonia

îles^F Falkland
Falkland Islands

Terre^F de Feu^M
Tierra del Fuego

cap^M Horn
Cape Horn

détroit^M de Drake
Drake Passage

configuration^F des continents^M

TERRE

Europe^F
Europe

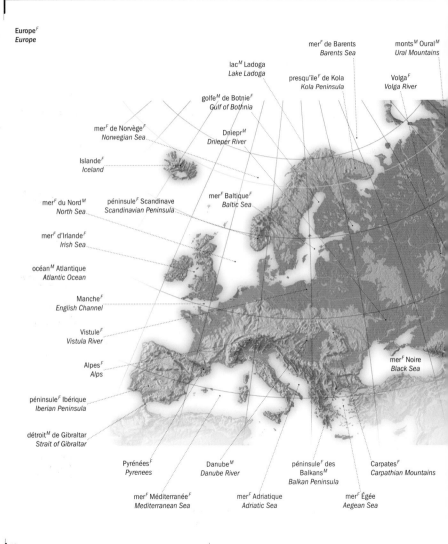

mer^F de Barents
Barents Sea

monts^M Oural^M
Ural Mountains

lac^M Ladoga
Lake Ladoga

presqu'île^F de Kola
Kola Peninsula

Volga^F
Volga River

golfe^M de Botnie^F
Gulf of Bothnia

mer^F de Norvège^F
Norwegian Sea

Dniepr^M
Dnieper River

Islande^F
Iceland

mer^F du Nord^M
North Sea

péninsule^F Scandinave
Scandinavian Peninsula

mer^F Baltique^F
Baltic Sea

mer^F d'Irlande^F
Irish Sea

océan^M Atlantique
Atlantic Ocean

Manche^F
English Channel

Vistule^F
Vistula River

Alpes^F
Alps

mer^F Noire
Black Sea

péninsule^F Ibérique
Iberian Peninsula

détroit^M de Gibraltar
Strait of Gibraltar

Pyrénées^F
Pyrenees

Danube^M
Danube River

péninsule^F des
Balkans^M
Balkan Peninsula

Carpates^F
Carpathian Mountains

mer^F Méditerranée^F
Mediterranean Sea

mer^F Adriatique
Adriatic Sea

mer^F Égée
Aegean Sea

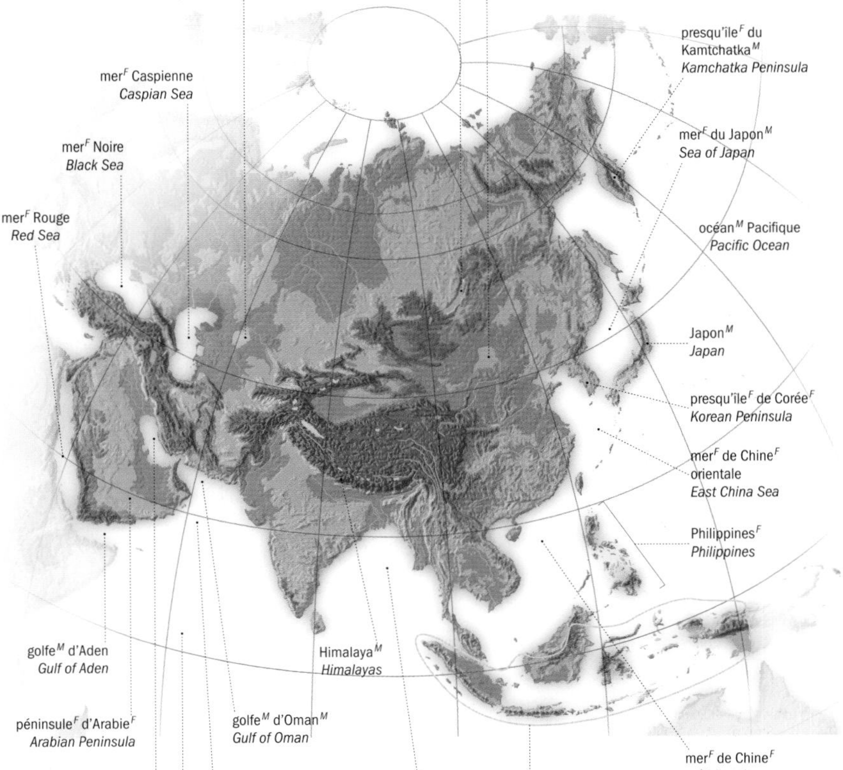

mer^F d'Aral
Aral Sea

lac^M Baïkal
Lake Baikal

désert^M de Gobi^M
Gobi Desert

mer^F Caspienne
Caspian Sea

presqu'île^F du
Kamtchatka^M
Kamchatka Peninsula

mer^F Noire
Black Sea

mer^F du Japon^M
Sea of Japan

mer^F Rouge
Red Sea

océan^M Pacifique
Pacific Ocean

Japon^M
Japan

presqu'île^F de Corée^F
Korean Peninsula

mer^F de Chine^F
orientale
East China Sea

Philippines^F
Philippines

golfe^M d'Aden
Gulf of Aden

Himalaya^M
Himalayas

péninsule^F d'Arabie^F
Arabian Peninsula

golfe^M d'Oman^M
Gulf of Oman

golfe^M Persique
Persian Gulf

mer^F d'Oman^M
Arabian Sea

Indonésie^F
Indonesia

mer^F de Chine^F
méridionale
South China Sea

océan^M Indien
Indian Ocean

golfe^M du Bengale^M
Bay of Bengal

TERRE

Afrique^F
Africa

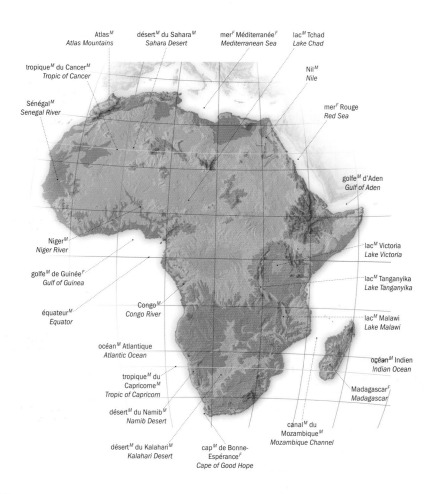

Atlas^M
Atlas Mountains

désert^M du Sahara^M
Sahara Desert

mer^F Méditerranée^F
Mediterranean Sea

lac^M Tchad
Lake Chad

tropique^M du Cancer^M
Tropic of Cancer

Nil^M
Nile

Sénégal^M
Senegal River

mer^F Rouge
Red Sea

golfe^M d'Aden
Gulf of Aden

Niger^M
Niger River

lac^M Victoria
Lake Victoria

golfe^M de Guinée^F
Gulf of Guinea

lac^M Tanganyika
Lake Tanganyika

équateur^M
Equator

Congo^M
Congo River

lac^M Malawi
Lake Malawi

océan^M Atlantique
Atlantic Ocean

océan^M Indien
Indian Ocean

tropique^M du
Capricorne^M
Tropic of Capricorn

Madagascar^F
Madagascar

désert^M du Namib^M
Namib Desert

canal^M du
Mozambique^M
Mozambique Channel

désert^M du Kalahari^M
Kalahari Desert

cap^M de Bonne-
Espérance^F
Cape of Good Hope

cartographie^F
cartography

coordonnées^F terrestres
Earth coordinate system

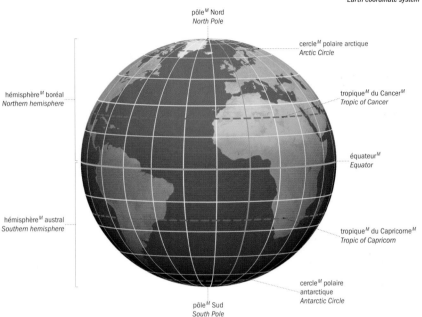

pôle^M Nord
North Pole

cercle^M polaire arctique
Arctic Circle

hémisphère^M boréal
Northern hemisphere

tropique^M du Cancer^M
Tropic of Cancer

équateur^M
Equator

hémisphère^M austral
Southern hemisphere

tropique^M du Capricorne^M
Tropic of Capricorn

cercle^M polaire antarctique
Antarctic Circle

pôle^M Sud
South Pole

hémisphères^M
hemispheres

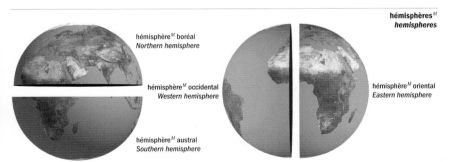

hémisphère^M boréal
Northern hemisphere

hémisphère^M occidental
Western hemisphere

hémisphère^M austral
Southern hemisphere

hémisphère^M oriental
Eastern hemisphere

cartographie^F

TERRE

divisions^F cartographiques
grid system

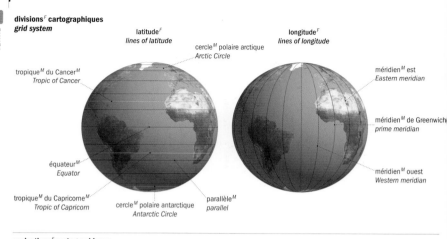

latitude^F
lines of latitude

longitude^F
lines of longitude

cercle^M polaire arctique
Arctic Circle

tropique^M du Cancer^M
Tropic of Cancer

méridien^M est
Eastern meridian

méridien^M de Greenwich
prime meridian

équateur^M
Equator

méridien^M ouest
Western meridian

tropique^M du Capricorne^M
Tropic of Capricorn

cercle^M polaire antarctique
Antarctic Circle

parallèle^M
parallel

projections^F cartographiques
map projections

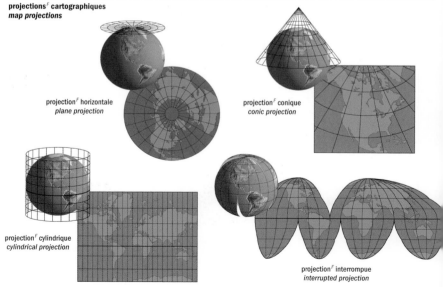

projection^F horizontale
plane projection

projection^F conique
conic projection

projection^F cylindrique
cylindrical projection

projection^F interrompue
interrupted projection

cartographie^F

TERRE

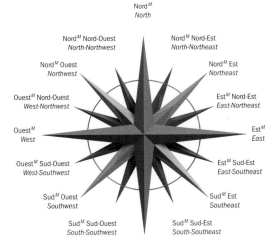

rose^F des vents^M
compass card

Nord^M
North

Nord^M Nord-Ouest
North-Northwest

Nord^M Nord-Est
North-Northeast

Nord^M Ouest
Northwest

Nord^M Est
Northeast

Ouest^M Nord-Ouest
West-Northwest

Est^M Nord-Est
East-Northeast

Ouest^M
West

Est^M
East

Ouest^M Sud-Ouest
West-Southwest

Est^M Sud-Est
East-Southeast

Sud^M Ouest
Southwest

Sud^M Est
Southeast

Sud^M Sud-Ouest
South-Southwest

Sud^M Sud-Est
South-Southeast

Sud^M
South

carte^F politique
political map

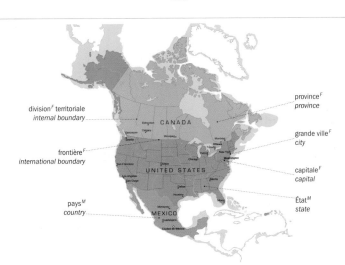

division^F territoriale
internal boundary

province^F
province

grande ville^F
city

frontière^F
international boundary

capitale^F
capital

État^M
state

pays^M
country

CANADA

UNITED STATES

MEXICO

cartographie^F

TERRE

carte^F physique
physical map

baie^F
bay

mer^F
sea

détroit^M
strait

chaîne^F de montagnes^F
mountain range

île^F
island

océan^M
ocean

prairie^F
prairie

massif^M montagneux
mountain mass

estuaire^M
river estuary

lac^M
lake

rivière^F
river

plateau^M
plateau

archipel^M
archipelago

golfe^M
gulf

péninsule^F
peninsula

cap^M
cape

plaine^F
plain

isthme^M
isthmus

fleuve^M
river

cartographie^F

plan^M urbain
urban map

chemin^M de fer^M
railroad line

gare^F
railroad station

pont^M
bridge

banlieue^F
suburbs

fleuve^M
river

bois^M
woods

boulevard^M périphérique
circular route

rond-point^M
traffic circle

rue^F
street

avenue^F
avenue

édifice^M public
public building

boulevard^M
boulevard

parc^M
park

cimetière^M
cemetery

monument^M
monument

autoroute^F
highway

arrondissement^M
district

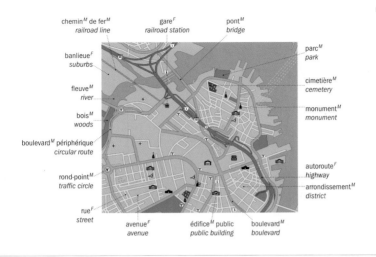

carte^F routière
road map

numéro^M d'autoroute^F
highway number

route^F
road

autoroute^F
highway

aire^F de repos^M
rest area

aire^F de service^M
service area

autoroute^F de ceinture^F
belt highway

numéro^M de route^F
road number

aéroport^M
airport

parc^M national
national park

parcours^M pittoresque
scenic route

route^F secondaire
secondary road

curiosité^F
point of interest

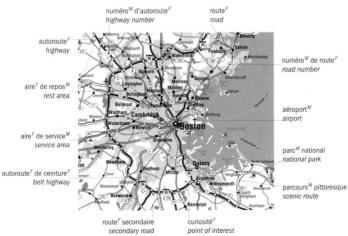

coupe^F de la croûte^F terrestre
section of the Earth's crust

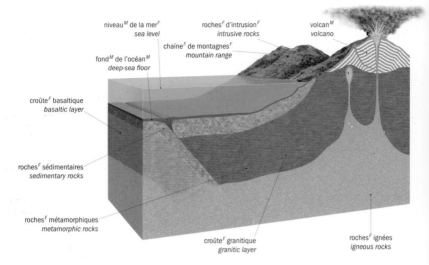

niveau^M de la mer^F
sea level

fond^M de l'océan^M
deep-sea floor

roches^F d'intrusion^F
intrusive rocks

chaîne^F de montagnes^F
mountain range

volcan^M
volcano

croûte^F basaltique
basaltic layer

roches^F sédimentaires
sedimentary rocks

roches^F métamorphiques
metamorphic rocks

croûte^F granitique
granitic layer

roches^F ignées
igneous rocks

structure^F de la Terre^F
structure of the Earth

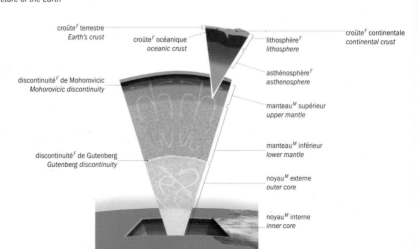

croûte^F terrestre
Earth's crust

croûte^F océanique
oceanic crust

discontinuité^F de Mohorovicic
Mohorovicic discontinuity

discontinuité^F de Gutenberg
Gutenberg discontinuity

lithosphère^F
lithosphere

croûte^F continentale
continental crust

asthénosphère^F
asthenosphere

manteau^M supérieur
upper mantle

manteau^M inférieur
lower mantle

noyau^M externe
outer core

noyau^M interne
inner core

plaques^F tectoniques
tectonic plates

TERRE

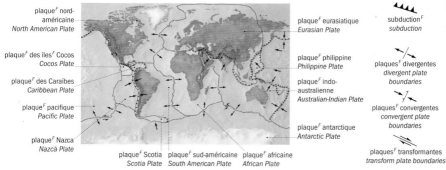

plaque^F nord-
américaine
North American Plate

plaque^F des îles^F Cocos
Cocos Plate

plaque^F des Caraïbes
Caribbean Plate

plaque^F pacifique
Pacific Plate

plaque^F Nazca
Nazcà Plate

plaque^F Scotia
Scotia Plate

plaque^F sud-américaine
South American Plate

plaque^F africaine
African Plate

plaque^F eurasiatique
Eurasian Plate

plaque^F philippine
Philippine Plate

plaque^F indo-
australienne
Australian-Indian Plate

plaque^F antarctique
Antarctic Plate

subduction^F
subduction

plaques^F divergentes
*divergent plate
boundaries*

plaques^F convergentes
*convergent plate
boundaries*

plaques^F transformantes
transform plate boundaries

séisme^M
earthquake

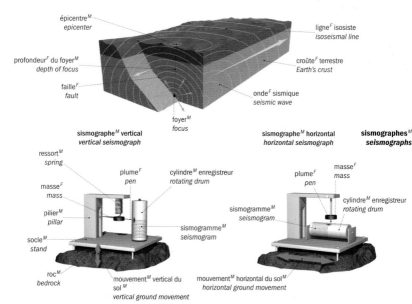

épicentre^M
epicenter

profondeur^F du foyer^M
depth of focus

faille^F
fault

foyer^M
focus

ligne^F isosiste
isoseismal line

croûte^F terrestre
Earth's crust

onde^F sismique
seismic wave

sismographe^M vertical
vertical seismograph

sismographe^M horizontal
horizontal seismograph

sismographes^M
seismographs

ressort^M
spring

masse^F
mass

pilier^M
pillar

socle^M
stand

roc^M
bedrock

plume^F
pen

cylindre^M enregistreur
rotating drum

sismogramme^M
seismogram

mouvement^M vertical du
sol^M
vertical ground movement

masse^F
mass

plume^F
pen

sismogramme^M
seismogram

cylindre^M enregistreur
rotating drum

mouvement^M horizontal du sol^M
horizontal ground movement

TERRE

volcan ^{M}
volcano

volcan ^{M} en éruption ^{F}
volcano during eruption

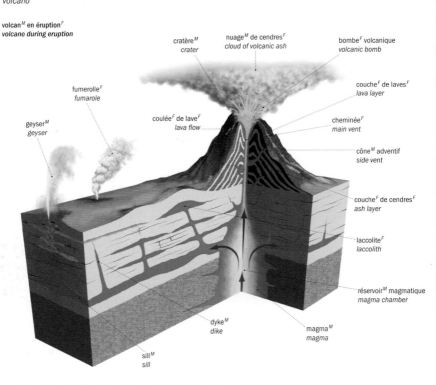

cratère ^{M}
crater

nuage ^{M} de cendres ^{F}
cloud of volcanic ash

bombe ^{F} volcanique
volcanic bomb

fumerolle ^{F}
fumarole

couche ^{F} de laves ^{F}
lava layer

geyser ^{M}
geyser

coulée ^{F} de lave ^{F}
lava flow

cheminée ^{F}
main vent

cône ^{M} adventif
side vent

couche ^{F} de cendres ^{F}
ash layer

laccolite ^{F}
laccolith

réservoir ^{M} magmatique
magma chamber

dyke ^{M}
dike

magma ^{M}
magma

sill ^{M}
sill

exemples ^{M} de volcans ^{M}
examples of volcanoes

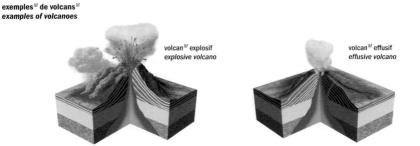

volcan ^{M} explosif
explosive volcano

volcan ^{M} effusif
effusive volcano

montagne^F
mountain

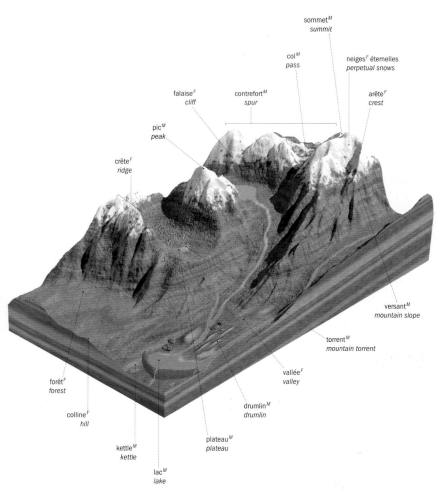

sommet^M
summit

col^M
pass

neiges^F éternelles
perpetual snows

falaise^F
cliff

contrefort^M
spur

arête^F
crest

pic^M
peak

crête^F
ridge

versant^M
mountain slope

torrent^M
mountain torrent

vallée^F
valley

forêt^F
forest

drumlin^M
drumlin

colline^F
hill

kettle^M
kettle

plateau^M
plateau

lac^M
lake

glacier^M

glacier

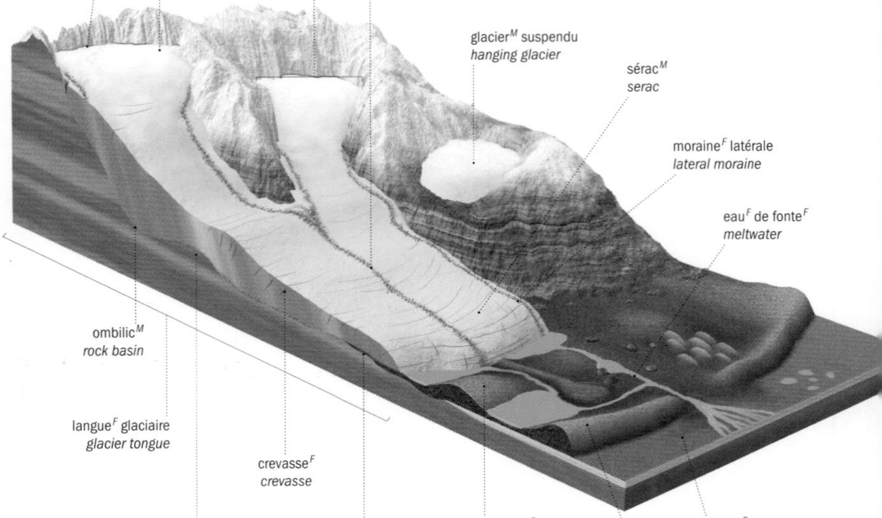

TERRE

rimaye^F
bergschrund

névé^M
firn

cirque^M glaciaire
glacial cirque

moraine^F médiane
medial moraine

glacier^M suspendu
hanging glacier

sérac^M
serac

moraine^F latérale
lateral moraine

eau^F de fonte^F
meltwater

ombilic^M
rock basin

langue^F glaciaire
glacier tongue

crevasse^F
crevasse

moraine^F frontale
end moraine

plaine^F fluvio-glaciaire
outwash plain

verrou^M
riegel

moraine^F de fond^M
ground moraine

moraine^F terminale
terminal moraine

grotte^F
cave

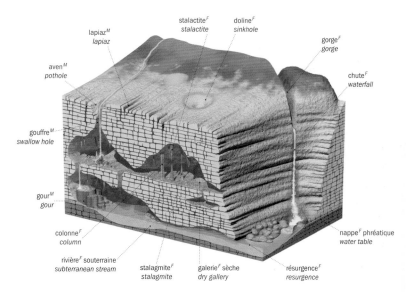

lapiaz^M
lapiaz

stalactite^F
stalactite

doline^F
sinkhole

gorge^F
gorge

chute^F
waterfall

aven^M
pothole

gouffre^M
swallow hole

gour^M
gour

colonne^F
column

rivière^F souterraine
subterranean stream

stalagmite^F
stalagmite

galerie^F sèche
dry gallery

résurgence^F
resurgence

nappe^F phréatique
water table

mouvements^M de terrain^M
landslides

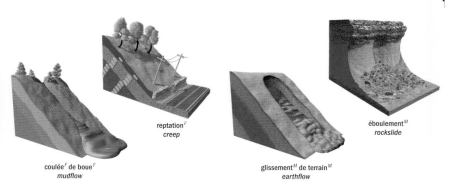

reptation^F
creep

éboulement^M
rockslide

coulée^F de boue^F
mudflow

glissement^M de terrain^M
earthflow

TERRE

cours^M d'eau^F
watercourse

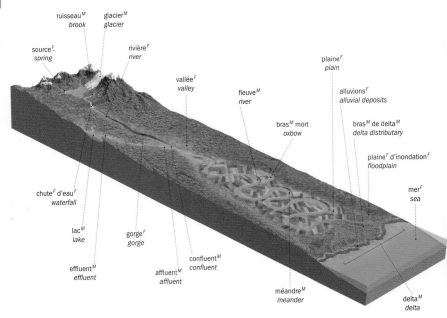

ruisseau^F
brook

glacier^M
glacier

source^F
spring

rivière^F
river

vallée^F
valley

fleuve^M
river

plaine^F
plain

alluvions^F
alluvial deposits

bras^M mort
oxbow

bras^M de delta^M
delta distributary

plaine^F d'inondation^F
floodplain

mer^F
sea

chute^F d'eau^F
waterfall

lac^M
lake

gorge^F
gorge

confluent^M
confluent

effluent^M
effluent

affluent^M
affluent

méandre^M
meander

delta^M
delta

lacs^M
lakes

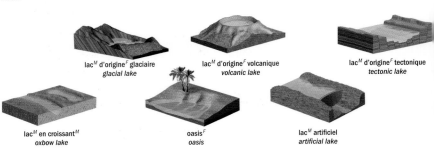

lac^M d'origine^F glaciaire
glacial lake

lac^M d'origine^F volcanique
volcanic lake

lac^M d'origine^F tectonique
tectonic lake

lac^M en croissant^M
oxbow lake

oasis^F
oasis

lac^M artificiel
artificial lake

vague^F
wave

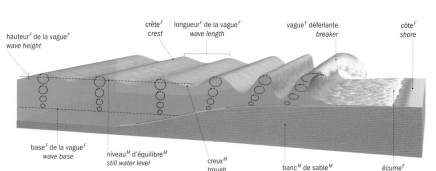

hauteur^F de la vague^F
wave height

crête^F
crest

longueur^F de la vague^F
wave length

vague^F déferlante
breaker

côte^F
shore

base^F de la vague^F
wave base

niveau^M d'équilibre^M
still water level

creux^M
trough

banc^M de sable^M
sand bar

écume^F
foam

fond^M de l'océan^M
ocean floor

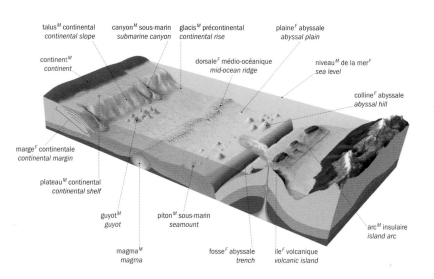

talus^M continental
continental slope

canyon^M sous-marin
submarine canyon

glacis^M précontinental
continental rise

plaine^F abyssale
abyssal plain

continent^M
continent

dorsale^F médio-océanique
mid-ocean ridge

niveau^M de la mer^F
sea level

colline^F abyssale
abyssal hill

marge^F continentale
continental margin

plateau^M continental
continental shelf

guyot^M
guyot

piton^M sous-marin
seamount

arc^M insulaire
island arc

magma^M
magma

fosse^F abyssale
trench

île^F volcanique
volcanic island

fosses[F] et dorsales[F] océaniques

ocean trenches and ridges

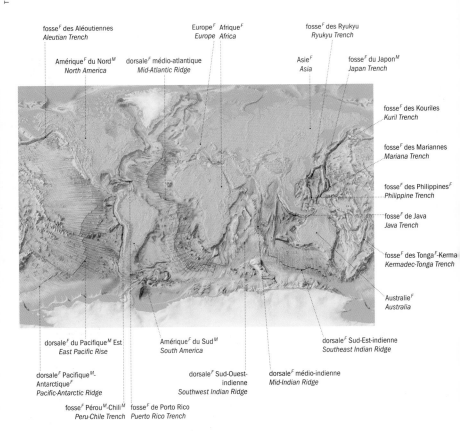

fosse[F] des Aléoutiennes
Aleutian Trench

Amérique[F] du Nord[M]
North America

dorsale[F] médio-atlantique
Mid-Atlantic Ridge

Europe[F] Afrique[F]
Europe Africa

fosse[F] des Ryukyu
Ryukyu Trench

Asie[F]
Asia

fosse[F] du Japon[M]
Japan Trench

fosse[F] des Kouriles
Kuril Trench

fosse[F] des Mariannes
Mariana Trench

fosse[F] des Philippines[F]
Philippine Trench

fosse[F] de Java
Java Trench

fosse[F] des Tonga[F]-Kerma
Kermadec-Tonga Trench

Australie[F]
Australia

dorsale[F] du Pacifique[M] Est
East Pacific Rise

Amérique[F] du Sud[M]
South America

dorsale[F] Sud-Est-indienne
Southeast Indian Ridge

dorsale[F] Pacifique[M]-
Antarctique[F]
Pacific-Antarctic Ridge

dorsale[F] Sud-Ouest-
indienne
Southwest Indian Ridge

dorsale[F] médio-indienne
Mid-Indian Ridge

fosse[F] Pérou[M]-Chili[M]
Peru-Chile Trench

fosse[F] de Porto Rico
Puerto Rico Trench

configuration^F du littoral^M
common coastal features

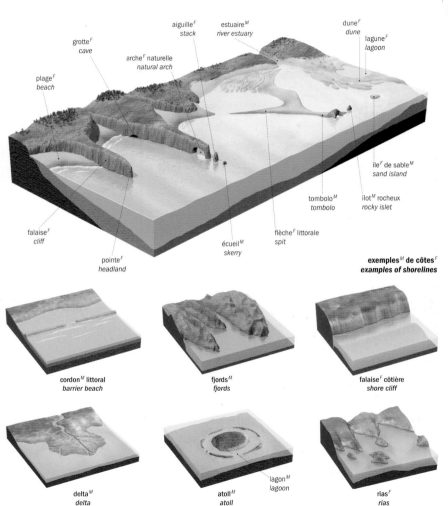

aiguille^F
stack

estuaire^M
river estuary

dune^F
dune

lagune^F
lagoon

grotte^F
cave

arche^F naturelle
natural arch

plage^F
beach

falaise^F
cliff

pointe^F
headland

écueil^M
skerry

flèche^F littorale
spit

tombolo^M
tombolo

îlot^M rocheux
rocky islet

île^F de sable^M
sand island

exemples^M de côtes^F
examples of shorelines

cordon^M littoral
barrier beach

fjords^M
fjords

falaise^F côtière
shore cliff

delta^M
delta

atoll^M
atoll

lagon^M
lagoon

rias^F
rias

désert^M
desert

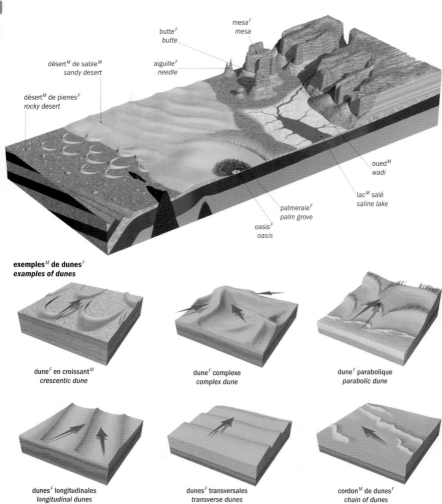

mesa^F
mesa

butte^F
butte

aiguille^F
needle

désert^M de sable^M
sandy desert

désert^M de pierres^F
rocky desert

oued^M
wadi

lac^M salé
saline lake

palmeraie^F
palm grove

oasis^F
oasis

exemples^M de dunes^F
examples of dunes

dune^F en croissant^M
crescentic dune

dune^F complexe
complex dune

dune^F parabolique
parabolic dune

dunes^F longitudinales
longitudinal dunes

dunes^F transversales
transverse dunes

cordon^M de dunes^F
chain of dunes

coupe^F de l'atmosphère^F terrestre
profile of the Earth's atmosphere

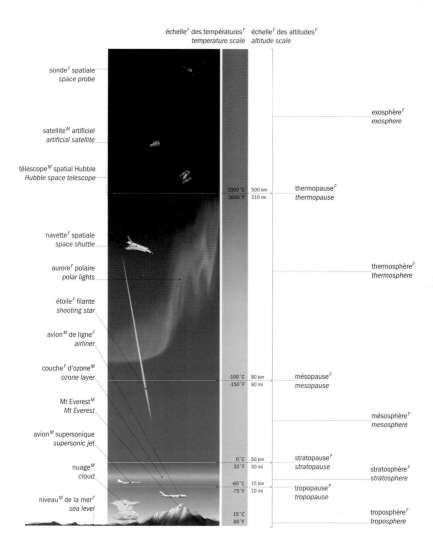

échelle^F des températures^F échelle^F des altitudes^F
temperature scale   *altitude scale*

sonde^F spatiale
space probe

satellite^M artificiel
artificial satellite

télescope^M spatial Hubble
Hubble space telescope

exosphère^F
exosphere

2000 °C   500 km   thermopause^F
3600 °F   310 mi   *thermopause*

navette^F spatiale
space shuttle

aurore^F polaire
polar lights

thermosphère^F
thermosphere

étoile^F filante
shooting star

avion^M de ligne^F
airliner

couche^F d'ozone^M
ozone layer

-100 °C   80 km   mésopause^F
-150 °F   60 mi   *mesopause*

Mt Everest^M
Mt Everest

mésosphère^F
mesosphere

avion^M supersonique
supersonic jet

0 °C   50 km   stratopause^F
32 °F   30 mi   *stratopause*

nuage^M
cloud

stratosphère^F
stratosphere

-60 °C   15 km   tropopause^F
-75 °F   10 mi   *tropopause*

niveau^M de la mer^F
sea level

15 °C
60 °F

troposphère^F
troposphere

cycle^M des saisons^F
seasons of the year

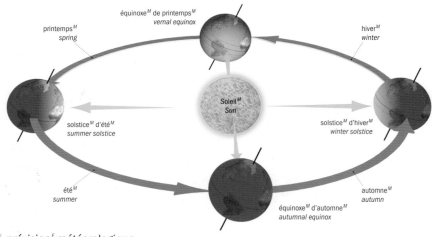

équinoxe^M de printemps^M
vernal equinox

printemps^M
spring

hiver^M
winter

Soleil^M
Sun

solstice^M d'été^M
summer solstice

solstice^M d'hiver^M
winter solstice

été^M
summer

automne^M
autumn

équinoxe^M d'automne^M
autumnal equinox

prévision^F météorologique
meteorological forecast

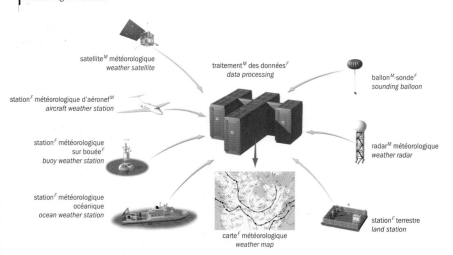

satellite^M météorologique
weather satellite

traitement^M des données^F
data processing

ballon^M-sonde^F
sounding balloon

station^F météorologique d'aéronef^M
aircraft weather station

station^F météorologique
sur bouée^F
buoy weather station

radar^M météorologique
weather radar

station^F météorologique
océanique
ocean weather station

station^F terrestre
land station

carte^F météorologique
weather map

carte^F météorologique
weather map

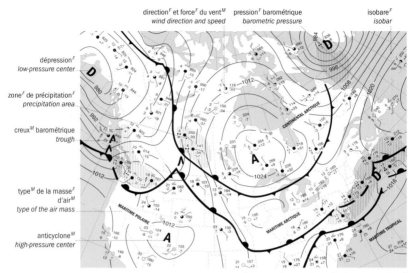

direction^F et force^F du vent^M
wind direction and speed

pression^F barométrique
barometric pressure

isobare^F
isobar

dépression^F
low-pressure center

zone^F de précipitation^F
precipitation area

creux^M barométrique
trough

type^M de la masse^F
d'air^M
type of the air mass

anticyclone^M
high-pressure center

disposition^F des informations^F d'une station^F
station model

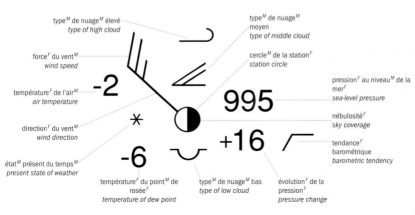

type^M de nuage^M élevé
type of high cloud

type^M de nuage^M
moyen
type of middle cloud

force^F du vent^M
wind speed

cercle^M de la station^F
station circle

température^F de l'air^M
air temperature

pression^F au niveau^M de la
mer^F
sea-level pressure

direction^F du vent^M
wind direction

nébulosité^F
sky coverage

état^M présent du temps^M
present state of weather

tendance^F
barométrique
barometric tendency

température^F du point^M de
rosée^F
temperature of dew point

type^M de nuage^M bas
type of low cloud

évolution^F de la
pression^F
pressure change

climats^M du monde^M
climates of the world

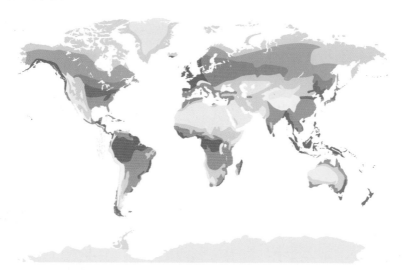

climats^M tropicaux
tropical climates

tropical humide
tropical rain forest

tropical humide et sec (savane^F)
tropical wet-and-dry (savanna)

climats^M arides
dry climates

steppe^F
steppe

désert^M
desert

climats^M tempérés froids
cold temperate climates

continental humide, à été^M chaud
humid continental—hot summer

continental humide, à été^M frais
humid continental—warm summer

subarctique
subarctic

climats^M tempérés chauds
warm temperate climates

subtropical humide
humid subtropical

méditerranéen
Mediterranean subtropical

océanique
marine

climats^M polaires
polar climates

toundra^F
polar tundra

calotte^F glaciaire
polar ice cap

climats^M de montagne^F
highland climates

climats^M de montagne^F
highland

précipitations^F

precipitations

précipitations^F hivernales
winter precipitations

air^M chaud
warm air

air^M froid
cold air

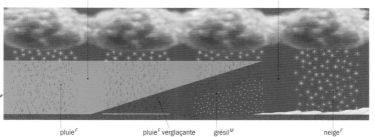

pluie^F
rain

pluie^F verglaçante
freezing rain

grésil^M
sleet

neige^F
snow

ciel^M d'orage^M
stormy sky

nuage^M
cloud

éclair^M
lightning

arc-en-ciel^M
rainbow

pluie^F
rain

rosée^F
dew

brume^F
mist

brouillard^M
fog

givre^M
rime

verglas^M
frost

nuages^M
clouds

TERRE

nuages^M de haute altitude^F
high clouds

nuages^M de moyenne altitude^F
middle clouds

nuages^M de basse altitude^F
low clouds

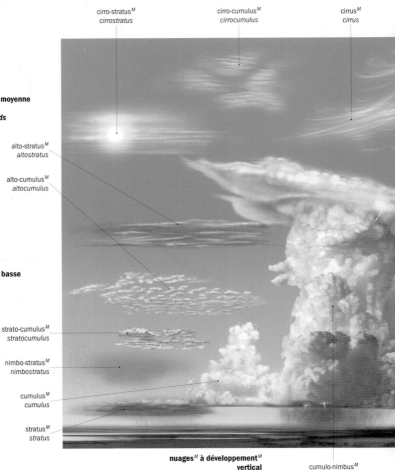

cirro-stratus^M
cirrostratus

cirro-cumulus^M
cirrocumulus

cirrus^M
cirrus

alto-stratus^M
altostratus

alto-cumulus^M
altocumulus

strato-cumulus^M
stratocumulus

nimbo-stratus^M
nimbostratus

cumulus^M
cumulus

stratus^M
stratus

nuages^M à développement^M vertical
clouds of vertical development

cumulo-nimbus^M
cumulonimbus

tornade^F et trombe^F marine
tornado and waterspout

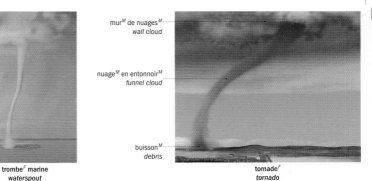

mur^M de nuages^M
wall cloud

nuage^M en entonnoir^M
funnel cloud

buisson^M
debris

trombe^F marine
waterspout

tornade^F
tornado

cyclone^M tropical
tropical cyclone

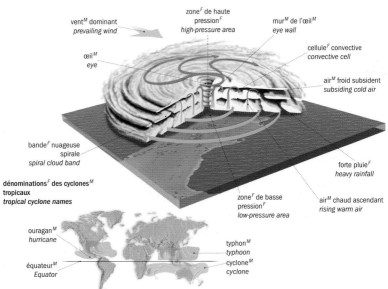

vent^M dominant
prevailing wind

zone^F de haute pression^F
high-pressure area

mur^M de l'œil^M
eye wall

cellule^F convective
convective cell

œil^M
eye

air^M froid subsident
subsiding cold air

bande^F nuageuse spirale
spiral cloud band

forte pluie^F
heavy rainfall

dénominations^F des cyclones^M tropicaux
tropical cyclone names

zone^F de basse pression^F
low-pressure area

air^M chaud ascendant
rising warm air

ouragan^M
hurricane

typhon^M
typhoon

équateur^M
Equator

cyclone^M
cyclone

TERRE

végétation^F et biosphère^F
vegetation and biosphere

distribution^F de la végétation^F
vegetation regions

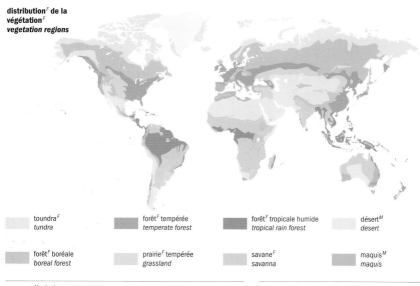

toundra^F
tundra

forêt^F tempérée
temperate forest

forêt^F tropicale humide
tropical rain forest

désert^M
desert

forêt^F boréale
boreal forest

prairie^F tempérée
grassland

savane^F
savanna

maquis^M
maquis

paysage^M végétal selon l'altitude^F
elevation zones and vegetation

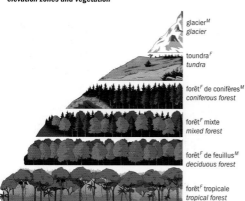

glacier^M
glacier

toundra^F
tundra

forêt^F de conifères^M
coniferous forest

forêt^F mixte
mixed forest

forêt^F de feuillus^M
deciduous forest

forêt^F tropicale
tropical forest

structure^F de la biosphère^F
structure of the biosphere

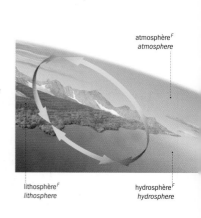

atmosphère^F
atmosphere

lithosphère^F
lithosphere

hydrosphère^F
hydrosphere

chaîne^F alimentaire

food chain

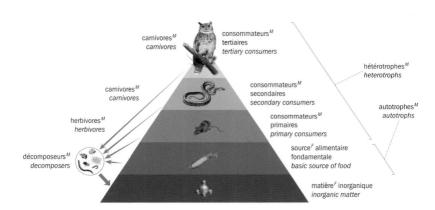

carnivores^M
carnivores

consommateurs^M tertiaires
tertiary consumers

hétérotrophes^M
heterotrophs

carnivores^M
carnivores

consommateurs^M secondaires
secondary consumers

autotrophes^M
autotrophs

herbivores^M
herbivores

consommateurs^M primaires
primary consumers

décomposeurs^M
decomposers

source^F alimentaire fondamentale
basic source of food

matière^F inorganique
inorganic matter

cycle^M de l'eau^F

hydrologic cycle

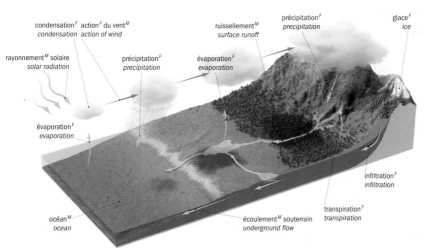

condensation^F
condensation

action^F du vent^M
action of wind

ruissellement^M
surface runoff

précipitation^F
precipitation

glace^F
ice

rayonnement^M solaire
solar radiation

précipitation^F
precipitation

évaporation^F
evaporation

évaporation^F
evaporation

infiltration^F
infiltration

océan^M
ocean

écoulement^M souterrain
underground flow

transpiration^F
transpiration

TERRE

effet^M de serre^F
greenhouse effect

effet^M de serre^F naturel
natural greenhouse effect

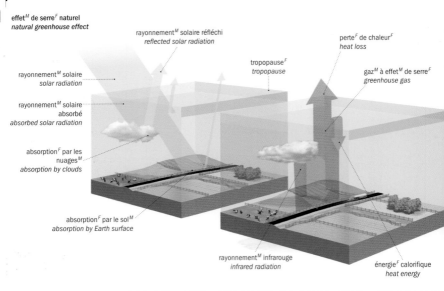

rayonnement^M solaire réfléchi
reflected solar radiation

tropopause^F
tropopause

perte^F de chaleur^F
heat loss

rayonnement^M solaire
solar radiation

gaz^M à effet^M de serre^F
greenhouse gas

rayonnement^M solaire absorbé
absorbed solar radiation

absorption^F par les nuages^M
absorption by clouds

absorption^F par le sol^M
absorption by Earth surface

rayonnement^M infrarouge
infrared radiation

énergie^F calorifique
heat energy

augmentation^F de l'effet^M de serre^F
enhanced greenhouse effect

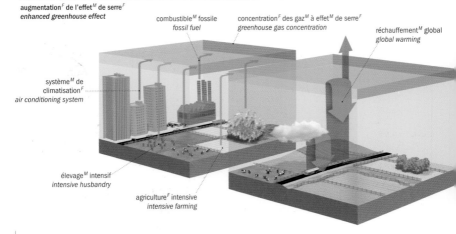

combustible^M fossile
fossil fuel

concentration^F des gaz^M à effet^M de serre^F
greenhouse gas concentration

réchauffement^M global
global warming

système^M de climatisation^F
air conditioning system

élevage^M intensif
intensive husbandry

agriculture^F intensive
intensive farming

pollution^F de l'air^M
air pollution

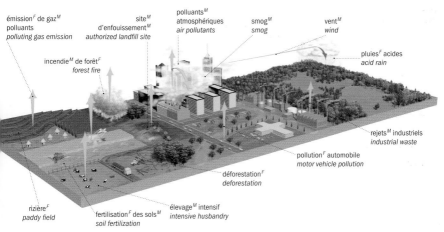

émission^F de gaz^M polluants
polluting gas emission

incendie^M de forêt^F
forest fire

site^M d'enfouissement^M
authorized landfill site

polluants^M atmosphériques
air pollutants

smog^M
smog

vent^M
wind

pluies^F acides
acid rain

rejets^M industriels
industrial waste

pollution^F automobile
motor vehicle pollution

déforestation^F
deforestation

rizière^F
paddy field

fertilisation^F des sols^M
soil fertilization

élevage^M intensif
intensive husbandry

pollution^F du sol^M
land pollution

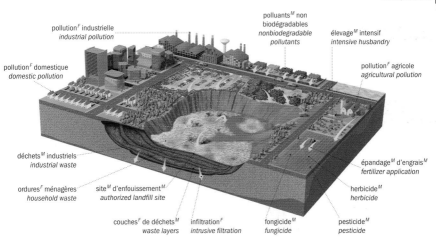

pollution^F industrielle
industrial pollution

polluants^M non biodégradables
nonbiodegradable pollutants

élevage^M intensif
intensive husbandry

pollution^F domestique
domestic pollution

pollution^F agricole
agricultural pollution

déchets^M industriels
industrial waste

épandage^M d'engrais^M
fertilizer application

ordures^F ménagères
household waste

site^M d'enfouissement^M
authorized landfill site

herbicide^M
herbicide

couches^F de déchets^M
waste layers

infiltration^F
intrusive filtration

fongicide^M
fungicide

pesticide^M
pesticide

TERRE

pollution^F de l'eau^F

water pollution

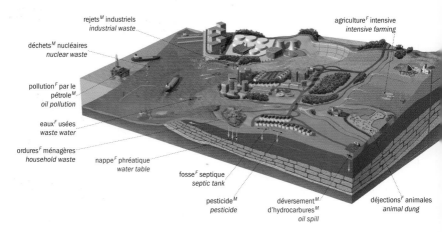

rejets^M industriels
industrial waste

déchets^M nucléaires
nuclear waste

pollution^F par le pétrole^M
oil pollution

eaux^F usées
waste water

ordures^F ménagères
household waste

nappe^F phréatique
water table

fosse^F septique
septic tank

pesticide^M
pesticide

déversement^M d'hydrocarbures^M
oil spill

agriculture^F intensive
intensive farming

déjections^F animales
animal dung

pluies^F acides

acid rain

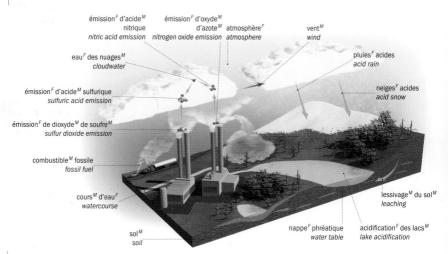

émission^F d'acide^M nitrique
nitric acid emission

émission^F d'oxyde^M d'azote^M
nitrogen oxide emission

atmosphère^F
atmosphere

vent^M
wind

eau^F des nuages^M
cloudwater

pluies^F acides
acid rain

émission^F d'acide^M sulfurique
sulfuric acid emission

neiges^F acides
acid snow

émission^F de dioxyde^M de soufre^M
sulfur dioxide emission

combustible^M fossile
fossil fuel

cours^M d'eau^F
watercourse

lessivage^M du sol^M
leaching

sol^M
soil

nappe^F phréatique
water table

acidification^F des lacs^M
lake acidification

tri^M sélectif des déchets^M

selective sorting of waste

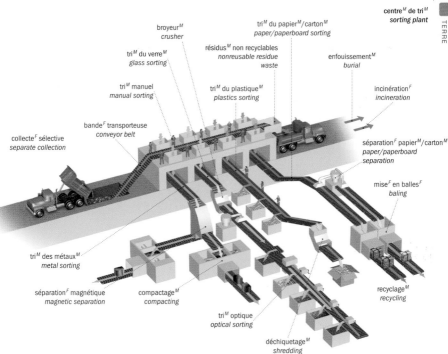

centre^M de tri^M
sorting plant

broyeur^M
crusher

tri^M du papier^M/carton^M
paper/paperboard sorting

tri^M du verre^M
glass sorting

résidus^M non recyclables
*nonreusable residue
waste*

enfouissement^M
burial

tri^M manuel
manual sorting

tri^M du plastique^M
plastics sorting

incinération^F
incineration

bande^F transporteuse
conveyor belt

collecte^F sélective
separate collection

séparation^F papier^M/carton^M
*paper/paperboard
separation*

mise^F en balles^F
baling

tri^M des métaux^M
metal sorting

séparation^F magnétique
magnetic separation

compactage^M
compacting

tri^M optique
optical sorting

déchiquetage^M
shredding

recyclage^M
recycling

conteneurs^M de collecte^F
sélective
recycling containers

conteneur^M à papier^M
paper recycling container

conteneur^M à verre^M
glass recycling container

conteneur^M à boîtes^F
métalliques
*aluminum recycling
container*

colonne^F de collecte^F du
papier^M
paper collection unit

colonne^F de collecte^F du
verre^M
glass collection unit

bac^M de recyclage^M
recycling bin

cellule^F végétale
plant cell

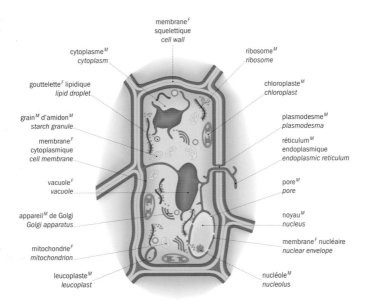

membrane^F squelettique
cell wall

cytoplasme^M
cytoplasm

gouttelette^F lipidique
lipid droplet

grain^M d'amidon^M
starch granule

membrane^F cytoplasmique
cell membrane

vacuole^F
vacuole

appareil^M de Golgi
Golgi apparatus

mitochondrie^F
mitochondrion

leucoplaste^M
leucoplast

ribosome^M
ribosome

chloroplaste^M
chloroplast

plasmodesme^M
plasmodesma

réticulum^M endoplasmique
endoplasmic reticulum

pore^M
pore

noyau^M
nucleus

membrane^F nucléaire
nuclear envelope

nucléole^M
nucleolus

lichen^M
lichen

structure^F d'un lichen^M
structure of a lichen

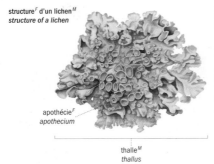

apothécie^F
apothecium

thalle^M
thallus

exemples^M de lichens^M
examples of lichens

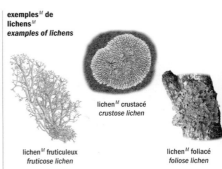

lichen^M crustacé
crustose lichen

lichen^M fruticuleux
fruticose lichen

lichen^M foliacé
foliose lichen

**structure^F d'une
mousse^F**
structure of a moss

**exemples^M de
mousses^F**
examples of mosses

capsule^F
capsule

pédicelle^M
stalk

feuille^F
leaf

tige^F
stem

rhizoïde^M
rhizoid

sphaigne^F squarreuse
prickly sphagnum

polytric^M commun
common hair cap moss

algue^F
alga

structure^F d'une algue^F
structure of an alga

exemples^M d'algues^F
examples of algae

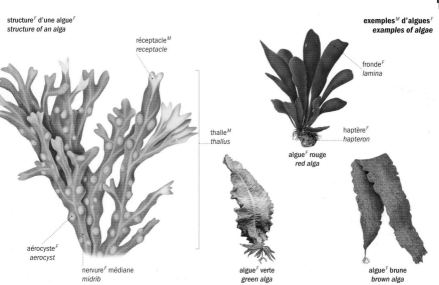

réceptacle^M
receptacle

fronde^F
lamina

thalle^M
thallus

haptère^F
hapteron

algue^F rouge
red alga

aérocyste^F
aerocyst

nervure^F médiane
midrib

algue^F verte
green alga

algue^F brune
brown alga

champignon ^M

mushroom

structure^F d'un champignon^M
structure of a mushroom

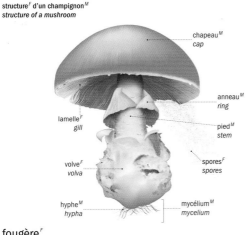

chapeau^M
cap

anneau^M
ring

lamelle^F
gill

pied^M
stem

volve^F
volva

spores^F
spores

hyphe^M
hypha

mycélium^M
mycelium

champignon^M mortel
deadly poisonous mushroom

champignon^M vénéneux
poisonous mushroom

amanite^F vireuse
destroying angel

fausse oronge^F
fly agaric

fougère ^F

fern

structure^F d'une fougère^F
structure of a fern

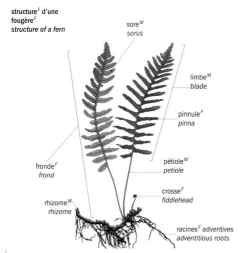

sore^M
sorus

limbe^M
blade

pinnule^F
pinna

pétiole^M
petiole

crosse^F
fiddlehead

fronde^F
frond

rhizome^M
rhizome

racines^F adventives
adventitious roots

exemples^M de fougères^F
examples of ferns

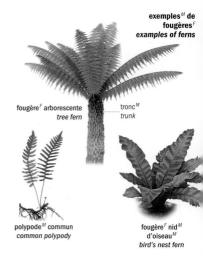

fougère^F arborescente
tree fern

tronc^M
trunk

polypode^M commun
common polypody

fougère^F nid d'oiseau^M
bird's nest fern

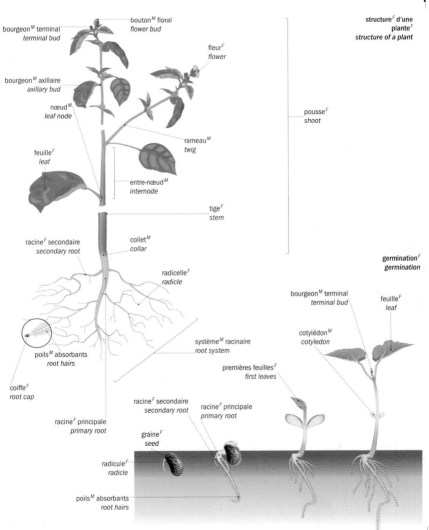

structure^F d'une plante^F
structure of a plant

bourgeon^M terminal
terminal bud

bouton^M floral
flower bud

fleur^F
flower

bourgeon^M axillaire
axillary bud

nœud^M
leaf node

rameau^M
twig

pousse^F
shoot

feuille^F
leaf

entre-nœud^M
internode

tige^F
stem

racine^F secondaire
secondary root

collet^M
collar

radicelle^F
radicle

germination^F
germination

poils^M absorbants
root hairs

système^M racinaire
root system

bourgeon^M terminal
terminal bud

feuille^F
leaf

coiffe^F
root cap

cotylédon^M
cotyledon

racine^F principale
primary root

premières feuilles^F
first leaves

racine^F secondaire
secondary root

racine^F principale
primary root

graine^F
seed

radicule^F
radicle

poils^M absorbants
root hairs

RÈGNE VÉGÉTAL

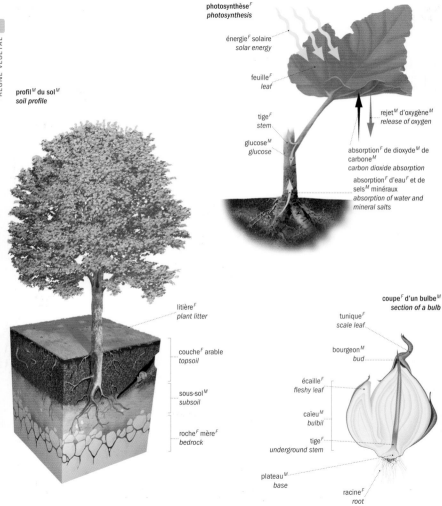

photosynthèse^F
photosynthesis

énergie^F solaire
solar energy

feuille^F
leaf

tige^F
stem

glucose^M
glucose

rejet^M d'oxygène^M
release of oxygen

absorption^F de dioxyde^M de
carbone^M
carbon dioxide absorption

absorption^F d'eau^F et de
sels^M minéraux
*absorption of water and
mineral salts*

profil^M du sol^M
soil profile

litière^F
plant litter

couche^F arable
topsoil

sous-sol^M
subsoil

roche^F mère^F
bedrock

coupe^F d'un bulbe^M
section of a bulb

tunique^F
scale leaf

bourgeon^M
bud

écaille^F
fleshy leaf

caïeu^M
bulbil

tige^F
underground stem

plateau^M
base

racine^F
root

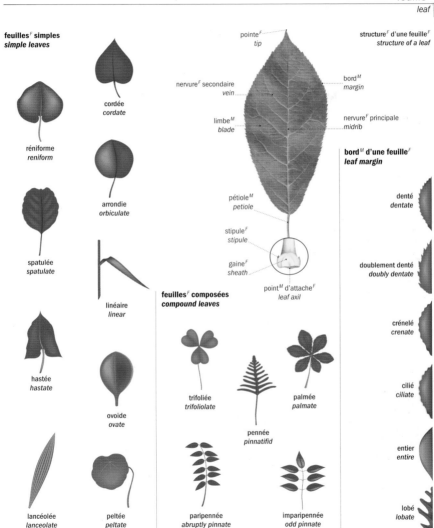

feuilles^F simples
simple leaves

réniforme
reniform

cordée
cordate

arrondie
orbiculate

spatulée
spatulate

linéaire
linear

hastée
hastate

ovoïde
ovate

lancéolée
lanceolate

peltée
peltate

pointe^F
tip

nervure^F secondaire
vein

limbe^M
blade

bord^M
margin

nervure^F principale
midrib

pétiole^M
petiole

stipule^F
stipule

gaine^F
sheath

point^M d'attache^F
leaf axil

feuilles^F composées
compound leaves

trifoliée
trifoliolate

pennée
pinnatifid

palmée
palmate

paripennée
abruptly pinnate

imparipennée
odd pinnate

structure^F d'une feuille^F
structure of a leaf

bord^M d'une feuille^F
leaf margin

denté
dentate

doublement denté
doubly dentate

crénelé
crenate

cilié
ciliate

entier
entire

lobé
lobate

fleur^F

flower

structure^F d'une fleur^F
structure of a flower

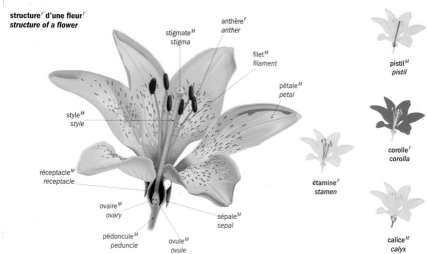

stigmate^M
stigma

anthère^F
anther

filet^M
filament

pétale^M
petal

style^M
style

réceptacle^M
receptacle

ovaire^M
ovary

pédoncule^M
peduncle

ovule^M
ovule

sépale^M
sepal

pistil^M
pistil

étamine^F
stamen

corolle^F
corolla

calice^M
calyx

exemples^M de fleurs^F
examples of flowers

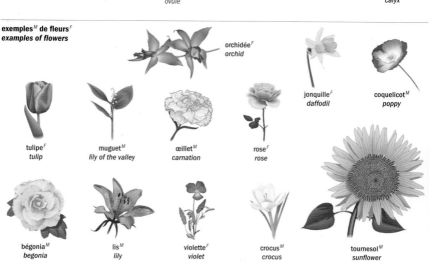

orchidée^F
orchid

jonquille^F
daffodil

coquelicot^M
poppy

tulipe^F
tulip

muguet^M
lily of the valley

œillet^M
carnation

rose^F
rose

bégonia^M
begonia

lis^M
lily

violette^F
violet

crocus^M
crocus

tournesol^M
sunflower

REGNE VÉGÉTAL

modes^M d'inflorescence^F
types of inflorescences

grappe^F
raceme

cyme^F unipare
uniparous cyme

ombelle^F
umbel

capitule^M
capitulum

épi^M
spike

cyme^F bipare
biparous cyme

corymbe^M
corymb

spadice^M
spadix

fruits^M
fruits

fruit^M charnu à noyau^M
stone fleshy fruit

termes^M techniques
technical terms

coupe^F d'une pêche^F
section of a peach

termes^M familiers
usual terms

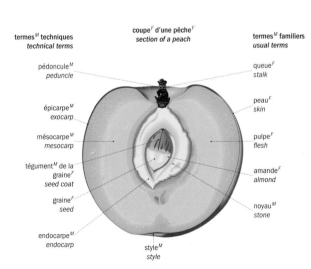

pédoncule^M
peduncle

épicarpe^M
exocarp

mésocarpe^M
mesocarp

tégument^M de la graine^F
seed coat

graine^F
seed

endocarpe^M
endocarp

style^M
style

queue^F
stalk

peau^F
skin

pulpe^F
flesh

amande^F
almond

noyau^M
stone

RÈGNE VÉGÉTAL

fruit^M charnu à pépins^M
pome fleshy fruit

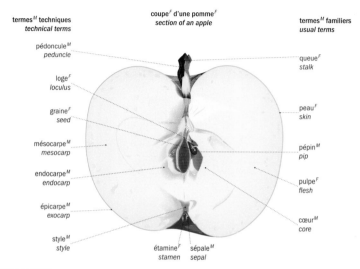

coupe^F d'une pomme^F
section of an apple

termes^M techniques
technical terms

termes^M familiers
usual terms

pédoncule^M
peduncle

loge^F
loculus

graine^F
seed

mésocarpe^M
mesocarp

endocarpe^M
endocarp

épicarpe^M
exocarp

style^M
style

étamine^F
stamen

sépale^M
sepal

queue^F
stalk

peau^F
skin

pépin^M
pip

pulpe^F
flesh

cœur^M
core

fruit^M charnu : agrume^M
fleshy fruit: citrus fruit

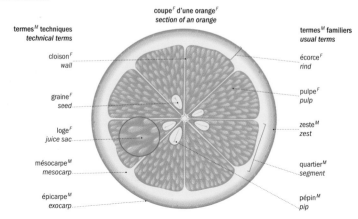

coupe^F d'une orange^F
section of an orange

termes^M techniques
technical terms

termes^M familiers
usual terms

cloison^F
wall

graine^F
seed

loge^F
juice sac

mésocarpe^M
mesocarp

épicarpe^M
exocarp

écorce^F
rind

pulpe^F
pulp

zeste^M
zest

quartier^M
segment

pépin^M
pip

fruit^M charnu : baie^F
fleshy fruit: berry fruit

termes^M techniques
technical terms

coupe^F d'un raisin^M
section of a grape

termes^M familiers
usual terms

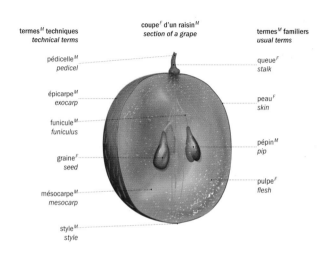

pédicelle^M
pedicel

épicarpe^M
exocarp

funicule^M
funiculus

graine^F
seed

mésocarpe^M
mesocarp

style^M
style

queue^F
stalk

peau^F
skin

pépin^M
pip

pulpe^F
flesh

coupe^F d'une fraise^F
section of a strawberry

coupe^F d'une framboise^F
section of a raspberry

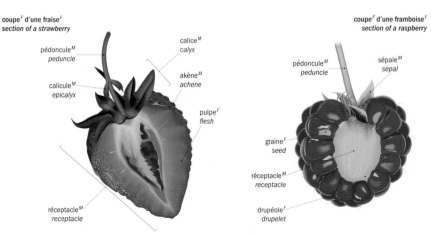

pédoncule^M
peduncle

calicule^M
epicalyx

calice^M
calyx

akène^M
achene

pulpe^F
flesh

réceptacle^M
receptacle

pédoncule^M
peduncle

sépale^M
sepal

graine^F
seed

réceptacle^M
receptacle

drupéole^F
drupelet

RÈGNE VÉGÉTAL

fruits^M secs
dry fruits

brou^M
husk

coupe^F d'un follicule^M : anis^M étoilé
section of a follicle: star anise

graine^F
seed

follicule^M
follicle

suture^F
suture

coupe^F d'une silique^F : moutarde^F
section of a silique: mustard

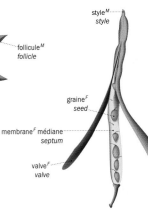

style^M
style

graine^F
seed

membrane^F médiane
septum

valve^F
valve

coupe^F d'une noisette^F
section of a hazelnut

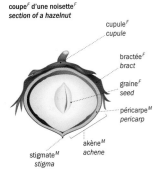

cupule^F
cupule

bractée^F
bract

graine^F
seed

péricarpe^M
pericarp

akène^M
achene

stigmate^M
stigma

coupe^F d'une gousse^F :
pois^M
section of a legume: pea

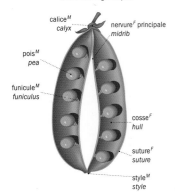

calice^M
calyx

nervure^F principale
midrib

pois^M
pea

funicule^M
funiculus

cosse^F
hull

suture^F
suture

style^M
style

coupe^F d'une capsule^F : pavot^M
section of a capsule: poppy

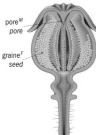

pore^M
pore

graine^F
seed

coupe^F d'une noix^F
section of a walnut

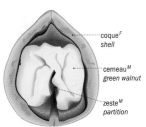

coque^F
shell

cerneau^M
green walnut

zeste^M
partition

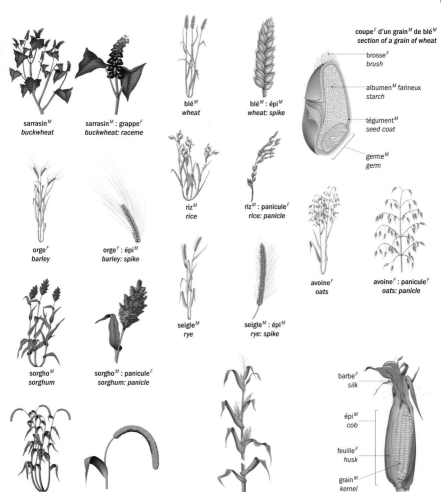

sarrasin^M
buckwheat

sarrasin^M : grappe^F
buckwheat: raceme

blé^M
wheat

blé^M : épi^M
wheat: spike

coupe^F d'un grain^M de blé^M
section of a grain of wheat

brosse^F
brush

albumen^M farineux
starch

tégument^M
seed coat

germe^M
germ

orge^F
barley

orge^F : épi^M
barley: spike

riz^M
rice

riz^M : panicule^F
rice: panicle

avoine^F
oats

avoine^F : panicule^F
oats: panicle

sorgho^M
sorghum

sorgho^M : panicule^F
sorghum: panicle

seigle^M
rye

seigle^M : épi^M
rye: spike

barbe^F
silk

épi^M
cob

feuille^F
husk

grain^M
kernel

millet^M
millet

millet^M : épi^M
millet: spike

maïs^M
corn

maïs^M : épi^M
corn: cob

vigne^F
grape

grappe^F de raisin^M
bunch of grapes

cep^M de vigne^F
vine stock

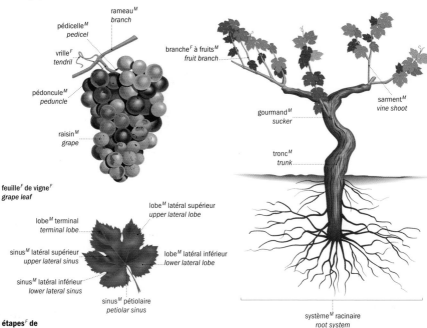

rameau^M
branch

pédicelle^M
pedicel

vrille^F
tendril

pédoncule^M
peduncle

raisin^M
grape

branche^F à fruits^M
fruit branch

gourmand^M
sucker

tronc^M
trunk

sarment^M
vine shoot

feuille^F de vigne^F
grape leaf

lobe^M latéral supérieur
upper lateral lobe

lobe^M terminal
terminal lobe

sinus^M latéral supérieur
upper lateral sinus

lobe^M latéral inférieur
lower lateral lobe

sinus^M latéral inférieur
lower lateral sinus

sinus^M pétiolaire
petiolar sinus

système^M racinaire
root system

étapes^F de maturation^F
maturing steps

floraison^F
flowering

nouaison^F
fruition

véraison^F
ripening

maturité^F
ripeness

structure^F d'un arbre^M
structure of a tree

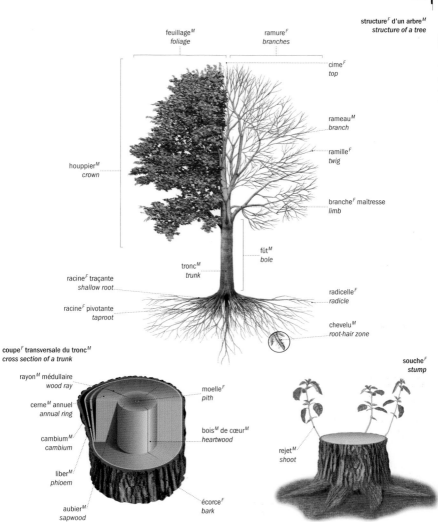

feuillage^M
foliage

ramure^F
branches

cime^F
top

rameau^M
branch

ramille^F
twig

houppier^M
crown

branche^F maîtresse
limb

fût^M
bole

tronc^M
trunk

racine^F traçante
shallow root

racine^F pivotante
taproot

radicelle^F
radicle

chevelu^M
root-hair zone

coupe^F transversale du tronc^M
cross section of a trunk

rayon^M médullaire
wood ray

cerne^M annuel
annual ring

cambium^M
cambium

liber^M
phloem

aubier^M
sapwood

moelle^F
pith

bois^M de cœur^M
heartwood

écorce^F
bark

souche^F
stump

rejet^M
shoot

exemples^M d'arbres^M feuillus
examples of broadleaved trees

RÈGNE VÉGÉTAL

chêne^M
oak

bouleau^M
birch

saule^M pleureur
weeping willow

peuplier^M
poplar

palmier^M
palm tree

érable^M
maple

hêtre^M
beech

noyer^M
walnut

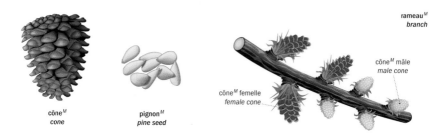

rameau^M
branch

cône^M mâle
male cone

cône^M femelle
female cone

cône^M
cone

pignon^M
pine seed

exemples^M de feuilles^F
examples of leaves

aiguilles^F de sapin^M
fir needles

aiguilles^F de pin^M
pine needles

écailles^F de cyprès^M
cypress scalelike leaves

exemples^M de conifères^M
examples of conifers

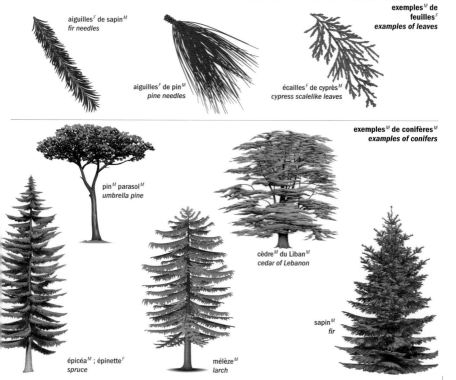

pin^M parasol^M
umbrella pine

cèdre^M du Liban^M
cedar of Lebanon

épicéa^M ; épinette^F
spruce

mélèze^M
larch

sapin^M
fir

cellule^F animale
animal cell

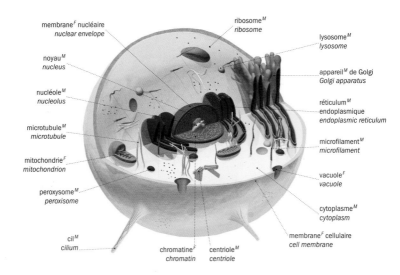

membrane^F nucléaire
nuclear envelope

noyau^M
nucleus

nucléole^M
nucleolus

microtubule^M
microtubule

mitochondrie^F
mitochondrion

peroxysome^M
peroxisome

cil^M
cilium

chromatine^F
chromatin

centriole^M
centriole

ribosome^M
ribosome

lysosome^M
lysosome

appareil^M de Golgi
Golgi apparatus

réticulum^M
endoplasmique
endoplasmic reticulum

microfilament^M
microfilament

vacuole^F
vacuole

cytoplasme^M
cytoplasm

membrane^F cellulaire
cell membrane

unicellulaires^M
unicellulars

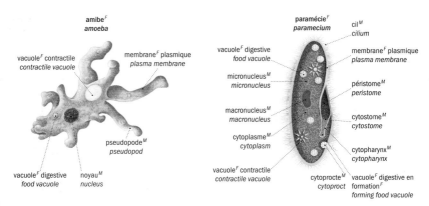

amibe^F
amoeba

vacuole^F contractile
contractile vacuole

membrane^F plasmique
plasma membrane

pseudopode^M
pseudopod

vacuole^F digestive
food vacuole

noyau^M
nucleus

paramécie^F
paramecium

cil^M
cilium

vacuole^F digestive
food vacuole

micronucleus^M
micronucleus

macronucleus^M
macronucleus

cytoplasme^M
cytoplasm

vacuole^F contractile
contractile vacuole

membrane^F plasmique
plasma membrane

péristome^M
peristome

cytostome^M
cytostome

cytopharynx^M
cytopharynx

cytoprocte^M
cytoproct

vacuole^F digestive en
formation^F
forming food vacuole

papillon[M]
butterfly

morphologie[F] du papillon[M]
morphology of a butterfly

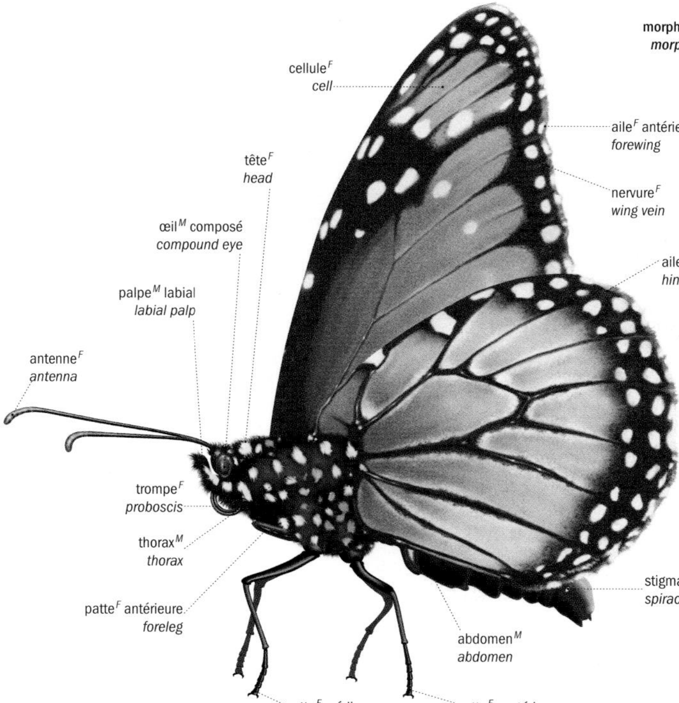

cellule[F]
cell

aile[F] antérieure
forewing

tête[F]
head

nervure[F]
wing vein

œil[M] composé
compound eye

aile[F] postérieure
hind wing

palpe[M] labial
labial palp

antenne[F]
antenna

trompe[F]
proboscis

thorax[M]
thorax

patte[F] antérieure
foreleg

stigmate[M]
spiracle

abdomen[M]
abdomen

patte[F] médiane
middle leg

patte[F] postérieure
hind leg

chrysalide[F]
chrysalis

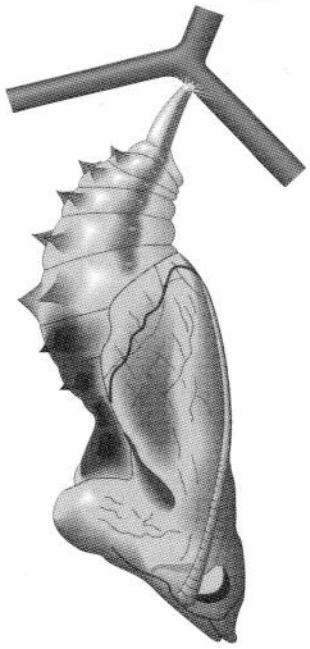

chenille[F]
caterpillar

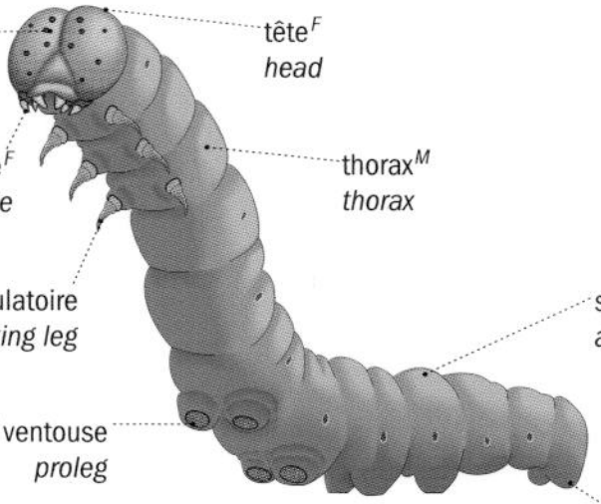

œil[M] simple
simple eye

tête[F]
head

mandibule[F]
mandible

thorax[M]
thorax

patte[F] ambulatoire
walking leg

segment[M] abdominal
abdominal segment

patte[F] ventouse
proleg

patte[F] anale
anal clasper

abeille^F
honeybee

RÈGNE ANIMAL

morphologie^F de l'abeille^F : ouvrière^F
morphology of a honeybee: worker

aile^F
wing

thorax^M
thorax

abdomen^M
abdomen

œil^M composé
compound eye

corbeille^F à pollen^M
pollen basket

pièces^F buccales
mouthparts

aiguillon^M
sting

patte^F postérieure
hind leg

antenne^F
antenna

patte^F médiane
middle leg

patte^F antérieure
foreleg

castes^F
castes

ouvrière^F
worker

reine^F
queen

faux bourdon^M
drone

exemples^M d'insectes^M
examples of insects

puce^F
flea

pou^M
louse

moustique^M
mosquito

mouche^F tsé-tsé
tsetse fly

termite^M
termite

cigale^F
cicada

fourmi^F
ant

mouche^F
fly

coccinelle^F
ladybird beetle

punaise^F rayée
shield bug

guêpe^F
yellowjacket

frelon^M
hornet

hanneton^M
cockchafer

taon^M
horsefly

bourdon^M
bumblebee

criquet^M mélodieux
*bow-winged
grasshopper*

grande sauterelle^F verte
*great green bush-
cricket*

patineur^M d'eau^F
water strider

libellule^F
dragonfly

atlas^M
atlas moth

mante^F religieuse
mantid

araignée^F
spider

toile^F d'araignée^F
spider web

**morphologie^F de
l'araignée^F**
morphology of a spider

point^M d'attache^F
anchor point

fil^M d'attache^F
support thread

filière^F
spinneret

abdomen^M
abdomen

céphalothorax^M
cephalothorax

patte^F locomotrice
walking leg

œil^M
eye

pédipalpe^M
pedipalp

crochet^M
fang

spirale^F centrale
hub

spirale^F
spiral thread

rayon^M
radial thread

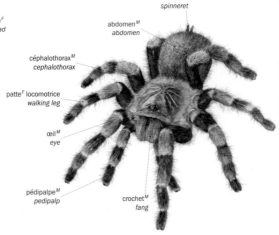

exemples^M d'arachnides^M
examples of arachnids

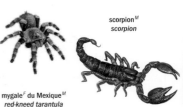

araignée^F-crabe^M
crab spider

épeire^F
garden spider

scorpion^M
scorpion

tique^F
tick

argyronète^F
water spider

mygale^F du Mexique^M
red-kneed tarantula

homard[M]
lobster

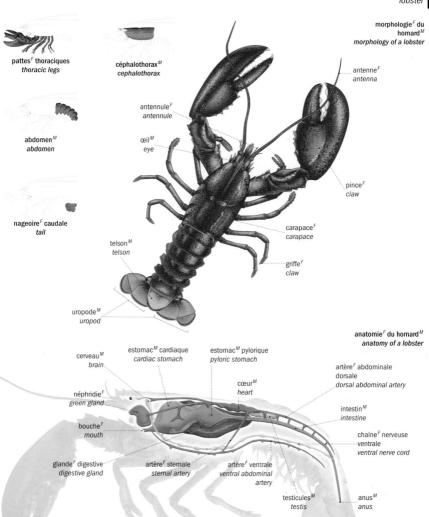

morphologie[F] du homard[M]
morphology of a lobster

pattes[F] thoraciques
thoracic legs

céphalothorax[M]
cephalothorax

antenne[F]
antenna

antennule[F]
antennule

œil[M]
eye

pince[F]
claw

abdomen[M]
abdomen

carapace[F]
carapace

telson[M]
telson

griffe[F]
claw

nageoire[F] caudale
tail

uropode[M]
uropod

anatomie[F] du homard[M]
anatomy of a lobster

cerveau[M]
brain

estomac[M] cardiaque
cardiac stomach

estomac[M] pylorique
pyloric stomach

artère[F] abdominale dorsale
dorsal abdominal artery

cœur[M]
heart

néphridie[F]
green gland

intestin[M]
intestine

bouche[F]
mouth

chaîne[F] nerveuse ventrale
ventral nerve cord

glande[F] digestive
digestive gland

artère[F] sternale
sternal artery

artère[F] ventrale
ventral abdominal artery

testicules[M]
testis

anus[M]
anus

RÈGNE ANIMAL

escargot^M
snail

morphologie^F de l'escargot^M
morphology of a snail

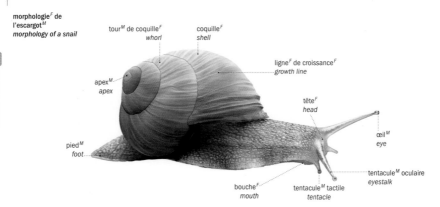

tour^M de coquille^F
whorl

coquille^F
shell

ligne^F de croissance^F
growth line

apex^M
apex

tête^F
head

œil^M
eye

pied^M
foot

tentacule^M oculaire
eyestalk

bouche^F
mouth

tentacule^M tactile
tentacle

pieuvre^F
octopus

morphologie^F de la pieuvre^F
morphology of an octopus

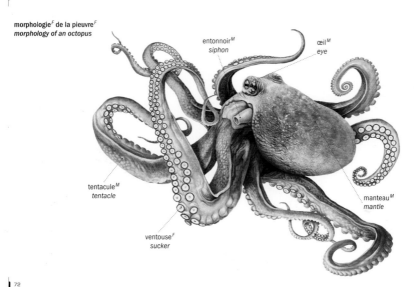

entonnoir^M
siphon

œil^M
eye

tentacule^M
tentacle

manteau^M
mantle

ventouse^F
sucker

coquillage^M univalve
univalve shell

morphologie^F du coquillage^M
univalve
morphology of a univalve shell

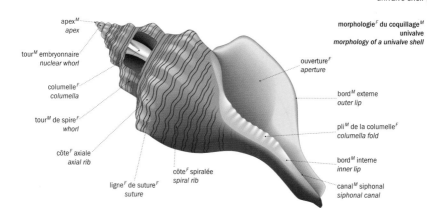

apex^M
apex

tour^M embryonnaire
nuclear whorl

columelle^F
columella

tour^M de spire^F
whorl

côte^F axiale
axial rib

ligne^F de suture^F
suture

côte^F spiralée
spiral rib

ouverture^F
aperture

bord^M externe
outer lip

pli^M de la columelle^F
columella fold

bord^M interne
inner lip

canal^M siphonal
siphonal canal

coquillage^M bivalve
bivalve shell

anatomie^F du coquillage^M
bivalve
anatomy of a bivalve shell

morphologie^F du coquillage^M
bivalve
morphology of a bivalve shell

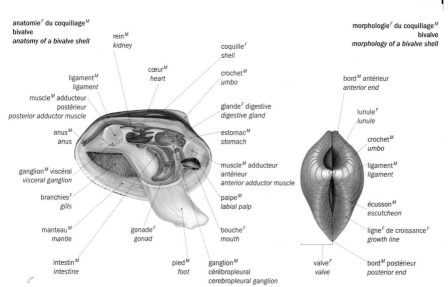

rein^M
kidney

cœur^M
heart

ligament^M
ligament

muscle^M adducteur
postérieur
posterior adductor muscle

anus^M
anus

ganglion^M viscéral
visceral ganglion

branchies^F
gills

manteau^M
mantle

intestin^M
intestine

pied^M
foot

gonade^F
gonad

ganglion^M
cérébropleural
cerebropleural ganglion

bouche^F
mouth

palpe^M
labial palp

muscle^M adducteur
antérieur
anterior adductor muscle

estomac^M
stomach

glande^F digestive
digestive gland

crochet^M
umbo

coquille^F
shell

bord^M antérieur
anterior end

lunule^F
lunule

crochet^M
umbo

ligament^M
ligament

écusson^M
escutcheon

ligne^F de croissance^F
growth line

valve^F
valve

bord^M postérieur
posterior end

poisson^M cartilagineux
cartilaginous fish

morphologie^F du requin^M
morphology of a shark

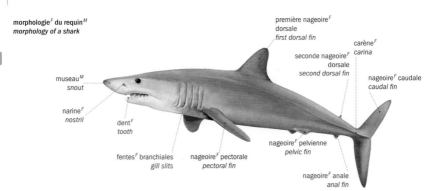

première nageoire^F dorsale
first dorsal fin

carène^F
carina

seconde nageoire^F dorsale
second dorsal fin

nageoire^F caudale
caudal fin

museau^M
snout

narine^F
nostril

dent^F
tooth

fentes^F branchiales
gill slits

nageoire^F pectorale
pectoral fin

nageoire^F pelvienne
pelvic fin

nageoire^F anale
anal fin

poisson^M osseux
bony fish

morphologie^F de la perche^F ; morphologie^F de la perchaude^F
morphology of a perch

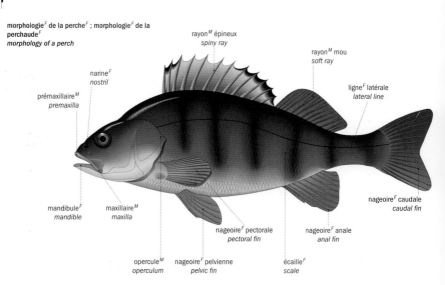

rayon^M épineux
spiny ray

rayon^M mou
soft ray

ligne^F latérale
lateral line

narine^F
nostril

prémaxillaire^M
premaxilla

mandibule^F
mandible

maxillaire^M
maxilla

opercule^M
operculum

nageoire^F pelvienne
pelvic fin

nageoire^F pectorale
pectoral fin

écaille^F
scale

nageoire^F anale
anal fin

nageoire^F caudale
caudal fin

grenouille[F]
frog

morphologie[F] de la grenouille[F]
morphology of a frog

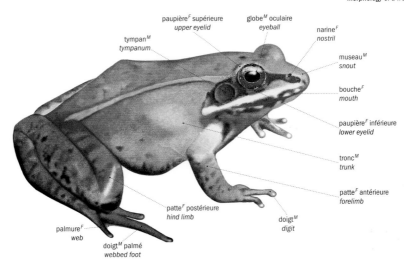

paupière[F] supérieure
upper eyelid

globe[M] oculaire
eyeball

narine[F]
nostril

tympan[M]
tympanum

museau[M]
snout

bouche[F]
mouth

paupière[F] inférieure
lower eyelid

tronc[M]
trunk

patte[F] antérieure
forelimb

patte[F] postérieure
hind limb

doigt[M]
digit

palmure[F]
web

doigt[M] palmé
webbed foot

REGNE ANIMAL

exemples[M] d'amphibiens[M]
examples of amphibians

salamandre[F]
salamander

grenouille[F] des bois[M]
wood frog

triton[M]
newt

crapaud[M] commun
common toad

grenouille[F] rousse
common frog

grenouille[F] léopard[M]
Northern leopard frog

rainette[F]
tree frog

ventouse[F]
adhesive disk

serpent^M
snake

morphologie^F du serpent^M venimeux : tête^F
morphology of a venomous snake: head

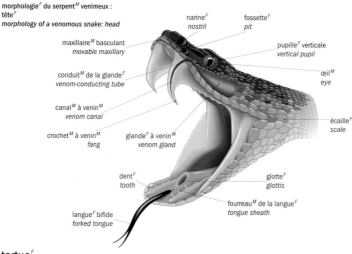

narine^F
nostril

fossette^F
pit

maxillaire^M basculant
movable maxillary

pupille^F verticale
vertical pupil

conduit^M de la glande^F
venom-conducting tube

œil^M
eye

canal^M à venin^M
venom canal

écaille^F
scale

crochet^M à venin^M
fang

glande^F à venin^M
venom gland

dent^F
tooth

glotte^F
glottis

langue^F bifide
forked tongue

fourreau^M de la langue^F
tongue sheath

tortue^F
turtle

morphologie^F de la tortue^F
morphology of a turtle

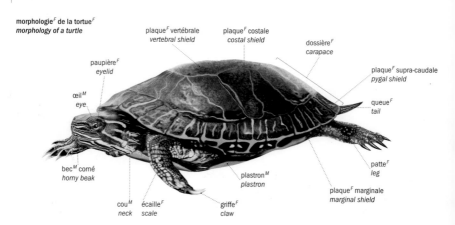

plaque^F vertébrale
vertebral shield

plaque^F costale
costal shield

dossière^F
carapace

paupière^F
eyelid

plaque^F supra-caudale
pygal shield

œil^M
eye

queue^F
tail

bec^M corné
horny beak

patte^F
leg

plastron^M
plastron

plaque^F marginale
marginal shield

cou^M
neck

écaille^F
scale

griffe^F
claw

exemples^M de reptiles^M
examples of reptiles

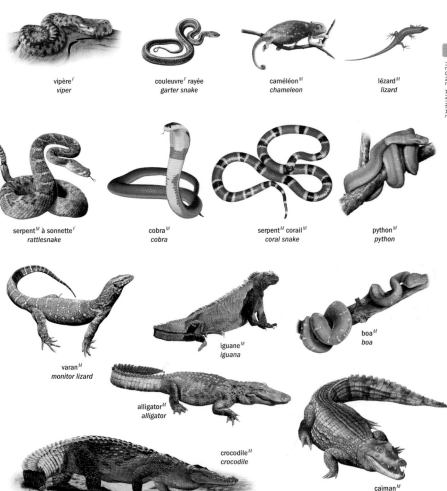

vipère^F
viper

couleuvre^F rayée
garter snake

caméléon^M
chameleon

lézard^M
lizard

serpent^M à sonnette^F
rattlesnake

cobra^M
cobra

serpent^M corail^M
coral snake

python^M
python

varan^M
monitor lizard

iguane^M
iguana

boa^M
boa

alligator^M
alligator

crocodile^M
crocodile

caïman^M
caiman

RÈGNE ANIMAL

oiseau^M
bird

morphologie^F de l'oiseau^M
morphology of a bird

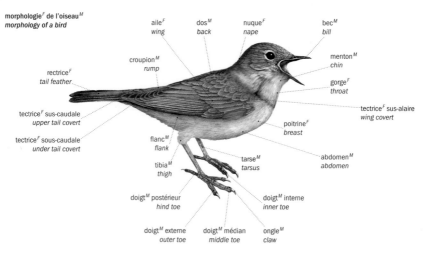

aile^F
wing

dos^M
back

nuque^F
nape

bec^M
bill

menton^M
chin

croupion^M
rump

gorge^F
throat

rectrice^F
tail feather

tectrice^F sus-alaire
wing covert

tectrice^F sus-caudale
upper tail covert

poitrine^F
breast

tectrice^F sous-caudale
under tail covert

flanc^M
flank

abdomen^M
abdomen

tibia^M
thigh

tarse^M
tarsus

doigt^M postérieur
hind toe

doigt^M interne
inner toe

doigt^M externe
outer toe

doigt^M médian
middle toe

ongle^M
claw

tête^F
head

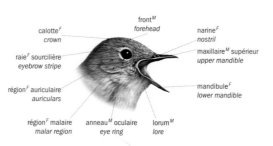

calotte^F
crown

front^M
forehead

narine^F
nostril

raie^F sourcilière
eyebrow stripe

maxillaire^M supérieur
upper mandible

région^F auriculaire
auriculars

mandibule^F
lower mandible

région^F malaire
malar region

anneau^M oculaire
eye ring

lorum^M
lore

aile^F
wing

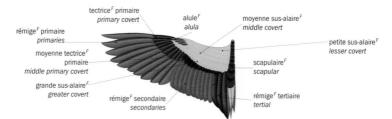

tectrice^F primaire
primary covert

alule^F
alula

moyenne sus-alaire^F
middle covert

rémige^F primaire
primaries

petite sus-alaire^F
lesser covert

moyenne tectrice^F
primaire
middle primary covert

scapulaire^F
scapular

grande sus-alaire^F
greater covert

rémige^F secondaire
secondaries

rémige^F tertiaire
tertial

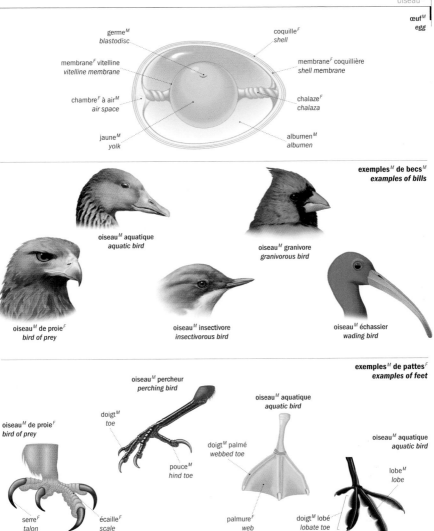

œuf^M
egg

germe^M
blastodisc

coquille^F
shell

membrane^F vitelline
vitelline membrane

membrane^F coquillière
shell membrane

chambre^F à air^M
air space

chalaze^F
chalaza

jaune^M
yolk

albumen^M
albumen

RÈGNE ANIMAL

exemples^M de becs^M
examples of bills

oiseau^M aquatique
aquatic bird

oiseau^M granivore
granivorous bird

oiseau^M de proie^F
bird of prey

oiseau^M insectivore
insectivorous bird

oiseau^M échassier
wading bird

exemples^M de pattes^F
examples of feet

oiseau^M percheur
perching bird

oiseau^M aquatique
aquatic bird

doigt^M
toe

oiseau^M de proie^F
bird of prey

doigt^M palmé
webbed toe

oiseau^M aquatique
aquatic bird

pouce^M
hind toe

lobe^M
lobe

serre^F
talon

écaille^F
scale

palmure^F
web

doigt^M lobé
lobate toe

exemples^M d'oiseaux^M
examples of birds

colibri^M
hummingbird

rouge-gorge^M
European robin

pinson^M
finch

martin-pêcheur^M
kingfisher

rossignol^M
nightingale

moineau^M
sparrow

hirondelle^F
swallow

étourneau^M
starling

geai^M
jay

cardinal^M
cardinal

martinet^M
swift

perdrix^F
partridge

condor^M
condor

ara^M
macaw

pic^M
woodpecker

corbeau^M
raven

toucan^M
toucan

vautour^M
vulture

manchot^M
penguin

albatros^M
albatross

héron^M
heron

pélican^M
pelican

cigogne^F
stork

faisan^M
pheasant

grand duc^M
d'Amérique^F
great horned owl

faucon^M
falcon

caille^F
quail

aigle^M
eagle

poule^F
hen

canard^M
duck

pigeon^M
pigeon

coq^M
rooster

dindon^M
turkey

pintade^F
guinea fowl

oie^F
goose

autruche^F
ostrich

paon^M
peacock

flamant^M
flamingo

RÈGNE ANIMAL

81

rongeur^M
rodent

morphologie^F du rat^M
morphology of a rat

pavillon^M
pinna

pelage^M
fur

vibrisse^F
vibrissa

nez^M
nose

doigt^M
digit

griffe^F
claw

queue^F
tail

exemples^M de mammifères^M rongeurs^M
examples of rodents

mulot^M
field mouse

tamia^M
chipmunk

gerboise^F
jerboa

hamster^M
hamster

écureuil^M
squirrel

rat^M
rat

cochon^M d'Inde
guinea pig

porc-épic^M
porcupine

marmotte^F
groundhog

castor^M
beaver

exemples^M de mammifères^M lagomorphes^M
examples of lagomorphs

pika^M
pika

lapin^M
rabbit

lièvre^M
hare

morphologie^F du
cheval^M
morphology of a horse

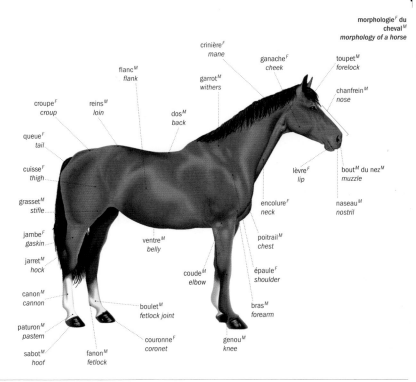

crinière^F
mane

ganache^F
cheek

toupet^M
forelock

flanc^M
flank

garrot^M
withers

chanfrein^M
nose

croupe^F
croup

reins^M
loin

dos^M
back

queue^F
tail

lèvre^F
lip

bout^M du nez^M
muzzle

cuisse^F
thigh

encolure^F
neck

naseau^M
nostril

grasset^M
stifle

jambe^F
gaskin

ventre^M
belly

poitrail^M
chest

jarret^M
hock

coude^M
elbow

épaule^F
shoulder

canon^M
cannon

boulet^M
fetlock joint

bras^M
forearm

paturon^M
pastern

couronne^F
coronet

genou^M
knee

sabot^M
hoof

fanon^M
fetlock

allures^F
gaits

pas^M
walk

amble^M
pace

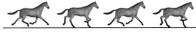

trot^M
trot

galop^M
canter

exemples^M de mammifères^M ongulés
examples of ungulate mammals

RÈGNE ANIMAL

pécari^M
peccary

sanglier^M
wild boar

porc^M
pig

chèvre^F
goat

antilope^F
antelope

mouton^M
sheep

veau^M
calf

cerf^M de Virginie ;
chevreuil^M
white-tailed deer

mouflon^M
mouflon

renne^M ; caribou^M
caribou

cerf^M du Canada ;
wapiti^M
wapiti

okapi^M
okapi

âne^M
ass

mulet^M
mule

vache^F
cow

zèbre^M
zebra

lama^M
llama

bison^M
bison

buffle^M
buffalo

bœuf^M
ox

yack^M
yak

cheval^M
horse

élan^M ; orignal^M
moose

chameau^M
bactrian camel

dromadaire^M
dromedary camel

rhinocéros^M
rhinoceros

hippopotame^M
hippopotamus

girafe^F
giraffe

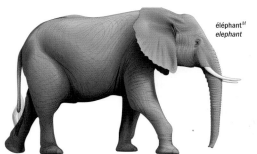

éléphant^M
elephant

chien^M
dog

morphologie^F du chien^M
morphology of a dog

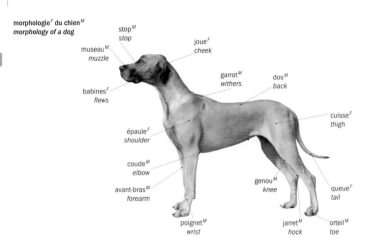

stop^M
stop

joue^F
cheek

museau^M
muzzle

garrot^M
withers

dos^M
back

babines^F
flews

cuisse^F
thigh

épaule^F
shoulder

coude^M
elbow

avant-bras^M
forearm

genou^M
knee

queue^F
tail

poignet^M
wrist

jarret^M
hock

orteil^M
toe

races^F de chiens^M
dog breeds

bouledogue^M
bulldog

colley^M
collie

dalmatien^M
dalmatian

caniche^M
poodle

schnauzer^M
schnauzer

danois^M
Great Dane

berger^M allemand
German shepherd

saint-bernard^M
Saint Bernard

chat[M]

cat

tête[F]
cat's head

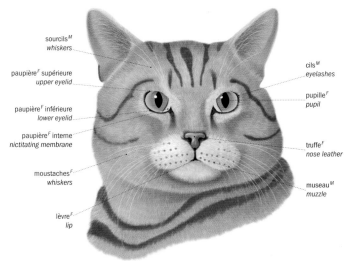

sourcils[M]
whiskers

paupière[F] supérieure
upper eyelid

paupière[F] inférieure
lower eyelid

paupière[F] interne
nictitating membrane

moustaches[F]
whiskers

lèvre[F]
lip

cils[M]
eyelashes

pupille[F]
pupil

truffe[F]
nose leather

museau[M]
muzzle

races[F] de chats[M]

cat breeds

siamois[M]
Siamese

abyssin[M]
Abyssinian

persan[M]
Persian

Maine coon[M]
Maine coon

chat[M] de l'île[F] de Man
Manx

exemples^M de mammifères^M carnivores
examples of carnivorous mammals

RÈGNE ANIMAL

belette^F
weasel

vison^M
mink

fouine^F
stone marten

martre^F
marten

renard^M
fox

raton^M laveur
raccoon

fennec^M
fennec

mangouste^F
mongoose

loutre^F de rivière^F
river otter

blaireau^M
badger

moufette^F
skunk

hyène^F
hyena

lynx^M
lynx

loup^M
wolf

puma^M
cougar

RÈGNE ANIMAL

guépard^M
cheetah

léopard^M
leopard

lion^M
lion

jaguar^M
jaguar

tigre^M
tiger

ours^M polaire
polar bear

ours^M noir
black bear

dauphin^M
dolphin

morphologie^F du dauphin^M
morphology of a dolphin

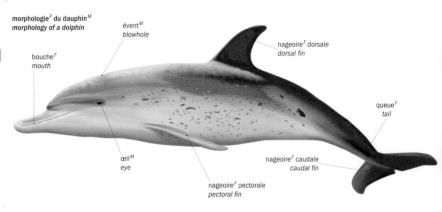

évent^M
blowhole

bouche^F
mouth

nageoire^F dorsale
dorsal fin

queue^F
tail

œil^M
eye

nageoire^F caudale
caudal fin

nageoire^F pectorale
pectoral fin

exemples^M de mammifères^M marins
examples of marine mammals

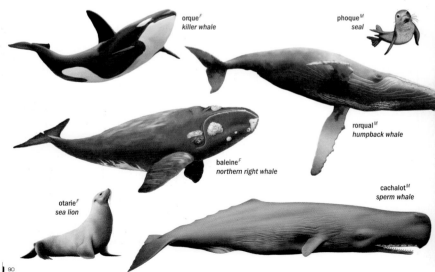

orque^F
killer whale

phoque^M
seal

rorqual^M
humpback whale

baleine^F
northern right whale

cachalot^M
sperm whale

otarie^F
sea lion

gorille^M
gorilla

morphologie^F du gorille^M
morphology of a gorilla

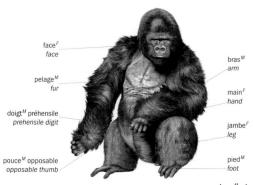

face^F
face

pelage^M
fur

doigt^M préhensile
prehensile digit

pouce^M opposable
opposable thumb

bras^M
arm

main^F
hand

jambe^F
leg

pied^M
foot

exemples^M de mammifères^M primates
examples of primates

tamarin^M
tamarin

babouin^M
baboon

macaque^M
macaque

ouistiti^M
marmoset

orang-outan^M
orangutan

chimpanzé^M
chimpanzee

lémurien^M
lemur

gibbon^M
gibbon

homme^M
man

face^F antérieure
anterior view

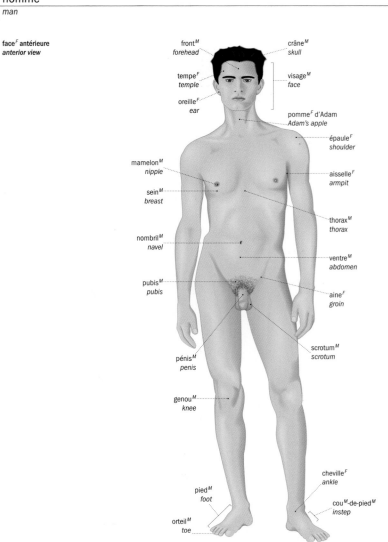

front^M
forehead

crâne^M
skull

tempe^F
temple

visage^M
face

oreille^F
ear

pomme^F d'Adam
Adam's apple

épaule^F
shoulder

mamelon^M
nipple

aisselle^F
armpit

sein^M
breast

thorax^M
thorax

nombril^M
navel

ventre^M
abdomen

pubis^M
pubis

aine^F
groin

scrotum^M
scrotum

pénis^M
penis

genou^M
knee

cheville^F
ankle

pied^M
foot

cou^M-de-pied^M
instep

orteil^M
toe

ÊTRE HUMAIN

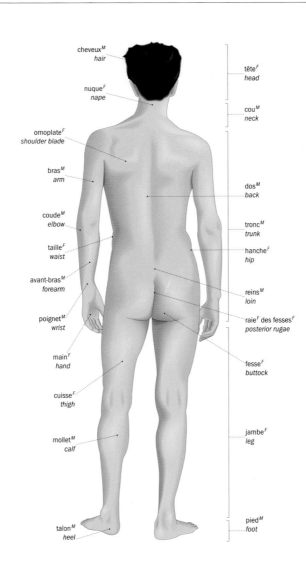

face^F postérieure
posterior view

cheveux^M
hair

nuque^F
nape

omoplate^F
shoulder blade

bras^M
arm

coude^M
elbow

taille^F
waist

avant-bras^M
forearm

poignet^M
wrist

main^F
hand

cuisse^F
thigh

mollet^M
calf

talon^M
heel

tête^F
head

cou^M
neck

dos^M
back

tronc^M
trunk

hanche^F
hip

reins^M
loin

raie^F des fesses^F
posterior rugae

fesse^F
buttock

jambe^F
leg

pied^M
foot

femme^F
woman

face^F antérieure
anterior view

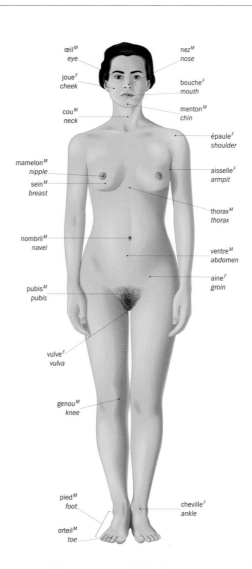

œil^M
eye

nez^M
nose

joue^F
cheek

bouche^F
mouth

cou^M
neck

menton^M
chin

épaule^F
shoulder

mamelon^M
nipple

aisselle^F
armpit

sein^M
breast

thorax^M
thorax

nombril^M
navel

ventre^M
abdomen

pubis^M
pubis

aine^F
groin

vulve^F
vulva

genou^M
knee

pied^M
foot

cheville^F
ankle

orteil^M
toe

face^F postérieure
posterior view

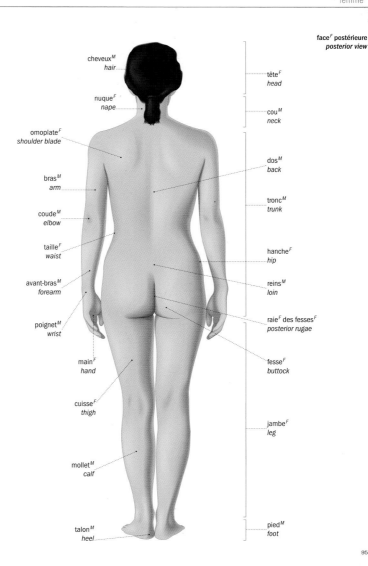

cheveux^M
hair

nuque^F
nape

omoplate^F
shoulder blade

bras^M
arm

coude^M
elbow

taille^F
waist

avant-bras^M
forearm

poignet^M
wrist

main^F
hand

cuisse^F
thigh

mollet^M
calf

talon^M
heel

tête^F
head

cou^M
neck

dos^M
back

tronc^M
trunk

hanche^F
hip

reins^M
loin

raie^F des fesses^F
posterior rugae

fesse^F
buttock

jambe^F
leg

pied^M
foot

ÊTRE HUMAIN

muscles^M
muscles

face^F antérieure
anterior view

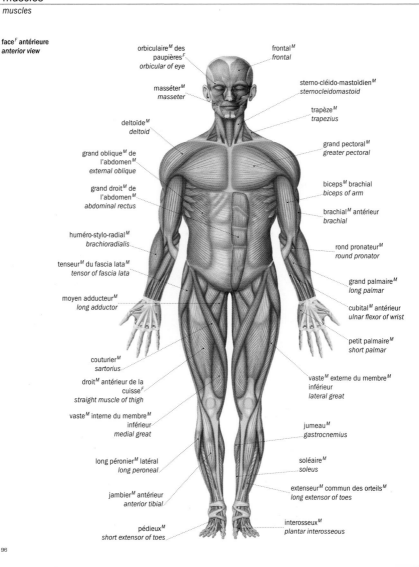

orbiculaire^M des paupières^F
orbicular of eye

masséter^M
masseter

deltoïde^M
deltoid

grand oblique^M de l'abdomen^M
external oblique

grand droit^M de l'abdomen^M
abdominal rectus

huméro-stylo-radial^M
brachioradialis

tenseur^M du fascia lata^M
tensor of fascia lata

moyen adducteur^M
long adductor

couturier^M
sartorius

droit^M antérieur de la cuisse^F
straight muscle of thigh

vaste^M interne du membre^M inférieur
medial great

long péronier^M latéral
long peroneal

jambier^M antérieur
anterior tibial

pédieux^M
short extensor of toes

frontal^M
frontal

sterno-cléido-mastoïdien^M
sternocleidomastoid

trapèze^M
trapezius

grand pectoral^M
greater pectoral

biceps^M brachial
biceps of arm

brachial^M antérieur
brachial

rond pronateur^M
round pronator

grand palmaire^M
long palmar

cubital^M antérieur
ulnar flexor of wrist

petit palmaire^M
short palmar

vaste^M externe du membre^M inférieur
lateral great

jumeau^M
gastrocnemius

soléaire^M
soleus

extenseur^M commun des orteils^M
long extensor of toes

interosseux^M
plantar interosseous

muscles^M

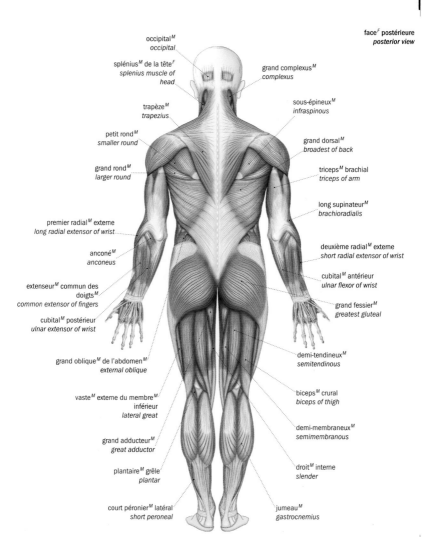

face^F postérieure
posterior view

occipital^M
occipital

splénius^M de la tête^F
splenius muscle of head

grand complexus^M
complexus

trapèze^M
trapezius

sous-épineux^M
infraspinous

petit rond^M
smaller round

grand dorsal^M
broadest of back

grand rond^M
larger round

triceps^M brachial
triceps of arm

long supinateur^M
brachioradialis

premier radial^M externe
long radial extensor of wrist

anconé^M
anconeus

deuxième radial^M externe
short radial extensor of wrist

cubital^M antérieur
ulnar flexor of wrist

extenseur^M commun des doigts^M
common extensor of fingers

grand fessier^M
greatest gluteal

cubital^M postérieur
ulnar extensor of wrist

grand oblique^M de l'abdomen^M
external oblique

demi-tendineux^M
semitendinous

vaste^M externe du membre^M inférieur
lateral great

biceps^M crural
biceps of thigh

grand adducteur^M
great adductor

demi-membraneux^M
semimembranous

plantaire^M grêle
plantar

droit^M interne
slender

court péronier^M latéral
short peroneal

jumeau^M
gastrocnemius

squelette^M
skeleton

vue^F antérieure
anterior view

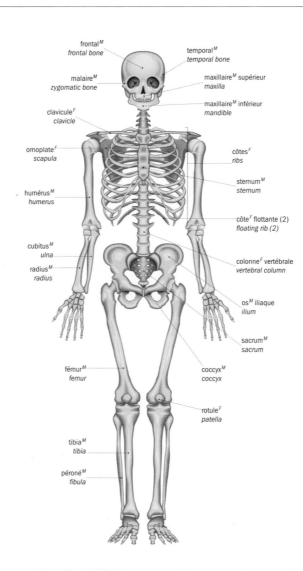

frontal^M
frontal bone

temporal^M
temporal bone

malaire^M
zygomatic bone

maxillaire^M supérieur
maxilla

maxillaire^M inférieur
mandible

clavicule^F
clavicle

omoplate^F
scapula

côtes^F
ribs

sternum^M
sternum

humérus^M
humerus

côte^F flottante (2)
floating rib (2)

cubitus^M
ulna

colonne^F vertébrale
vertebral column

radius^M
radius

os^M iliaque
ilium

sacrum^M
sacrum

fémur^M
femur

coccyx^M
coccyx

rotule^F
patella

tibia^M
tibia

péroné^M
fibula

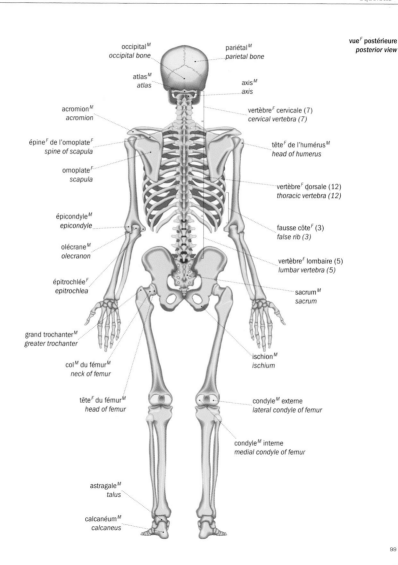

occipital^M
occipital bone

pariétal^M
parietal bone

atlas^M
atlas

axis^M
axis

acromion^M
acromion

vertèbre^F cervicale (7)
cervical vertebra (7)

épine^F de l'omoplate^F
spine of scapula

tête^F de l'humérus^M
head of humerus

omoplate^F
scapula

vertèbre^F dorsale (12)
thoracic vertebra (12)

épicondyle^M
epicondyle

fausse côte^F (3)
false rib (3)

olécrane^M
olecranon

vertèbre^F lombaire (5)
lumbar vertebra (5)

épitrochlée^F
epitrochlea

sacrum^M
sacrum

grand trochanter^M
greater trochanter

ischion^M
ischium

col^M du fémur^M
neck of femur

tête^F du fémur^M
head of femur

condyle^M externe
lateral condyle of femur

condyle^M interne
medial condyle of femur

astragale^M
talus

calcanéum^M
calcaneus

ÊTRE HUMAIN

vue^F latérale du crâne^M
lateral view of skull

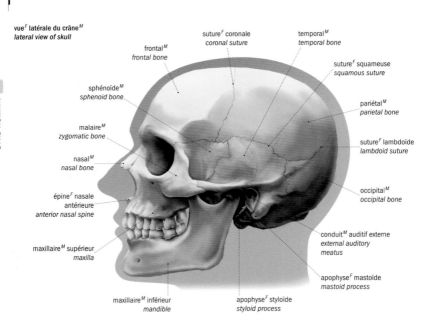

frontal^M
frontal bone

suture^F coronale
coronal suture

temporal^M
temporal bone

suture^F squameuse
squamous suture

sphénoïde^M
sphenoid bone

pariétal^M
parietal bone

malaire^M
zygomatic bone

suture^F lambdoïde
lambdoid suture

nasal^M
nasal bone

occipital^M
occipital bone

épine^F nasale
antérieure
anterior nasal spine

maxillaire^M supérieur
maxilla

conduit^M auditif externe
*external auditory
meatus*

apophyse^F mastoïde
mastoid process

maxillaire^M inférieur
mandible

apophyse^F styloïde
styloid process

crâne^M d'enfant^M
child's skull

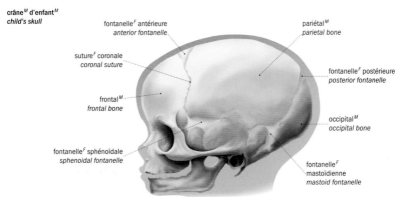

fontanelle^F antérieure
anterior fontanelle

pariétal^M
parietal bone

suture^F coronale
coronal suture

fontanelle^F postérieure
posterior fontanelle

frontal^M
frontal bone

occipital^M
occipital bone

fontanelle^F sphénoïdale
sphenoidal fontanelle

fontanelle^F
mastoïdienne
mastoid fontanelle

dents^F

teeth

denture^F humaine
human denture

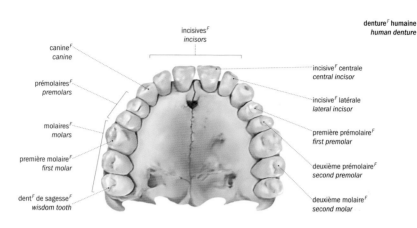

incisives^F
incisors

canine^F
canine

prémolaires^F
premolars

molaires^F
molars

première molaire^F
first molar

dent^F de sagesse^F
wisdom tooth

incisive^F centrale
central incisor

incisive^F latérale
lateral incisor

première prémolaire^F
first premolar

deuxième prémolaire^F
second premolar

deuxième molaire^F
second molar

coupe^F d'une molaire^F
cross section of a molar

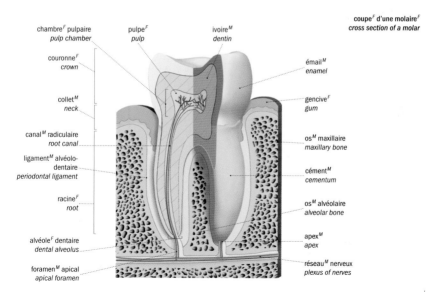

chambre^F pulpaire
pulp chamber

pulpe^F
pulp

ivoire^M
dentin

couronne^F
crown

collet^M
neck

canal^M radiculaire
root canal

ligament^M alvéolo-dentaire
periodontal ligament

racine^F
root

alvéole^F dentaire
dental alveolus

foramen^M apical
apical foramen

émail^M
enamel

gencive^F
gum

os^M maxillaire
maxillary bone

cément^M
cementum

os^M alvéolaire
alveolar bone

apex^M
apex

réseau^M nerveux
plexus of nerves

circulation^F sanguine

blood circulation

principales veines^F et artères^F
principal veins and arteries

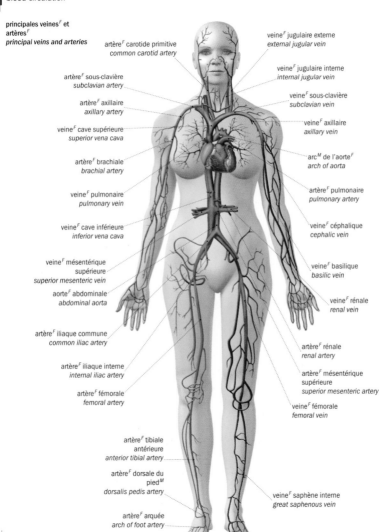

artère^F carotide primitive
common carotid artery

veine^F jugulaire externe
external jugular vein

veine^F jugulaire interne
internal jugular vein

artère^F sous-clavière
subclavian artery

veine^F sous-clavière
subclavian vein

artère^F axillaire
axillary artery

veine^F axillaire
axillary vein

veine^F cave supérieure
superior vena cava

arc^M de l'aorte^F
arch of aorta

artère^F brachiale
brachial artery

artère^F pulmonaire
pulmonary artery

veine^F pulmonaire
pulmonary vein

veine^F cave inférieure
inferior vena cava

veine^F céphalique
cephalic vein

veine^F mésentérique supérieure
superior mesenteric vein

veine^F basilique
basilic vein

aorte^F abdominale
abdominal aorta

veine^F rénale
renal vein

artère^F iliaque commune
common iliac artery

artère^F rénale
renal artery

artère^F iliaque interne
internal iliac artery

artère^F mésentérique supérieure
superior mesenteric artery

artère^F fémorale
femoral artery

veine^F fémorale
femoral vein

artère^F tibiale antérieure
anterior tibial artery

artère^F dorsale du pied^M
dorsalis pedis artery

veine^F saphène interne
great saphenous vein

artère^F arquée
arch of foot artery

circulation^F sanguine

schéma^M de la circulation^F
schema of circulation

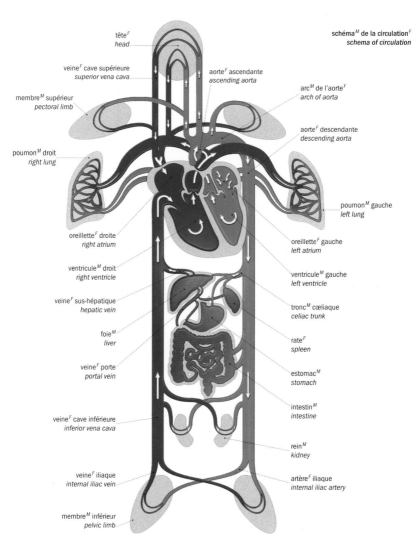

tête^F
head

veine^F cave supérieure
superior vena cava

aorte^F ascendante
ascending aorta

arc^M de l'aorte^F
arch of aorta

membre^M supérieur
pectoral limb

aorte^F descendante
descending aorta

poumon^M droit
right lung

poumon^M gauche
left lung

oreillette^F droite
right atrium

oreillette^F gauche
left atrium

ventricule^M droit
right ventricle

ventricule^M gauche
left ventricle

veine^F sus-hépatique
hepatic vein

tronc^M cœliaque
celiac trunk

foie^M
liver

rate^F
spleen

veine^F porte
portal vein

estomac^M
stomach

veine^F cave inférieure
inferior vena cava

intestin^M
intestine

rein^M
kidney

veine^F iliaque
internal iliac vein

artère^F iliaque
internal iliac artery

membre^M inférieur
pelvic limb

circulation^F sanguine

ÊTRE HUMAIN

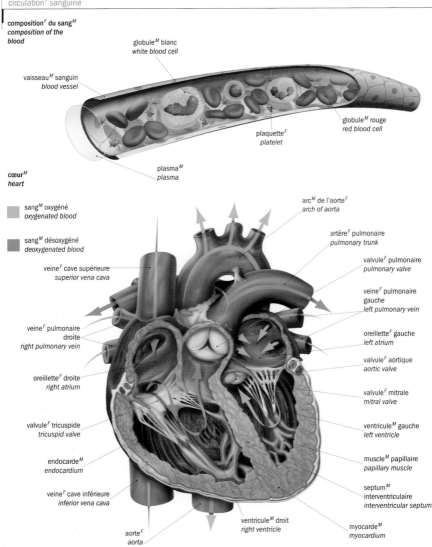

composition^F du sang^M
composition of the blood

globule^M blanc
white blood cell

vaisseau^M sanguin
blood vessel

globule^M rouge
red blood cell

plaquette^F
platelet

plasma^M
plasma

cœur^M
heart

sang^M oxygéné
oxygenated blood

sang^M désoxygéné
deoxygenated blood

arc^M de l'aorte^F
arch of aorta

artère^F pulmonaire
pulmonary trunk

veine^F cave supérieure
superior vena cava

valvule^F pulmonaire
pulmonary valve

veine^F pulmonaire
gauche
left pulmonary vein

veine^F pulmonaire
droite
right pulmonary vein

oreillette^F gauche
left atrium

valvule^F aortique
aortic valve

oreillette^F droite
right atrium

valvule^F mitrale
mitral valve

valvule^F tricuspide
tricuspid valve

ventricule^M gauche
left ventricle

endocarde^M
endocardium

muscle^M papillaire
papillary muscle

veine^F cave inférieure
inferior vena cava

septum^M
interventriculaire
interventricular septum

aorte^F
aorta

ventricule^M droit
right ventricle

myocarde^M
myocardium

appareil^M respiratoire
respiratory system

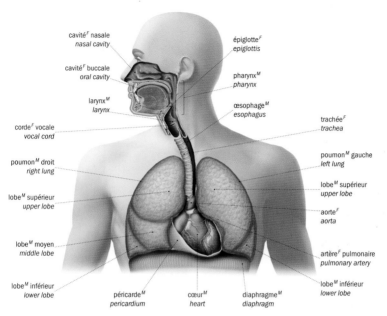

cavité^F nasale
nasal cavity

cavité^F buccale
oral cavity

larynx^M
larynx

corde^F vocale
vocal cord

poumon^M droit
right lung

lobe^M supérieur
upper lobe

lobe^M moyen
middle lobe

lobe^M inférieur
lower lobe

péricarde^M
pericardium

cœur^M
heart

diaphragme^M
diaphragm

épiglotte^F
epiglottis

pharynx^M
pharynx

œsophage^M
esophagus

trachée^F
trachea

poumon^M gauche
left lung

lobe^M supérieur
upper lobe

aorte^F
aorta

artère^F pulmonaire
pulmonary artery

lobe^M inférieur
lower lobe

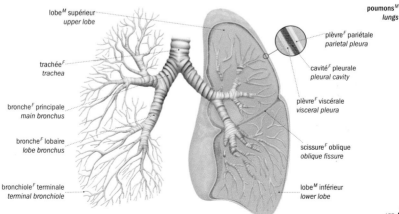

poumons^M
lungs

lobe^M supérieur
upper lobe

trachée^F
trachea

bronche^F principale
main bronchus

bronche^F lobaire
lobe bronchus

bronchiole^F terminale
terminal bronchiole

plèvre^F pariétale
parietal pleura

cavité^F pleurale
pleural cavity

plèvre^F viscérale
visceral pleura

scissure^F oblique
oblique fissure

lobe^M inférieur
lower lobe

appareil ^{M} digestif
digestive system

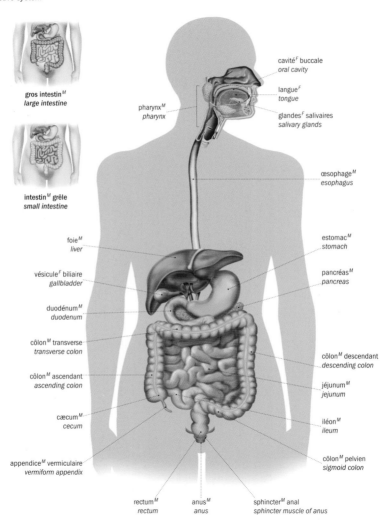

gros intestin ^{M}
large intestine

intestin ^{M} grêle
small intestine

ÊTRE HUMAIN

pharynx ^{M}
pharynx

cavité ^{F} buccale
oral cavity

langue ^{F}
tongue

glandes ^{F} salivaires
salivary glands

œsophage ^{M}
esophagus

foie ^{M}
liver

estomac ^{M}
stomach

vésicule ^{F} biliaire
gallbladder

pancréas ^{M}
pancreas

duodénum ^{M}
duodenum

côlon ^{M} transverse
transverse colon

côlon ^{M} descendant
descending colon

côlon ^{M} ascendant
ascending coion

jéjunum ^{M}
jejunum

cæcum ^{M}
cecum

iléon ^{M}
ileum

appendice ^{M} vermiculaire
vermiform appendix

côlon ^{M} pelvien
sigmoid colon

rectum ^{M}
rectum

anus ^{M}
anus

sphincter ^{M} anal
sphincter muscle of anus

appareil^M urinaire
urinary system

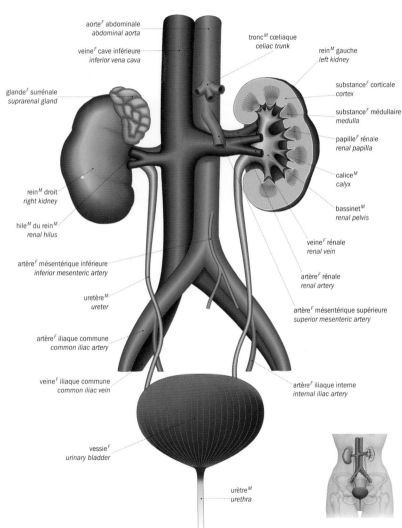

aorte^F abdominale
abdominal aorta

veine^F cave inférieure
inferior vena cava

tronc^M cœliaque
celiac trunk

rein^M gauche
left kidney

glande^F surrénale
suprarenal gland

substance^F corticale
cortex

substance^F médullaire
medulla

papille^F rénale
renal papilla

calice^M
calyx

rein^M droit
right kidney

bassinet^M
renal pelvis

hile^M du rein^M
renal hilus

veine^F rénale
renal vein

artère^F mésentérique inférieure
inferior mesenteric artery

artère^F rénale
renal artery

uretère^M
ureter

artère^F mésentérique supérieure
superior mesenteric artery

artère^F iliaque commune
common iliac artery

veine^F iliaque commune
common iliac vein

artère^F iliaque interne
internal iliac artery

vessie^F
urinary bladder

urètre^M
urethra

système^M nerveux
nervous system

système^M nerveux
périphérique
peripheral nervous system

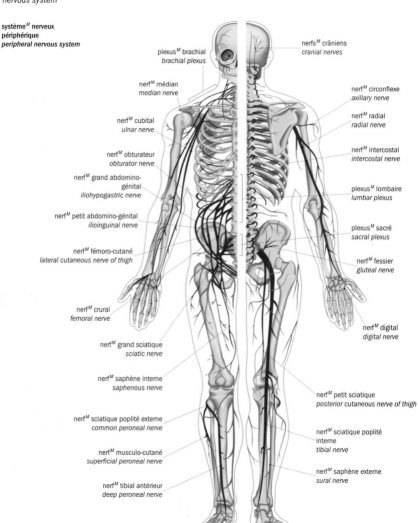

plexus^M brachial
brachial plexus

nerf^M médian
median nerve

nerf^M cubital
ulnar nerve

nerf^M obturateur
obturator nerve

nerf^M grand abdomino-
génital
iliohypogastric nerve

nerf^M petit abdomino-génital
ilioinguinal nerve

nerf^M fémoro-cutané
lateral cutaneous nerve of thigh

nerf^M crural
femoral nerve

nerf^M grand sciatique
sciatic nerve

nerf^M saphène interne
saphenous nerve

nerf^M sciatique poplité externe
common peroneal nerve

nerf^M musculo-cutané
superficial peroneal nerve

nerf^M tibial antérieur
deep peroneal nerve

nerfs^M crâniens
cranial nerves

nerf^M circonflexe
axillary nerve

nerf^M radial
radial nerve

nerf^M intercostal
intercostal nerve

plexus^M lombaire
lumbar plexus

plexus^M sacré
sacral plexus

nerf^M fessier
gluteal nerve

nerf^M digital
digital nerve

nerf^M petit sciatique
posterior cutaneous nerve of thigh

nerf^M sciatique poplité
interne
tibial nerve

nerf^M saphène externe
sural nerve

ÊTRE HUMAIN

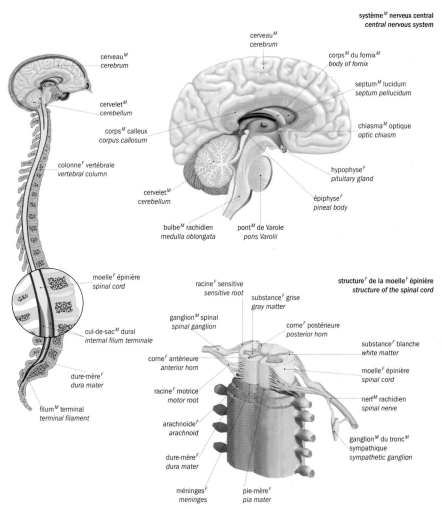

système^M nerveux central
central nervous system

cerveau^M
cerebrum

cerveau^M
cerebrum

corps^M du fornix^M
body of fornix

septum^M lucidum
septum pellucidum

cervelet^M
cerebellum

chiasma^M optique
optic chiasm

corps^M calleux
corpus callosum

colonne^F vertébrale
vertebral column

hypophyse^F
pituitary gland

cervelet^M
cerebellum

épiphyse^F
pineal body

bulbe^M rachidien
medulla oblongata

pont^M de Varole
pons Varolii

moelle^F épinière
spinal cord

racine^F sensitive
sensitive root

structure^F de la moelle^F épinière
structure of the spinal cord

substance^F grise
gray matter

ganglion^M spinal
spinal ganglion

corne^F postérieure
posterior horn

cul-de-sac^M dural
internal filum terminale

substance^F blanche
white matter

corne^F antérieure
anterior horn

moelle^F épinière
spinal cord

dure-mère^F
dura mater

racine^F motrice
motor root

nerf^M rachidien
spinal nerve

arachnoïde^F
arachnoid

ganglion^M du tronc^M
sympathique
sympathetic ganglion

filum^M terminal
terminal filament

dure-mère^F
dura mater

méninges^F
meninges

pie-mère^F
pia mater

système^M nerveux

chaîne^F de neurones^M
chain of neurons

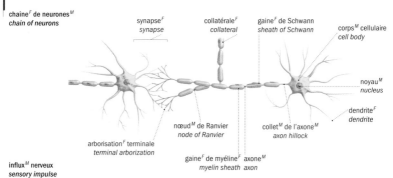

synapse^F
synapse

collatérale^F
collateral

gaine^F de Schwann
sheath of Schwann

corps^M cellulaire
cell body

noyau^M
nucleus

dendrite^F
dendrite

nœud^M de Ranvier
node of Ranvier

collet^M de l'axone^M
axon hillock

arborisation^F terminale
terminal arborization

gaine^F de myéline^F
myelin sheath

axone^M
axon

influx^M nerveux
sensory impulse

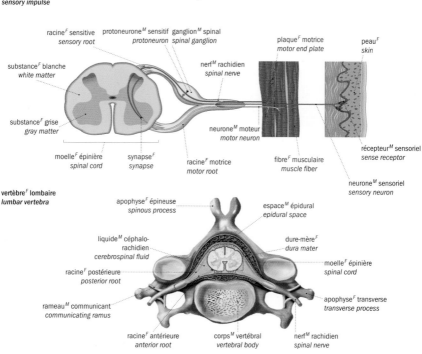

racine^F sensitive
sensory root

protoneurone^M sensitif
protoneuron

ganglion^M spinal
spinal ganglion

plaque^F motrice
motor end plate

peau^F
skin

substance^F blanche
white matter

nerf^M rachidien
spinal nerve

substance^F grise
gray matter

neurone^M moteur
motor neuron

moelle^F épinière
spinal cord

synapse^F
synapse

racine^F motrice
motor root

fibre^F musculaire
muscle fiber

récepteur^M sensoriel
sense receptor

neurone^M sensoriel
sensory neuron

vertèbre^F lombaire
lumbar vertebra

apophyse^F épineuse
spinous process

espace^M épidural
epidural space

liquide^M céphalo-rachidien
cerebrospinal fluid

dure-mère^F
dura mater

racine^F postérieure
posterior root

moelle^F épinière
spinal cord

rameau^M communicant
communicating ramus

apophyse^F transverse
transverse process

racine^F antérieure
anterior root

corps^M vertébral
vertebral body

nerf^M rachidien
spinal nerve

organes^M génitaux masculins

male reproductive organs

ÊTRE HUMAIN

coupe^F sagittale
sagittal section

cavité^F abdominale
abdominal cavity

péritoine^M
peritoneum

vessie^F
urinary bladder

canal^M déférent
deferent duct

prostate^F
prostate

vésicule^F séminale
seminal vesicle

symphyse^F pubienne
symphysis pubis

rectum^M
rectum

corps^M caverneux
cavernous body

canal^M éjaculateur
ejaculatory duct

urètre^M pénien
male urethra

anus^M
anus

verge^F
penis

fesse^F
buttock

gland^M
glans penis

glande^F de Cowper
Cowper's gland

prépuce^M
prepuce

cuisse^F
thigh

muscle^M bulbo-caverneux
bulbocavernous muscle

méat^M de l'urètre^M
urinary meatus

épididyme^M
epididymis

testicule^M
testicle

scrotum^M
scrotum

spermatozoïde^M
spermatozoon

tête^F
head

pièce^F terminale
end piece

queue^F
tail

cou^M
neck

pièce^F intermédiaire
middle piece

organes^M génitaux féminins

female reproductive organs

coupe^F sagittale
sagittal section

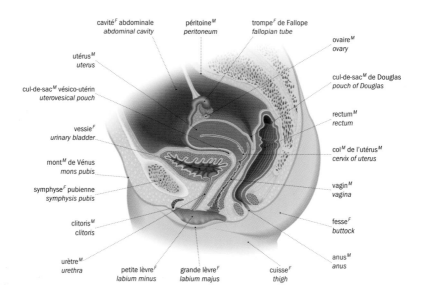

cavité^F abdominale
abdominal cavity

péritoine^M
peritoneum

trompe^F de Fallope
fallopian tube

ovaire^M
ovary

utérus^M
uterus

cul-de-sac^M de Douglas
pouch of Douglas

cul-de-sac^M vésico-utérin
uterovesical pouch

rectum^M
rectum

vessie^F
urinary bladder

col^M de l'utérus^M
cervix of uterus

mont^M de Vénus
mons pubis

vagin^M
vagina

symphyse^F pubienne
symphysis pubis

fesse^F
buttock

clitoris^M
clitoris

anus^M
anus

urètre^M
urethra

petite lèvre^F
labium minus

grande lèvre^F
labium majus

cuisse^F
thigh

ovule^M
egg

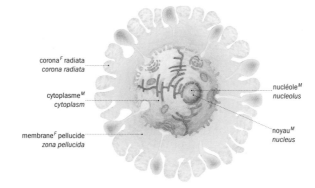

corona^F radiata
corona radiata

nucléole^M
nucleolus

cytoplasme^M
cytoplasm

membrane^F pellucide
zona pellucida

noyau^M
nucleus

organes^M génitaux féminins

vue^F postérieure
posterior view

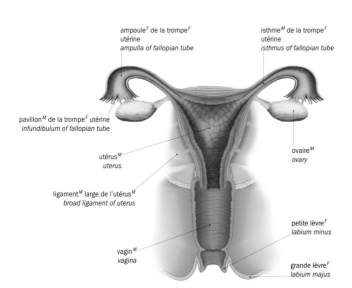

ampoule^F de la trompe^F
utérine
ampulla of fallopian tube

isthme^M de la trompe^F
utérine
isthmus of fallopian tube

pavillon^M de la trompe^F utérine
infundibulum of fallopian tube

utérus^M
uterus

ligament^M large de l'utérus^M
broad ligament of uterus

ovaire^M
ovary

vagin^M
vagina

petite lèvre^F
labium minus

grande lèvre^F
labium majus

trompes^F de Fallope
fallopian tubes

vulve^F
vulva

sein^M

breast

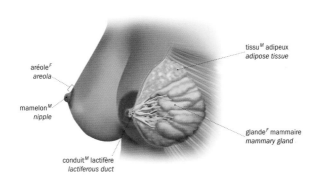

aréole^F
areola

mamelon^M
nipple

tissu^M adipeux
adipose tissue

glande^F mammaire
mammary gland

conduit^M lactifère
lactiferous duct

toucher^M
touch

ÊTRE HUMAIN

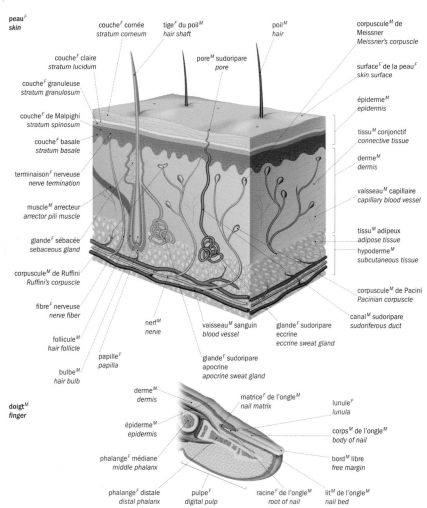

peau^F
skin

couche^F cornée
stratum corneum

couche^F claire
stratum lucidum

couche^F granuleuse
stratum granulosum

couche^F de Malpighi
stratum spinosum

couche^F basale
stratum basale

terminaison^F nerveuse
nerve termination

muscle^M arrecteur
arrector pili muscle

glande^F sébacée
sebaceous gland

corpuscule^M de Ruffini
Ruffini's corpuscle

fibre^F nerveuse
nerve fiber

follicule^M
hair follicle

bulbe^M
hair bulb

papille^F
papilla

nerf^M
nerve

vaisseau^M sanguin
blood vessel

glande^F sudoripare
apocrine
apocrine sweat gland

glande^F sudoripare
eccrine
eccrine sweat gland

tige^F du poil^M
hair shaft

pore^M sudoripare
pore

poil^M
hair

corpuscule^M de
Meissner
Meissner's corpuscle

surface^F de la peau^F
skin surface

épiderme^M
epidermis

tissu^M conjonctif
connective tissue

derme^M
dermis

vaisseau^M capillaire
capillary blood vessel

tissu^M adipeux
adipose tissue

hypoderme^M
subcutaneous tissue

corpuscule^M de Pacini
Pacinian corpuscle

canal^M sudoripare
sudoriferous duct

doigt^M
finger

derme^M
dermis

épiderme^M
epidermis

phalange^F médiane
middle phalanx

phalange^F distale
distal phalanx

pulpe^F
digital pulp

matrice^F de l'ongle^M
nail matrix

lunule^F
lunula

corps^M de l'ongle^M
body of nail

bord^M libre
free margin

racine^F de l'ongle^M
root of nail

lit^M de l'ongle^M
nail bed

toucher^M

main^F
hand

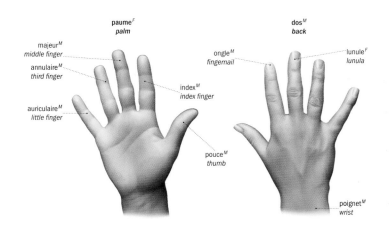

paume^F
palm

dos^M
back

majeur^M
middle finger

annulaire^M
third finger

auriculaire^M
little finger

index^M
index finger

ongle^M
fingernail

lunule^F
lunula

pouce^M
thumb

poignet^M
wrist

ÊTRE HUMAIN

ouïe^F
hearing

pavillon^M
auricle

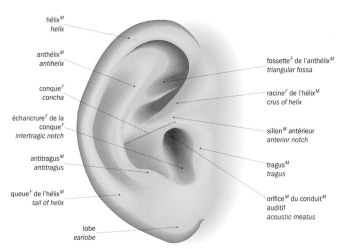

hélix^M
helix

anthélix^M
antihelix

conque^F
concha

échancrure^F de la
conque^F
intertragic notch

antitragus^M
antitragus

queue^F de l'hélix^M
tail of helix

fossette^F de l'anthélix^M
triangular fossa

racine^F de l'hélix^M
crus of helix

sillon^M antérieur
anterior notch

tragus^M
tragus

orifice^M du conduit^M
auditif
acoustic meatus

lobe
earlobe

ouïe^F

ÊTRE HUMAIN

structure^F de l'oreille^F
structure of the ear

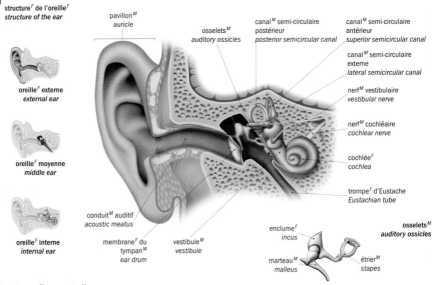

oreille^F externe
external ear

oreille^F moyenne
middle ear

oreille^F interne
internal ear

pavillon^M
auricle

osselets^M
auditory ossicles

canal^M semi-circulaire postérieur
posterior semicircular canal

canal^M semi-circulaire antérieur
superior semicircular canal

canal^M semi-circulaire externe
lateral semicircular canal

nerf^M vestibulaire
vestibular nerve

nerf^M cochléaire
cochlear nerve

cochlée^F
cochlea

trompe^F d'Eustache
Eustachian tube

conduit^M auditif
acoustic meatus

membrane^F du tympan^M
ear drum

vestibule^M
vestibule

enclume^F
incus

marteau^M
malleus

étrier^M
stapes

osselets^M
auditory ossicles

odorat^M et goût^M
smell and taste

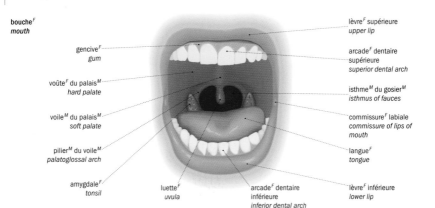

bouche^F
mouth

gencive^F
gum

voûte^F du palais^M
hard palate

voile^M du palais^M
soft palate

pilier^M du voile^M
palatoglossal arch

amygdale^F
tonsil

luette^F
uvula

arcade^F dentaire inférieure
inferior dental arch

lèvre^F supérieure
upper lip

arcade^F dentaire supérieure
superior dental arch

isthme^M du gosier^M
isthmus of fauces

commissure^F labiale
commissure of lips of mouth

langue^F
tongue

lèvre^F inférieure
lower lip

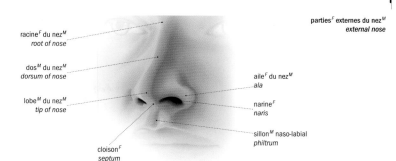

parties^F externes du nez^M
external nose

racine^F du nez^M
root of nose

dos^M du nez^M
dorsum of nose

lobe^M du nez^M
tip of nose

cloison^F
septum

aile^F du nez^M
ala

narine^F
naris

sillon^M naso-labial
philtrum

ÊTRE HUMAIN

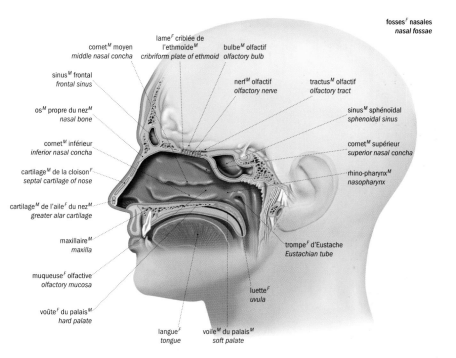

fosses^F nasales
nasal fossae

cornet^M moyen
middle nasal concha

lame^F criblée de l'ethmoïde^M
cribriform plate of ethmoid

bulbe^M olfactif
olfactory bulb

sinus^M frontal
frontal sinus

nerf^M olfactif
olfactory nerve

tractus^M olfactif
olfactory tract

os^M propre du nez^M
nasal bone

sinus^M sphénoïdal
sphenoidal sinus

cornet^M inférieur
inferior nasal concha

cornet^M supérieur
superior nasal concha

cartilage^M de la cloison^F
septal cartilage of nose

rhino-pharynx^M
nasopharynx

cartilage^M de l'aile^F du nez^M
greater alar cartilage

maxillaire^M
maxilla

trompe^F d'Eustache
Eustachian tube

muqueuse^F olfactive
olfactory mucosa

voûte^F du palais^M
hard palate

luette^F
uvula

langue^F
tongue

voile^M du palais^M
soft palate

dos^M de la langue^F
dorsum of tongue

épiglotte^F
epiglottis

amygdale^F linguale
lingual tonsil

base^F
root

amygdale^F palatine
palatine tonsil

foramen^M cæcum^M
foramen cecum

sillon^M terminal
sulcus terminalis

papille^F caliciforme
circumvallate papilla

corps^M
body

sillon^M médian
median lingual sulcus

apex^M
apex

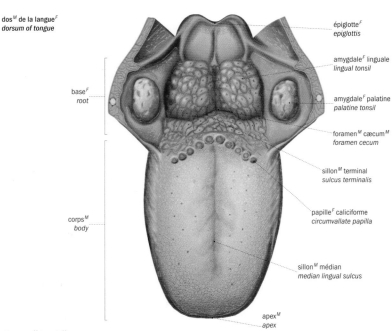

récepteurs^M du goût^M
taste receptors

papille^F fongiforme
fungiform papilla

papille^F filiforme
filiform papilla

glande^F salivaire
salivary gland

papille^F caliciforme
circumvallate papilla

papille^F foliée
foliate papilla

sillon^M
furrow

bourgeon^M gustatif
taste bud

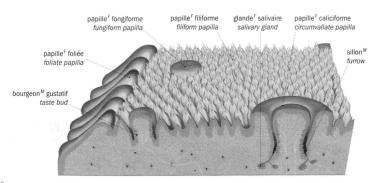

vue^F
sight

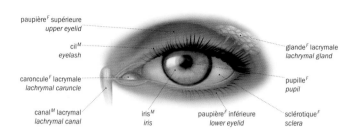

œil^M
eye

ÊTRE HUMAIN

paupière^F supérieure
upper eyelid

cil^M
eyelash

caroncule^F lacrymale
lachrymal caruncle

canal^M lacrymal
lachrymal canal

iris^M
iris

paupière^F inférieure
lower eyelid

glande^F lacrymale
lachrymal gland

pupille^F
pupil

sclérotique^F
sclera

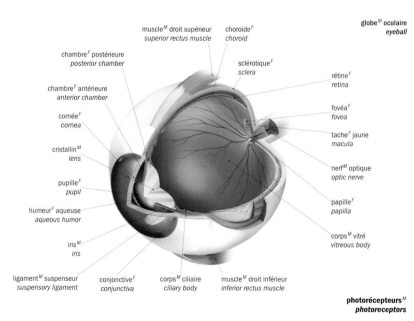

globe^M oculaire
eyeball

muscle^M droit supérieur
superior rectus muscle

choroïde^F
choroid

chambre^F postérieure
posterior chamber

sclérotique^F
sclera

chambre^F antérieure
anterior chamber

rétine^F
retina

cornée^F
cornea

fovéa^F
fovea

cristallin^M
lens

tache^F jaune
macula

pupille^F
pupil

nerf^M optique
optic nerve

humeur^F aqueuse
aqueous humor

papille^F
papilla

iris^M
iris

corps^M vitré
vitreous body

ligament^M suspenseur
suspensory ligament

conjonctive^F
conjunctiva

corps^M ciliaire
ciliary body

muscle^M droit inférieur
inferior rectus muscle

photorécepteurs^M
photoreceptors

cône^M
cone

bâtonnet^M
rod

supermarché^M
supermarket

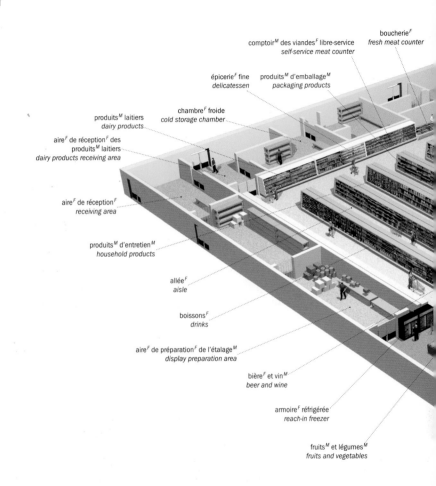

comptoir^M des viandes^F libre-service
self-service meat counter

boucherie^F
fresh meat counter

épicerie^F fine
delicatessen

produits^M d'emballage^M
packaging products

chambre^F froide
cold storage chamber

produits^M laitiers
dairy products

aire^F de réception^F des
produits^M laitiers
dairy products receiving area

aire^F de réception^F
receiving area

produits^M d'entretien^M
household products

allée^F
aisle

boissons^F
drinks

aire^F de préparation^F de l'étalage^M
display preparation area

bière^F et vin^M
beer and wine

armoire^F réfrigérée
reach-in freezer

fruits^M et légumes^M
fruits and vegetables

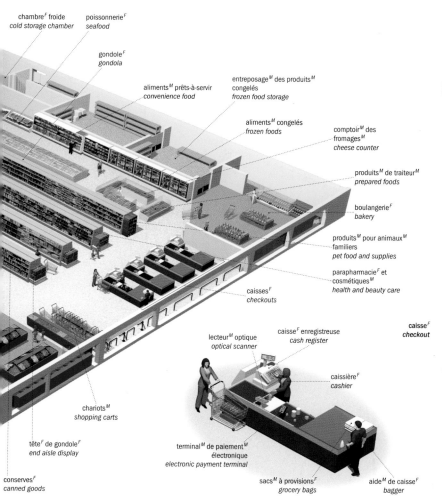

chambre^F froide
cold storage chamber

poissonnerie^F
seafood

gondole^F
gondola

aliments^M prêts-à-servir
convenience food

entreposage^M des produits^M
congelés
frozen food storage

aliments^M congelés
frozen foods

comptoir^M des
fromages^M
cheese counter

produits^M de traiteur^M
prepared foods

boulangerie^F
bakery

produits^M pour animaux^M
familiers
pet food and supplies

parapharmacie^F et
cosmétiques^M
health and beauty care

caisses^F
checkouts

caisse^F
checkout

lecteur^M optique
optical scanner

caisse^F enregistreuse
cash register

caissière^F
cashier

chariots^M
shopping carts

tête^F de gondole^F
end aisle display

terminal^M de paiement^M
électronique
electronic payment terminal

conserves^F
canned goods

sacs^M à provisions^F
grocery bags

aide^M de caisse^F
bagger

ALIMENTATION ET CUISINE

ferme^F
farmstead

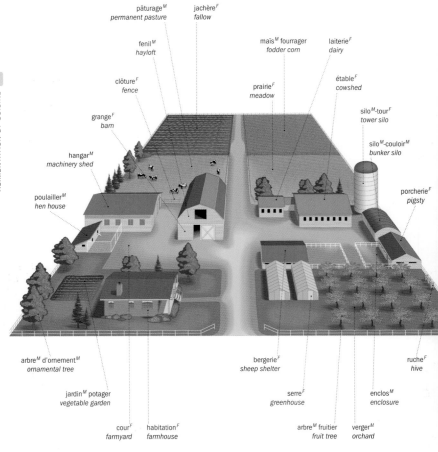

pâturage^M
permanent pasture

jachère^F
fallow

fenil^M
hayloft

maïs^M fourrager
fodder corn

laiterie^F
dairy

clôture^F
fence

prairie^F
meadow

étable^F
cowshed

grange^F
barn

silo^M-tour^F
tower silo

silo^M-couloir^M
bunker silo

hangar^M
machinery shed

poulailler^M
hen house

porcherie^F
pigsty

arbre^M d'ornement^M
ornamental tree

bergerie^F
sheep shelter

ruche^F
hive

jardin^M potager
vegetable garden

serre^F
greenhouse

enclos^M
enclosure

cour^F
farmyard

habitation^F
farmhouse

arbre^M fruitier
fruit tree

verger^M
orchard

champignons^M
mushrooms

truffe^F
truffle

oreille-de-Judas^F
wood ear

oronge^F vraie
royal agaric

lactaire^M délicieux
delicious lactarius

collybie^F à pied^M
velouté
enoki mushroom

pleurote^M en forme^F
d'huitre^F
oyster mushroom

champignon^M de couche^F
cultivated mushroom

russule^F verdoyante
green russula

morille^F
morel

cèpe^M
edible boletus

shiitake^M
shiitake mushroom

chanterelle^F commune
chanterelle

algues^F
seaweed

aramé^M
arame

wakamé^M
wakame

kombu^M
kombu

spiruline^F
spirulina

mousse^F d'Irlande^F
Irish moss

hijiki^M
hijiki

laitue^F de mer^F
sea lettuce

agar-agar^M
agar-agar

nori^M
nori

rhodyménie^M palmé
dulse

légumes^M
vegetables

légumes^M bulbes^M
bulb vegetables

poireau^M
leek

oignon^M vert
green onion

ciboule^F
scallion

échalote^F
shallot

châtaigne^F d'eau^F
water chestnut

ail^M
garlic

ciboulette^F
chive

oignon^M jaune
yellow onion

oignon^M rouge
red onion

oignon^M blanc
white onion

oignon^M à mariner
pickling onion

légumes^M tubercules^M
tuber vegetables

manioc^M
cassava

crosne^M
crosne

taro^M
taro

jicama^M
jicama

igname^F
yam

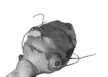

topinambour^M
Jerusalem artichoke

patate^F
sweet potato

pomme^F de terre^F
potato

légumes^M tiges^F
stalk vegetables

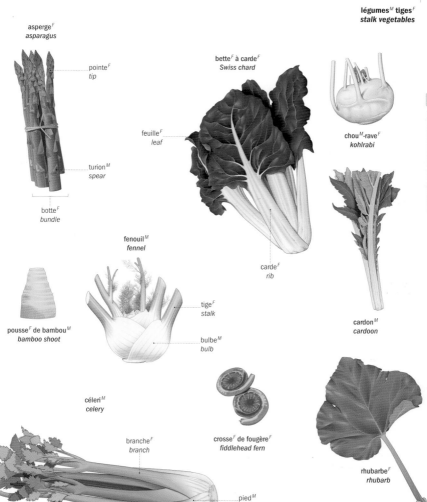

asperge^F
asparagus

pointe^F
tip

turion^M
spear

botte^F
bundle

bette^F à carde^F
Swiss chard

feuille^F
leaf

carde^F
rib

chou^M-rave^F
kohlrabi

cardon^M
cardoon

pousse^F de bambou^M
bamboo shoot

fenouil^M
fennel

tige^F
stalk

bulbe^M
bulb

céleri^M
celery

branche^F
branch

crosse^F de fougère^F
fiddlehead fern

pied^M
head

rhubarbe^F
rhubarb

légumes^M

légumes^M feuilles^F
leaf vegetables

laitue^F frisée
leaf lettuce

romaine^F
romaine lettuce

laitue^F asperge^F
celtuce

chou^M marin
sea kale

chou^M cavalier^M
collards

scarole^F
escarole

laitue^F pommée
butterhead lettuce

laitue^F iceberg^M
iceberg lettuce

chicorée^F de Trévise
radicchio

chou^M laitue^F
ornamental kale

chou^M frisé
curled kale

feuille^F de vigne^F
grape leaf

choux^M de Bruxelles
Brussels sprouts

chou^M pommé rouge
red cabbage

chou^M pommé blanc
white cabbage

chou^M de Milan
savoy cabbage

chou^M pommé vert
green cabbage

pe-tsaï^M
pe-tsai

pak-choï^M
pak-choi

pourpier^M
purslane

ortie^F
nettle

cresson^M de fontaine^F
watercress

pissenlit^M
dandelion

mâche^F
corn salad

roquette^F
arugula

épinard^M
spinach

oseille^F
garden sorrel

chicorée^F frisée
curled endive

endive^F
Belgian endive

cresson^M alénois
garden cress

légumes^M fleurs^F
inflorescent vegetables

chou^M-fleur^F
cauliflower

brocoli^M
broccoli

Gai lon^M
Gai-lohn

brocoli^M italien
broccoli rabe

artichaut^M
artichoke

légumes^M

légumes^M fruits^M
fruit vegetables

avocat^M
avocado

tomate^F
tomato

tomate^F en grappe^F
currant tomato

tomatille^F
tomatillo

olive^F
olive

poivron^M jaune
yellow sweet pepper

poivron^M vert
green sweet pepper

poivron^M rouge
red sweet pepper

piment^M
hot pepper

gombo^M
okra

cornichon^M
gherkin

concombre^M
cucumber

melon^M d'hiver^M
chinois
wax gourd

aubergine^F
eggplant

concombre^M sans
pépins^M
seedless cucumber

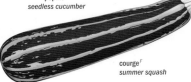
courge^F
summer squash

courgette^F
zucchini

margose^F
bitter melon

légumes^M

pâtisson^M
pattypan squash

courge^F à cou^M tors
crookneck squash

courge^F à cou^M droit
straightneck squash

chayote^F
chayote

citrouille^F
pumpkin

courge^F spaghetti^M
spaghetti squash

courgeron^M
acorn squash

potiron^M
autumn squash

légumes^M racines^F
root vegetables

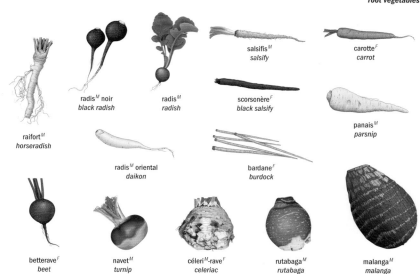

salsifis^M
salsify

carotte^F
carrot

radis^M noir
black radish

radis^M
radish

scorsonère^F
black salsify

panais^M
parsnip

raifort^M
horseradish

radis^M oriental
daikon

bardane^F
burdock

betterave^F
beet

navet^M
turnip

céleri^M-rave^F
celeriac

rutabaga^M
rutabaga

malanga^M
malanga

légumineuses*F*
legumes

luzerne*F*
alfalfa

lupin*M*
lupine

lentilles*F*
lentils

arachide*F*
peanut

fèves*F*
broad beans

pois*M*
peas

pois*M* chiches
chick peas

pois*M* cassés
split peas

petits pois*M*
green peas

pois*M* mange-tout*M*
sweet peas

doliques*M*
dolichos beans

dolique*M* à œil*M* noir
black-eyed pea

dolique*M* d'Égypte*F*
lablab bean

dolique*M* asperge*F*
yard-long bean

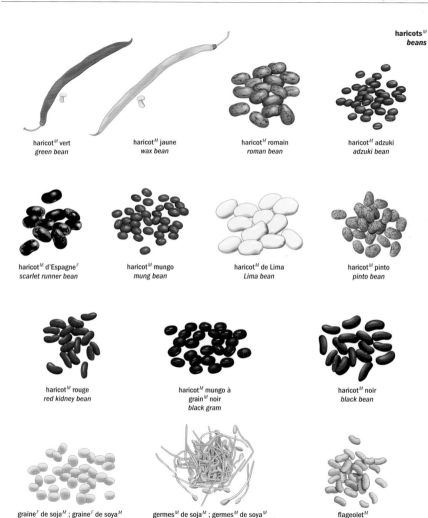

haricots^M
beans

haricot^M vert
green bean

haricot^M jaune
wax bean

haricot^M romain
roman bean

haricot^M adzuki
adzuki bean

haricot^M d'Espagne^F
scarlet runner bean

haricot^M mungo
mung bean

haricot^M de Lima
Lima bean

haricot^M pinto
pinto bean

haricot^M rouge
red kidney bean

haricot^M mungo à
grain^M noir
black gram

haricot^M noir
black bean

graine^F de soja^M ; graine^F de soya^M
soybeans

germes^M de soja^M ; germes^M de soya^M
soybean sprouts

flageolet^M
flageolet

fruits^M

fruits

baies^F
berries

groseille^F à grappes^F ;
gadelle^F
currant

cassis^M
black currant

groseille^F à maquereau^M
gooseberry

raisin^M
grape

bleuet^M
blueberry

myrtille^F
bilberry

airelle^F
red whortleberry

alkékenge^M
alkekengi

canneberge^F ; atoca^M
cranberry

framboise^F
raspberry

mûre^F
blackberry

fraise^F
strawberry

fruits^M à noyau^M
stone fruits

prune^F
plum

pêche^F
peach

nectarine^F
nectarine

abricot^M
apricot

cerise^F
cherry

datte^F
date

fruits^M secs
dry fruits

noix^F de macadamia^M
macadamia nut

noix^F de ginkgo^M
ginkgo nut

pistache^F
pistachio nut

pignon^M
pine nut

noix^F de cola^M
cola nut

noix^F de pacane^F
pecan nut

noix^F de cajou^M
cashew

amande^F
almond

noisette^F
hazelnut

noix^F
walnut

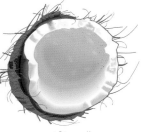

noix^F de coco^M
coconut

marron^M
chestnut

faine^F
beechnut

noix^F du Brésil^M
Brazil nut

fruits^M à pépins^M
pome fruits

poire^F
pear

coing^M
quince

pomme^F
apple

nèfle^F du Japon^M
Japanese plum

agrumes^M
citrus fruits

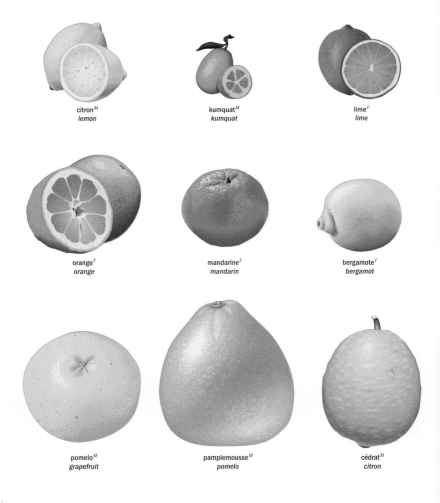

citron^M
lemon

kumquat^M
kumquat

lime^F
lime

orange^F
orange

mandarine^F
mandarin

bergamote^F
bergamot

pomelo^M
grapefruit

pamplemousse^M
pomelo

cédrat^M
citron

fruits^M

melons^M
melons

cantaloup^M
cantaloupe

melon^M Casaba
casaba melon

melon^M miel^M
honeydew melon

melon^M brodé
muskmelon

melon^M brésilien
canary melon

pastèque^F
watermelon

melon^M d'Ogen
Ogen melon

ALIMENTATION ET CUISINE

fruits^M

fruits^M tropicaux
tropical fruits

banane^F plantain^M
plantain

banane^F
banana

longane^M
longan

tamarillo^M
tamarillo

fruit^M de la Passion^F
passion fruit

melon^M à cornes^F
horned melon

mangoustan^M
mangosteen

kiwi^M
kiwi

grenade^F
pomegranate

chérimole^F
cherimoya

jaque^M
jackfruit

ananas^M
pineapple

jaboticaba^M
jaboticaba

litchi^M
litchi

figue^F
fig

jujube^M
jujube

sapotille^F
sapodilla

goyave^F
guava

ramboutan^M
rambutan

kaki^M
Japanese persimmon

figue^F de Barbarie
prickly pear

carambole^F
carambola

pomme^F poire^F
Asian pear

mangue^F
mango

durian^M
durian

papaye^F
papaya

pepino^M
pepino

feijoa^M
feijoa

épices*F*

spices

baie*F* de genièvre*M*
juniper berry

clou*M* de girofle*M*
clove

piment*M* de la
Jamaïque*F*
allspice

moutarde*F* blanche
white mustard

moutarde*F* noire
black mustard

poivre*M* noir
black pepper

poivre*M* blanc
white pepper

poivre*M* rose
pink pepper

poivre*M* vert
green pepper

noix*F* de muscade*F*
nutmeg

carvi*M*
caraway

cardamome*F*
cardamom

cannelle*F*
cinnamon

safran*M*
saffron

cumin*M*
cumin

curry*M*
curry

curcuma*M*
turmeric

fenugrec*M*
fenugreek

piment^M Jalapeño
jalapeño chile

piment^M oiseau^M
bird's eye chile

piments^M broyés
crushed chiles

piments^M séchés
dried chiles

piment^M de Cayenne
cayenne chile

paprika^M
paprika

ajowan^M
ajowan

asa-fœtida^F
asafetida

garam masala^M
garam masala

mélange^M d'épices^F cajun
cajun spice seasoning

épices^F à marinade^F
marinade spices

cinq-épices^M chinois
five spice powder

assaisonnement^M au chili^M
chili powder

poivre^M moulu
ground pepper

ras-el-hanout^M
ras el hanout

sumac^M
sumac

graines^F de pavot^M
poppy seeds

gingembre^M
ginger

condiments ^{M}
condiments

sauce ^{F} Tabasco $^®$
Tabasco® sauce

sauce ^{F} Worcestershire
Worcestershire sauce

pâte ^{F} de tamarin ^{M}
tamarind paste

extrait ^{M} de vanille ^{F}
vanilla extract

concentré ^{M} de tomate ^{F}
tomato paste

coulis ^{M} de tomate ^{F}
tomato coulis

hommos ^{M}
hummus

tahini ^{M}
tahini

sauce ^{F} hoisin
hoisin sauce

sauce ^{F} soja ^{M} ; sauce ^{F}
soya ^{M}
soy sauce

moutarde ^{F} en poudre ^{F}
powdered mustard

moutarde ^{F} à
l'ancienne ^{F}
wholegrain mustard

moutarde ^{F} de Dijon
Dijon mustard

moutarde ^{F} allemande
German mustard

moutarde ^{F} anglaise
English mustard

moutarde ^{F} américaine
American mustard

sauce^F aux prunes^F
plum sauce

chutney^M à la mangue^F
mango chutney

harissa^F
harissa

sambal oelek^M
sambal oelek

ketchup^M
ketchup

wasabi^M
wasabi

sel^M fin
table salt

gros sel^M
coarse salt

sel^M marin
sea salt

vinaigre^M balsamique
balsamic vinegar

vinaigre^M de riz^M
rice vinegar

vinaigre^M de cidre^M
apple cider vinegar

vinaigre^M de malt^M
malt vinegar

vinaigre^M de vin^M
wine vinegar

fines herbes^F

herbs

aneth^M
dill

anis^M
anise

laurier^M
sweet bay

origan^M
oregano

estragon^M
tarragon

basilic^M
basil

sauge^F
sage

thym^M
thyme

menthe^F
mint

persil^M
parsley

cerfeuil^M
chervil

coriandre^F
coriander

romarin^M
rosemary

hysope^F
hyssop

bourrache^F
borage

livèche^F
lovage

sarriette^F
savory

mélisse^F
lemon balm

céréales^F
cereal

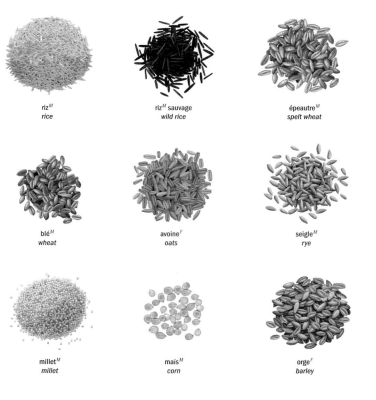

riz^M
rice

riz^M sauvage
wild rice

épeautre^M
spelt wheat

blé^M
wheat

avoine^F
oats

seigle^M
rye

millet^M
millet

maïs^M
corn

orge^F
barley

sarrasin^M
buckwheat

quinoa^M
quinoa

amarante^F
amaranth

triticale^M
triticale

produits^M céréaliers
cereal products

farine^F et semoule^F
flour and semolina

semoule^F
semolina

farine^F de blé^M complet ; farine^F de blé^M entier
whole-wheat flour

couscous^M
couscous

farine^F tout usage^M
all-purpose flour

farine^F non blanchie
unbleached flour

farine^F d'avoine^F
oat flour

farine^F de maïs^M
corn flour

pain^M
bread

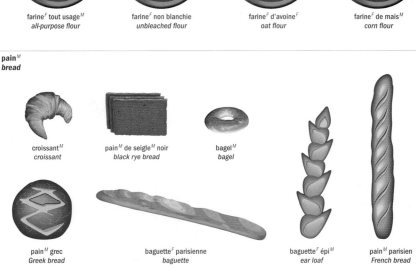

croissant^M
croissant

pain^M de seigle^M noir
black rye bread

bagel^M
bagel

pain^M grec
Greek bread

baguette^F parisienne
baguette

baguette^F épi^M
ear loaf

pain^M parisien
French bread

pain^M chapati indien
Indian chapati bread

tortilla^F
tortilla

pain^M pita
pita bread

pain^M naan indien
Indian naan bread

cracker^M de seigle^M
cracked rye bread

pâte^F phyllo^F
phyllo dough

pain^M azyme
unleavened bread

pain^M de seigle^M danois
Danish rye bread

pain^M blanc
white bread

pain^M multicéréales
multigrain bread

cracker^M scandinave
Scandinavian cracked bread

pain^M tchallah juif
Jewish hallah

pain^M de maïs^M
américain
American corn bread

pain^M de seigle^M allemand
German rye bread

pain^M noir russe
Russian pumpernickel

pain^M de campagne^F
farmhouse bread

pain^M complet
wholemeal bread

pain^M irlandais
Irish bread

pain^M de mie^F
English loaf

ALIMENTATION ET CUISINE

pâtes^F alimentaires
pasta

rigatoni^M
rigatoni

rotini^M
rotini

conchiglie^F
conchiglie

fusilli^M
fusilli

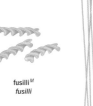

spaghetti^M
spaghetti

ditali^M
ditali

gnocchi^M
gnocchi

tortellini^M
tortellini

spaghettini^M
spaghettini

coudes^M
elbows

penne^M
penne

cannelloni^M
cannelloni

lasagne^F
lasagna

ravioli^M
ravioli

tagliatelle^M aux
épinards^M
spinach tagliatelle

fettucine^M
fettucine

nouilles^F asiatiques
Asian noodles

nouilles^F soba
soba noodles

nouilles^F somen
somen noodles

nouilles^F udon
udon noodles

galettes^F de riz^M
rice papers

nouilles^F de riz^M
rice noodles

nouilles^F de haricots^M mungo
*bean thread cellophane
noodles*

nouilles^F aux œufs^M
egg noodles

vermicelles^M de riz^M
rice vermicelli

pâtes^F won-ton
won ton skins

riz^M
rice

riz^M blanc
white rice

riz^M complet
brown rice

riz^M étuvé
parboiled rice

riz^M basmati
basmati rice

café^M et infusions^F
coffee and infusions

café^M
coffee

grains^M de café^M verts
green coffee beans

grains^M de café^M
torréfiés
roasted coffee beans

tisanes^F
herbal teas

tilleul^M
linden

camomille^F
chamomile

verveine^F
verbena

thé^M
tea

thé^M vert
green tea

thé^M noir
black tea

thé^M oolong
oolong tea

thé^M en sachet^M
tea bag

chocolat^M
chocolate

chocolat^M noir
dark chocolate

chocolat^M au lait^M
milk chocolate

cacao^M
cocoa

chocolat^M blanc
white chocolate

sucre^M
sugar

sucre^M granulé
granulated sugar

sucre^M glace^F
powdered sugar

cassonade^F
brown sugar

sucre^M candi
rock candy

mélasse^F
molasses

sirop^M de maïs^M
corn syrup

sirop^M d'érable^M
maple syrup

miel^M
honey

huiles^F et matières^F grasses
fats and oils

huile^F de maïs^M
corn oil

huile^F d'olive^F
olive oil

huile^F de tournesol^M
sunflower-seed oil

huile^F d'arachide^F
peanut oil

huile^F de sésame^M
sesame oil

saindoux^M
shortening

lard^M
lard

margarine^F
margarine

produits^M laitiers
dairy products

yaourt^M ; yogourt^M
yogurt

ghee^M
ghee

beurre^M
butter

crème^F
cream

crème^F épaisse ; crème^F à fouetter
whipping cream

crème^F aigre ; crème^F sure
sour cream

lait^M
milk

lait^M homogénéisé
homogenized milk

lait^M de chèvre^F
goat's milk

lait^M concentré
evaporated milk

babeurre^M
buttermilk

lait^M en poudre^F
powdered milk

fromages^M frais
fresh cheeses

cottage^M
cottage cheese

mozzarella^F
mozzarella

ricotta^F
ricotta

fromage^M à la crème^F
cream cheese

fromages^M de chèvre^F
goat's-milk cheeses

chèvre^M frais
Chèvre cheese

crottin^M de Chavignol
Crottin de Chavignol

fromages^M à pâte^F pressée
pressed cheeses

jarlsberg^M
Jarlsberg

emmenthal^M
Emmenthal

raclette^F
Raclette

parmesan^M
Parmesan

gruyère^M
Gruyère

romano^M
Romano

fromages^M à pâte^F persillée
blue-veined cheeses

roquefort^M
Roquefort

stilton^M
Stilton

gorgonzola^M
Gorgonzola

bleu^M danois
Danish Blue

fromages^M à pâte^F molle
soft cheeses

pont-l'évêque^M
Pont-l'Évêque

coulommiers^M
Coulommiers

camembert^M
Camembert

brie^M
Brie

munster^M
Munster

viande^F
meat

découpes^F de bœuf^M
cuts of beef

bifteck^M
steak

cubes^M de bœuf^M
beef cubes

bœuf^M haché
ground beef

jarret^M
shank

filet^M de bœuf^M
tenderloin roast

rôti^M de côtes^F
rib roast

côtes^F levées de dos^M
back ribs

découpes^F de veau^M
cuts of veal

cubes^M de veau^M
veal cubes

veau^M haché
ground veal

jarret^M
shank

rôti^M
roast

bifteck^M
steak

côte^F
chop

découpes^F d'agneau^M
cuts of lamb

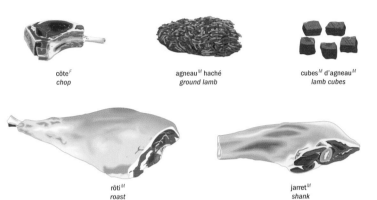

côte^F
chop

agneau^M haché
ground lamb

cubes^M d'agneau^M
lamb cubes

rôti^M
roast

jarret^M
shank

découpes^F de porc^M
cuts of pork

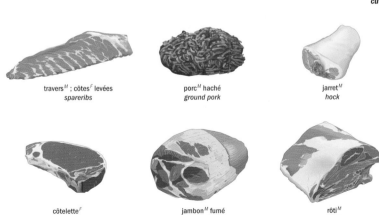

travers^M ; côtes^F levées
spareribs

porc^M haché
ground pork

jarret^M
hock

côtelette^F
loin chop

jambon^M fumé
smoked ham

rôti^M
roast

ALIMENTATION ET CUISINE

abats^M

variety meat

ris^M
sweetbreads

cœur^M
heart

foie^M
liver

moelle^F
marrow

langue^F
tongue

rognons^M
kidney

cervelle^F
brains

tripes^F
tripe

gibier^M

game

caille^F
quail

pigeon^M
pigeon

lièvre^M
hare

lapin^M
rabbit

pintade^F
guinea fowl

faisan^M
pheasant

volaille^F
poultry

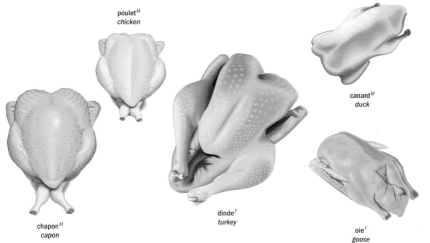

poulet^M
chicken

canard^M
duck

chapon^M
capon

dinde^F
turkey

oie^F
goose

œufs^M
eggs

œuf^M d'autruche^F
ostrich egg

œuf^M d'oie^F
goose egg

œuf^M de caille^F
quail egg

œuf^M de faisane^F
pheasant egg

œuf^M de cane^F
duck egg

œuf^M de poule^F
hen egg

charcuterie^F

delicatessen

rillettes^F
rillettes

foie^M gras
foie gras

prosciutto^M
prosciutto

saucisson^M kielbasa
kielbasa sausage

mortadelle^F
mortadella

boudin^M
blood sausage

chorizo^M
chorizo

pepperoni^M
pepperoni

salami^M de Gênes
Genoa salami

salami^M allemand
German salami

saucisse^F de Toulouse
Toulouse sausage

merguez^F
merguez sausage

andouillette^F
andouillette

chipolata^F
chipolata sausage

saucisse^F de Francfort
frankfurter

pancetta^F
pancetta

jambon^M cuit
cooked ham

bacon^M américain
American bacon

bacon^M canadien
Canadian bacon

ALIMENTATION ET CUISINE

mollusques^M
mollusks

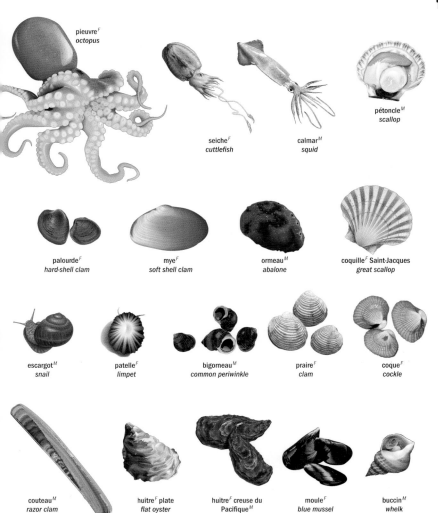

pieuvre^F
octopus

seiche^F
cuttlefish

calmar^M
squid

pétoncle^M
scallop

palourde^F
hard-shell clam

mye^F
soft shell clam

ormeau^M
abalone

coquille^F Saint-Jacques
great scallop

escargot^M
snail

patelle^F
limpet

bigorneau^M
common periwinkle

praire^F
clam

coque^F
cockle

couteau^M
razor clam

huître^F plate
flat oyster

huître^F creuse du
Pacifique^M
cupped Pacific oyster

moule^F
blue mussel

buccin^M
whelk

crustacés^M
crustaceans

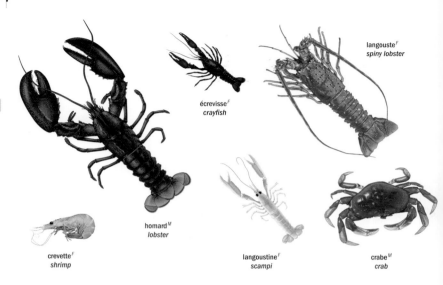

langouste^F
spiny lobster

écrevisse^F
crayfish

homard^M
lobster

crevette^F
shrimp

langoustine^F
scampi

crabe^M
crab

poissons^M cartilagineux
cartilaginous fishes

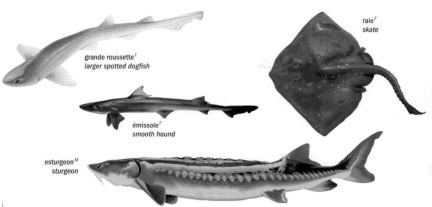

raie^F
skate

grande roussette^F
larger spotted dogfish

émissole^F
smooth hound

esturgeon^M
sturgeon

poissons^M osseux
bony fishes

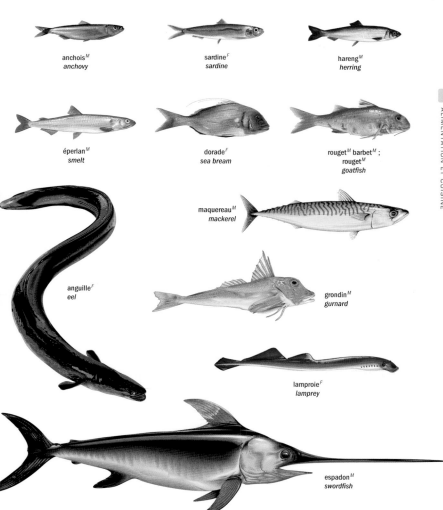

anchois^M
anchovy

sardine^F
sardine

hareng^M
herring

éperlan^M
smelt

dorade^F
sea bream

rouget^M barbet^M ;
rouget^M
goatfish

maquereau^M
mackerel

anguille^F
eel

grondin^M
gurnard

lamproie^F
lamprey

espadon^M
swordfish

poissons^M osseux

ALIMENTATION ET CUISINE

perche^F truitée ;
achigan^M
bass

mulet^M
mullet

carpe^F
carp

perche^F ; perchaude^F
perch

alose^F
shad

brochet^M
pike

sandre^M ; doré^M
pike perch

tassergal^M
bluefish

bar^M commun
sea bass

baudroie^F
monkfish

thon^M
tuna

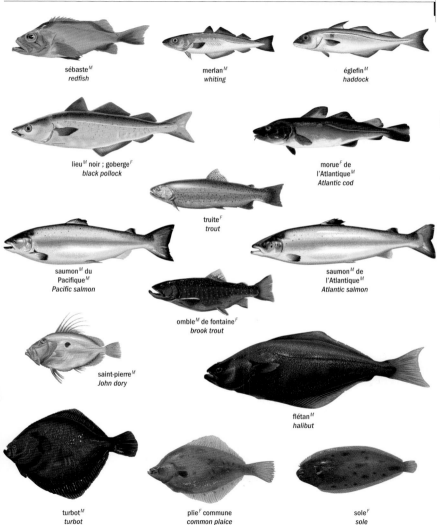

sébaste^M
redfish

merlan^M
whiting

églefin^M
haddock

lieu^M noir ; goberge^F
black pollock

morue^F de
l'Atlantique^M
Atlantic cod

truite^F
trout

saumon^M du
Pacifique^M
Pacific salmon

saumon^M de
l'Atlantique^M
Atlantic salmon

omble^M de fontaine^F
brook trout

saint-pierre^M
John dory

flétan^M
halibut

turbot^M
turbot

plie^F commune
common plaice

sole^F
sole

emballage^M
packaging

sachet^M
pouch

papier^M sulfurisé
parchment paper

papier^M aluminium^M
aluminum foil

papier^M paraffiné ;
papier^M ciré
waxed paper

pellicule^F plastique
plastic film

sac^M de congélation^F
freezer bag

sac^M-filet^M
mesh bag

boîtes^F alimentaires
canisters

boîte^F à œufs^M
egg carton

barquette^F
food tray

caissette^F
small crate

cageot^M
small open crate

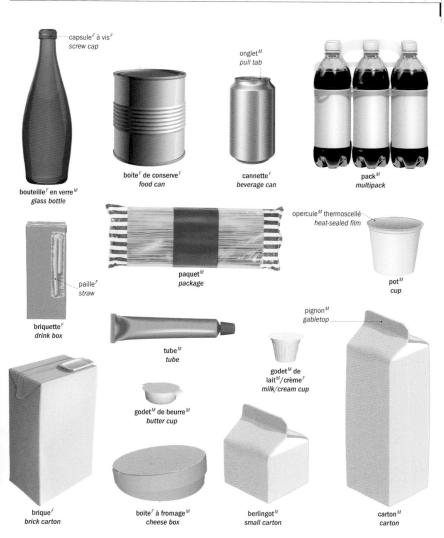

capsule^F à vis^F
screw cap

bouteille^F en verre^M
glass bottle

boîte^F de conserve^F
food can

onglet^M
pull tab

cannette^F
beverage can

pack^M
multipack

paille^F
straw

briquette^F
drink box

paquet^M
package

opercule^M thermoscellé
heat-sealed film

pot^M
cup

tube^M
tube

pignon^M
gabletop

godet^M de
lait^M/crème^F
milk/cream cup

godet^M de beurre^M
butter cup

brique^F
brick carton

boîte^F à fromage^M
cheese box

berlingot^M
small carton

carton^M
carton

ALIMENTATION ET CUISINE

cuisine^F
kitchen

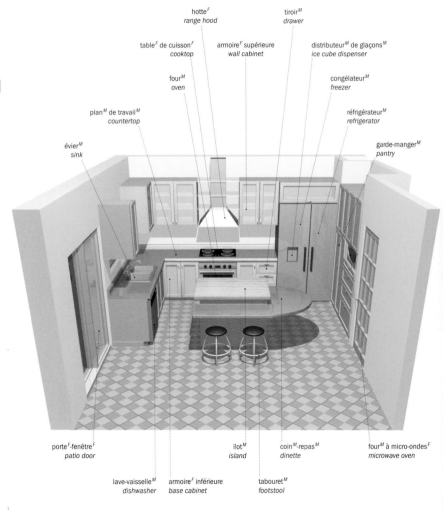

hotte^F
range hood

tiroir^M
drawer

table^F de cuisson^F
cooktop

armoire^F supérieure
wall cabinet

distributeur^M de glaçons^M
ice cube dispenser

four^M
oven

congélateur^M
freezer

plan^M de travail^M
countertop

réfrigérateur^M
refrigerator

évier^M
sink

garde-manger^M
pantry

porte^F-fenêtre^F
patio door

îlot^M
island

coin^M-repas^M
dinette

four^M à micro-ondes^F
microwave oven

lave-vaisselle^M
dishwasher

armoire^F inférieure
base cabinet

tabouret^M
footstool

verres^M
glassware

verre^M à liqueur^F
liqueur glass

verre^M à porto^M
port glass

coupe^F à mousseux^M
sparkling wine glass

verre^M à cognac^M
brandy snifter

verre^M à vin^M d'Alsace^F
Alsace glass

verre^M à bourgogne^M
burgundy glass

verre^M à bordeaux^M
bordeaux glass

verre^M à vin^M blanc
white wine glass

verre^M à eau^F
water goblet

verre^M à cocktail^M
cocktail glass

verre^M à gin^M
highball glass

verre^M à whisky^M
old-fashioned glass

chope^F à bière^F
beer mug

flûte^F à champagne^M
champagne flute

carafon^M
small decanter

carafe^F
decanter

vaisselle^F

dinnerware

tasse^F à café^M
demitasse

tasse^F à thé^M
cup

chope^F à café^M
coffee mug

crémier^M
creamer

sucrier^M
sugar bowl

salière^F
salt shaker

poivrière^F
pepper shaker

saucière^F
gravy boat

beurrier^M
butter dish

ramequin^M
ramekin

bol^M
soup bowl

assiette^F creuse
rim soup bowl

assiette^F plate
dinner plate

assiette^F à salade^F
salad plate

assiette^F à dessert^M
bread and butter plate

théière^F
teapot

plat^M ovale
platter

légumier^M
vegetable bowl

plat^M à poisson^M
fish platter

ravier^M
hors d'oeuvre dish

pichet^M
water pitcher

saladier^M
salad bowl

bol^M à salade^F
salad dish

soupière^F
soup tureen

ALIMENTATION ET CUISINE

couvert^M
silverware

couteau^M
knife

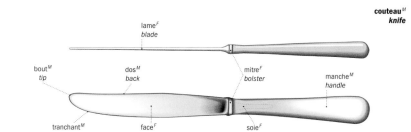

lame^F
blade

bout^M
tip

dos^M
back

mitre^F
bolster

manche^M
handle

tranchant^M
cutting edge

face^F
side

soie^F
tang

fourchette^F
fork

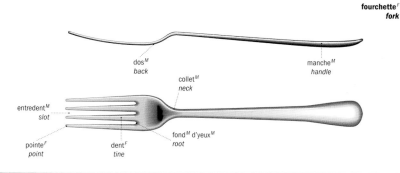

dos^M
back

manche^M
handle

collet^M
neck

entredent^M
slot

pointe^F
point

dent^F
tine

fond^M d'yeux^M
root

cuiller^F
spoon

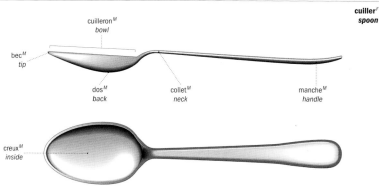

cuilleron^M
bowl

bec^M
tip

dos^M
back

collet^M
neck

manche^M
handle

creux^M
inside

ALIMENTATION ET CUISINE

couvert^M

ALIMENTATION ET CUISINE

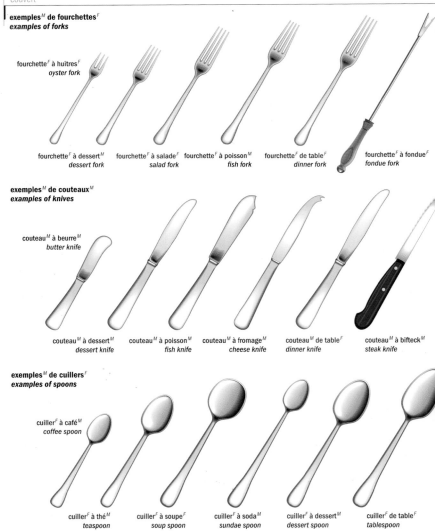

exemples^M de fourchettes^F
examples of forks

fourchette^F à huîtres^F
oyster fork

fourchette^F à dessert^M
dessert fork

fourchette^F à salade^F
salad fork

fourchette^F à poisson^M
fish fork

fourchette^F de table^F
dinner fork

fourchette^F à fondue^F
fondue fork

exemples^M de couteaux^M
examples of knives

couteau^M à beurre^M
butter knife

couteau^M à dessert^M
dessert knife

couteau^M à poisson^M
fish knife

couteau^M à fromage^M
cheese knife

couteau^M de table^F
dinner knife

couteau^M à bifteck^M
steak knife

exemples^M de cuillers^F
examples of spoons

cuiller^F à café^M
coffee spoon

cuiller^F à thé^M
teaspoon

cuiller^F à soupe^F
soup spoon

cuiller^F à soda^M
sundae spoon

cuiller^F à dessert^M
dessert spoon

cuiller^F de table^F
tablespoon

ustensiles^M de cuisine^F
kitchen utensils

couteau^M de cuisine^F
kitchen knife

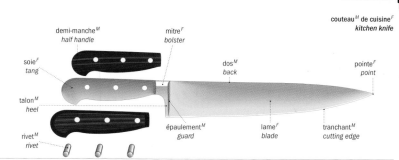

demi-manche^M
half handle

mitre^F
bolster

soie^F
tang

dos^M
back

pointe^F
point

talon^M
heel

rivet^M
rivet

épaulement^M
guard

lame^F
blade

tranchant^M
cutting edge

exemples^M de couteaux^M de cuisine^F
examples of kitchen knives

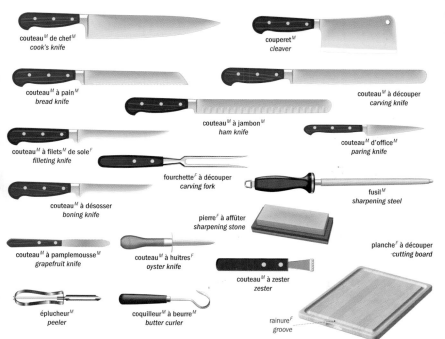

couteau^M de chef^M
cook's knife

couperet^M
cleaver

couteau^M à pain^M
bread knife

couteau^M à découper
carving knife

couteau^M à jambon^M
ham knife

couteau^M à filets^M de sole^F
filleting knife

couteau^M d'office^M
paring knife

fourchette^F à découper
carving fork

fusil^M
sharpening steel

couteau^M à désosser
boning knife

pierre^F à affûter
sharpening stone

couteau^M à pamplemousse^M
grapefruit knife

couteau^M à huitres^F
oyster knife

planche^F à découper
cutting board

couteau^M à zester
zester

éplucheur^M
peeler

coquilleur^M à beurre^M
butter curler

rainure^F
groove

ALIMENTATION ET CUISINE

ustensiles^M de cuisine^F

ALIMENTATION ET CUISINE

pour ouvrir
for opening

ouvre-boîtes^M
can opener

décapsuleur^M
bottle opener

tire-bouchon^M de sommelier^M
wine waiter corkscrew

tire-bouchon^M à levier^M
lever corkscrew

pour broyer et râper
for grinding and grating

casse-noix^M
nutcracker

mortier^M
mortar

hachoir^M
meat grinder

pilon^M
pestle

presse-ail^M
garlic press

presse-agrumes^M
citrus juicer

râpe^F à muscade^F
nutmeg grater

râpe^F
grater

râpe^F à fromage^M cylindrique
rotary cheese grater

poussoir^M
pusher

manivelle^F
crank

tambour^M
drum

poignée^F
handle

machine^F à faire les pâtes^F
pasta maker

moulin^M à légumes^M
food mill

mandoline^F
mandoline

ustensiles^M de cuisine^F

pour mesurer
for measuring

cuillers^F doseuses
measuring spoons

mesures^F
measuring cups

thermomètre^M à sucre^M
candy thermometer

thermomètre^M à mesure^F
instantanée
instant-read thermometer

tasse^F à mesurer
measuring cup

thermomètre^M à
viande^F
meat thermometer

thermomètre^M de four^M
oven thermometer

verre^M à mesurer
measuring beaker

minuteur^M
kitchen timer

sablier^M
egg timer

balance^F de cuisine^F
kitchen scale

ALIMENTATION ET CUISINE

pour passer et égoutter
for straining and draining

passoire^F fine
mesh strainer

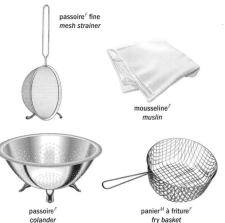

mousseline^F
muslin

chinois^M
chinois

entonnoir^M
funnel

passoire^F
colander

panier^M à friture^F
fry basket

tamis^M
sieve

essoreuse^F à salade^F
salad spinner

ustensiles^M de cuisine^F

ALIMENTATION ET CUISINE

pour la pâtisserie^F
baking utensils

piston^M à décorer
icing syringe

roulette^F de pâtissier^M
pastry cutting wheel

pinceau^M à pâtisserie^F
pastry brush

batteur^M à œufs^M
egg beater

fouet^M
whisk

poche^F à douilles^F
pastry bag and nozzles

tamis^M à farine^F
sifter

emporte-pièces^M
cookie cutters

saupoudreuse^F
dredger

mélangeur^M à pâtisserie^F
pastry blender

plaque^F à pâtisserie^F
baking sheet

bols^M à mélanger
mixing bowls

rouleau^M à pâtisserie^F
rolling pin

moule^M à muffins^M
muffin pan

moule^M à soufflé^M
soufflé dish

moule^M à charlotte^F
charlotte mold

moule^M à fond^M amovible
removable-bottomed pan

moule^M à tarte^F
pie pan

moule^M à quiche^F
quiche plate

moule^M à gâteau^M
cake pan

ALIMENTATION ET CUISINE

jeu^M d'ustensiles^M
set of utensils

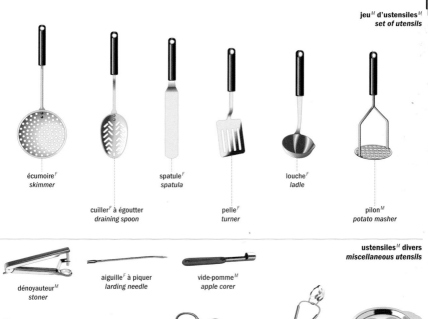

écumoire^F
skimmer

cuiller^F à égoutter
draining spoon

spatule^F
spatula

pelle^F
turner

louche^F
ladle

pilon^M
potato masher

ustensiles^M divers
miscellaneous utensils

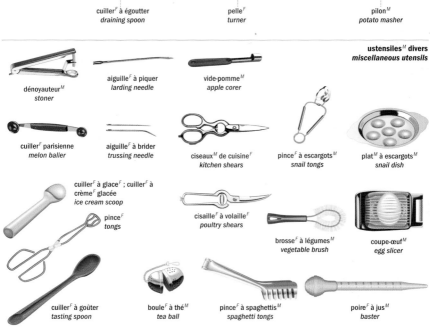

dénoyauteur^M
stoner

aiguille^F à piquer
larding needle

vide-pomme^M
apple corer

cuiller^F parisienne
melon baller

aiguille^F à brider
trussing needle

ciseaux^M de cuisine^F
kitchen shears

pince^F à escargots^M
snail tongs

plat^M à escargots^M
snail dish

cuiller^F à glace^F ; cuiller^F à
crème^F glacée
ice cream scoop

pince^F
tongs

cisaille^F à volaille^F
poultry shears

brosse^F à légumes^M
vegetable brush

coupe-œuf^M
egg slicer

cuiller^F à goûter
tasting spoon

boule^F à thé^M
tea ball

pince^F à spaghettis^M
spaghetti tongs

poire^F à jus^M
baster

batterie^F de cuisine^F
cooking utensils

wok^M
wok set

couvercle^M
lid

grille^F
rack

wok^M
wok

collier^M
burner ring

tajine^M
tajine

poissonnière^F
fish poacher

grille^F
rack

couvercle^M
lid

service^M à fondue^F
fondue set

caquelon^M
fondue pot

support^M
stand

réchaud^M
burner

terrine^F
terrine

lèchefrite^F
dripping pan

plats^M à rôtir
roasting pans

autocuiseur^M
pressure cooker

régulateur^M de
pression^F
pressure regulator

soupape^F
safety valve

faitout^M
Dutch oven

marmite^F
stock pot

couscoussier^M
couscous kettle

poêle^F à frire
frying pan

cuit-vapeur^M
steamer

pocheuse^F
egg poacher

sauteuse^F
sauté pan

poêlon^M
small saucepan

diable^M
diable

poêle^F à crêpes^F
pancake pan

panier^M cuit-vapeur^M
steamer basket

bain-marie^M
double boiler

casserole^F
saucepan

appareils^M électroménagers
domestic appliances

ALIMENTATION ET CUISINE

pour mélanger et battre
for mixing and blending

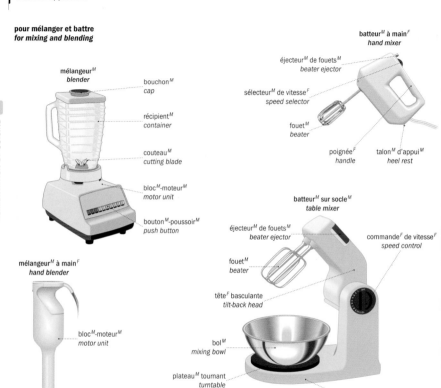

mélangeur^M
blender

bouchon^M
cap

récipient^M
container

couteau^M
cutting blade

bloc^M-moteur^M
motor unit

bouton^M-poussoir^M
push button

batteur^M à main^F
hand mixer

éjecteur^M de fouets^M
beater ejector

sélecteur^M de vitesse^F
speed selector

fouet^M
beater

poignée^F
handle

talon^M d'appui^M
heel rest

mélangeur^M à main^F
hand blender

bloc^M-moteur^M
motor unit

pied^M-mélangeur^M
blending attachment

batteur^M sur socle^M
table mixer

éjecteur^M de fouets^M
beater ejector

fouet^M
beater

commande^F de vitesse^F
speed control

tête^F basculante
tilt-back head

bol^M
mixing bowl

plateau^M tournant
turntable

socle^M
stand

fouets^M
beaters

fouet^M quatre pales^F
four blade beater

fouet^M en spirale^F
spiral beater

fouet^M à fil^M
wire beater

crochet^M pétrisseur
dough hook

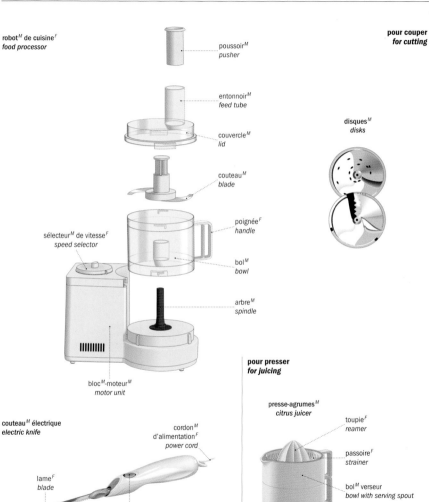

robot^M de cuisine^F
food processor

poussoir^M
pusher

entonnoir^M
feed tube

couvercle^M
lid

couteau^M
blade

sélecteur^M de vitesse^F
speed selector

poignée^F
handle

bol^M
bowl

arbre^M
spindle

bloc^M-moteur^M
motor unit

pour couper
for cutting

disques^M
disks

couteau^M électrique
electric knife

cordon^M
d'alimentation^F
power cord

lame^F
blade

interrupteur^M
on-off switch

pour presser
for juicing

presse-agrumes^M
citrus juicer

toupie^F
reamer

passoire^F
strainer

bol^M verseur
bowl with serving spout

bloc^M-moteur^M
motor unit

appareils^M électroménagers

ALIMENTATION ET CUISINE

pour cuire
for cooking

four^M à micro-ondes^F
microwave oven

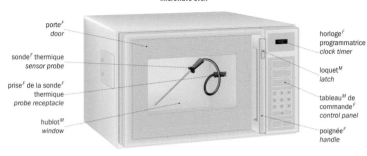

porte^F
door

sonde^F thermique
sensor probe

prise^F de la sonde^F
thermique
probe receptacle

hublot^M
window

horloge^F
programmatrice
clock timer

loquet^M
latch

tableau^M de
commande^F
control panel

poignée^F
handle

gaufrier^M-gril^M
waffle iron

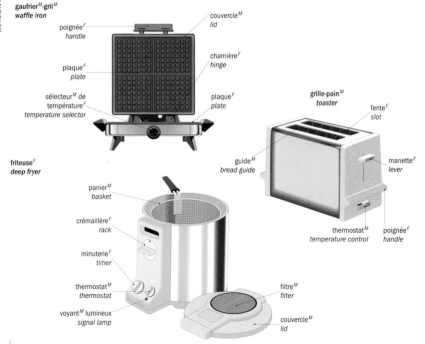

poignée^F
handle

couvercle^M
lid

charnière^F
hinge

plaque^F
plate

sélecteur^M de
température^F
temperature selector

plaque^F
plate

grille-pain^M
toaster

fente^F
slot

guide^M
bread guide

manette^F
lever

friteuse^F
deep fryer

panier^M
basket

crémaillère^F
rack

minuterie^F
timer

thermostat^M
thermostat

voyant^M lumineux
signal lamp

thermostat^M
temperature control

poignée^F
handle

filtre^M
filter

couvercle^M
lid

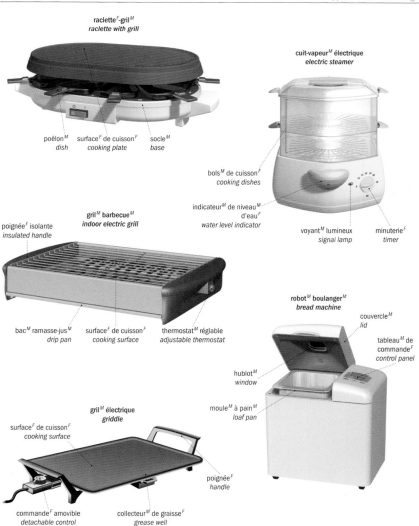

raclette^F-gril^M
raclette with grill

poêlon^M
dish

surface^F de cuisson^F
cooking plate

socle^M
base

cuit-vapeur^M électrique
electric steamer

bols^M de cuisson^F
cooking dishes

indicateur^M de niveau^M
d'eau^F
water level indicator

voyant^M lumineux
signal lamp

minuterie^F
timer

gril^M barbecue^M
indoor electric grill

poignée^F isolante
insulated handle

bac^M ramasse-jus^M
drip pan

surface^F de cuisson^F
cooking surface

thermostat^M réglable
adjustable thermostat

robot^M boulanger^M
bread machine

couvercle^M
lid

tableau^M de
commande^F
control panel

hublot^M
window

moule^M à pain^M
loaf pan

gril^M électrique
griddle

surface^F de cuisson^F
cooking surface

poignée^F
handle

commande^F amovible
detachable control

collecteur^M de graisse^F
grease well

ALIMENTATION ET CUISINE

appareils^M électroménagers divers
miscellaneous domestic appliances

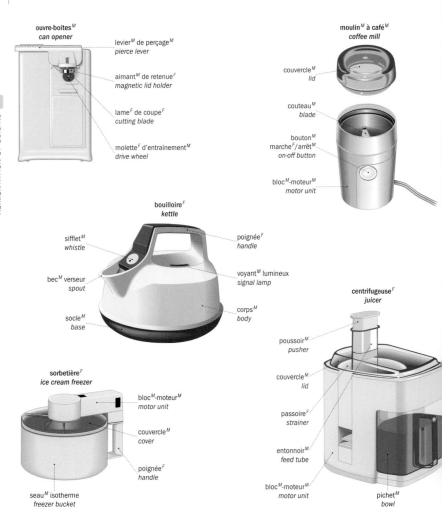

ouvre-boîtes^M
can opener

levier^M de perçage^M
pierce lever

aimant^M de retenue^F
magnetic lid holder

lame^F de coupe^F
cutting blade

molette^F d'entraînement^M
drive wheel

moulin^M à café^M
coffee mill

couvercle^M
lid

couteau^M
blade

bouton^M
marche^F/arrêt^M
on-off button

bloc^M-moteur^M
motor unit

bouilloire^F
kettle

sifflet^M
whistle

poignée^F
handle

bec^M verseur
spout

voyant^M lumineux
signal lamp

socle^M
base

corps^M
body

centrifugeuse^F
juicer

poussoir^M
pusher

sorbetière^F
ice cream freezer

bloc^M-moteur^M
motor unit

couvercle^M
cover

poignée^F
handle

couvercle^M
lid

passoire^F
strainer

entonnoir^M
feed tube

bloc^M-moteur^M
motor unit

pichet^M
bowl

seau^M isotherme
freezer bucket

cafetières^F
coffee makers

cafetière^F filtre^M
automatic drip coffee maker

réservoir^M
reservoir

couvercle^M
lid

niveau^M d'eau^F
water level

panier^M
basket

voyant^M lumineux
signal lamp

verseuse^F
carafe

interrupteur^M
on-off switch

plaque^F chauffante
warming plate

cafetière^F napolitaine
Neapolitan coffee maker

machine^F à espresso^M
espresso machine

manette^F vapeur^F
steam control knob

interrupteur^M
on-off switch

presse-café^M
tamper

porte-filtre^M
filter holder

cuvette^F ramasse-gouttes^M
drip tray

buse^F vapeur^F
steam nozzle

réservoir^M d'eau^F
water tank

cafetière^F à infusion^F
vacuum coffee maker

tulipe^F
upper bowl

tige^F
stem

ballon^M
lower bowl

cafetière^F à piston^M
plunger

cafetière^F espresso^M
espresso coffee maker

percolateur^M
percolator

bec^M verseur
spout

voyant^M lumineux
signal lamp

ALIMENTATION ET CUISINE

extérieur^M d'une maison^F
exterior of a house

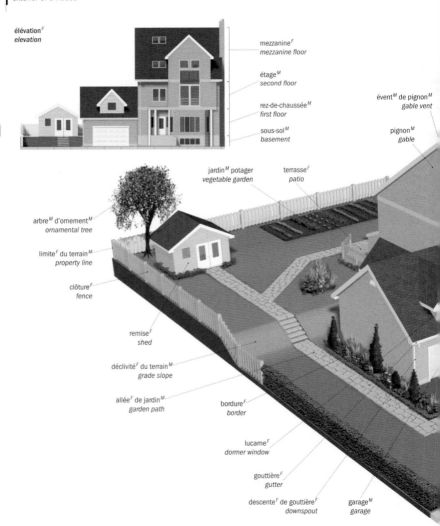

élévation^F
elevation

mezzanine^F
mezzanine floor

étage^M
second floor

rez-de-chaussée^M
first floor

sous-sol^M
basement

évent^M de pignon^M
gable vent

pignon^M
gable

jardin^M potager
vegetable garden

terrasse^F
patio

arbre^M d'ornement^M
ornamental tree

limite^F du terrain^M
property line

clôture^F
fence

remise^F
shed

déclivité^F du terrain^M
grade slope

allée^F de jardin^M
garden path

bordure^F
border

lucarne^F
dormer window

gouttière^F
gutter

descente^F de gouttière^F
downspout

garage^M
garage

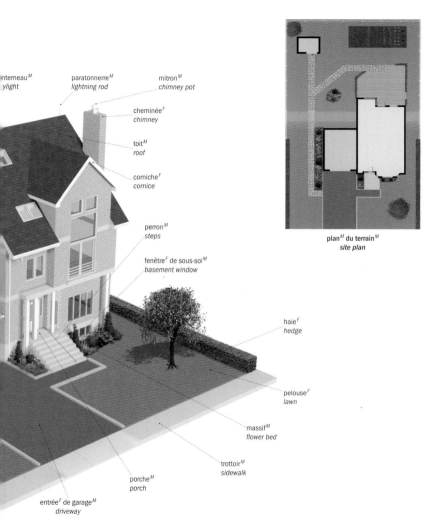

...nterneau^M
...ylight

paratonnerre^M
lightning rod

mitron^M
chimney pot

cheminée^F
chimney

toit^M
roof

corniche^F
cornice

perron^M
steps

fenêtre^F de sous-sol^M
basement window

haie^F
hedge

pelouse^F
lawn

massif^M
flower bed

trottoir^M
sidewalk

porche^M
porch

entrée^F de garage^M
driveway

plan^M du terrain^M
site plan

MAISON

MAISON

piscine^F
pool

piscine^F hors sol^M
above ground swimming pool

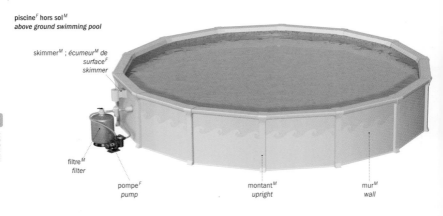

skimmer^M ; écumeur^M de
surface^F
skimmer

filtre^M
filter

pompe^F
pump

montant^M
upright

mur^M
wall

**piscine^F enterrée ; piscine^F
creusée**
in-ground swimming pool

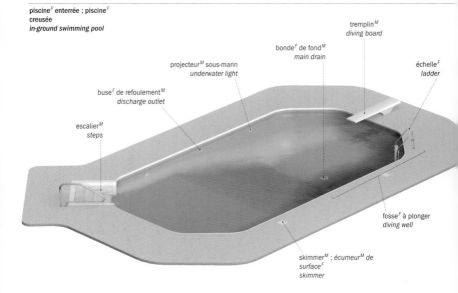

tremplin^M
diving board

bonde^F de fond^M
main drain

échelle^F
ladder

projecteur^M sous-marin
underwater light

buse^F de refoulement^M
discharge outlet

escalier^M
steps

fosse^F à plonger
diving well

skimmer^M ; écumeur^M de
surface^F
skimmer

porte^F extérieure
exterior door

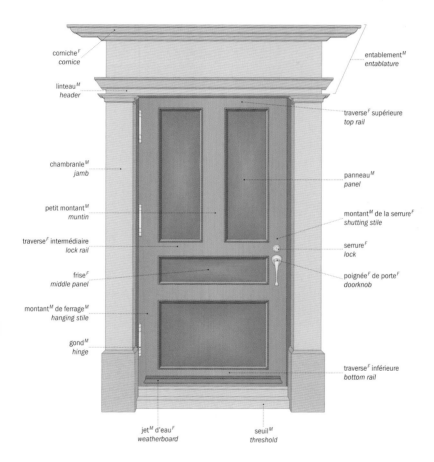

corniche^F
cornice

entablement^M
entablature

linteau^M
header

traverse^F supérieure
top rail

chambranle^M
jamb

panneau^M
panel

petit montant^M
muntin

montant^M de la serrure^F
shutting stile

traverse^F intermédiaire
lock rail

serrure^F
lock

frise^F
middle panel

poignée^F de porte^F
doorknob

montant^M de ferrage^M
hanging stile

gond^M
hinge

traverse^F inférieure
bottom rail

jet^M d'eau^F
weatherboard

seuil^M
threshold

MAISON

serrure^F
lock

vue^F d'ensemble^M
general view

pêne^M dormant
dead bolt

écusson^M
escutcheon

têtière^F
faceplate

pêne^M demi-tour^M
latch bolt

serrure^F
lock

rosette^F
rose

bec-de-cane^M
doorknob

fenêtre^F
window

structure^F
structure

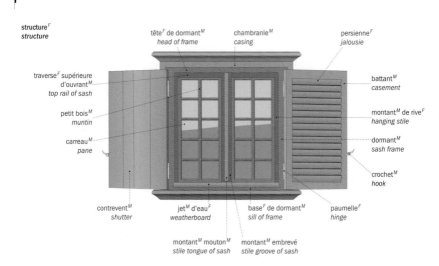

tête^F de dormant^M
head of frame

chambranle^M
casing

persienne^F
jalousie

traverse^F supérieure
d'ouvrant^M
top rail of sash

petit bois^M
muntin

carreau^M
pane

battant^M
casement

montant^M de rive^F
hanging stile

dormant^M
sash frame

crochet^M
hook

contrevent^M
shutter

jet^M d'eau^F
weatherboard

base^F de dormant^M
sill of frame

paumelle^F
hinge

montant^M mouton^M
stile tongue of sash

montant^M embrevé
stile groove of sash

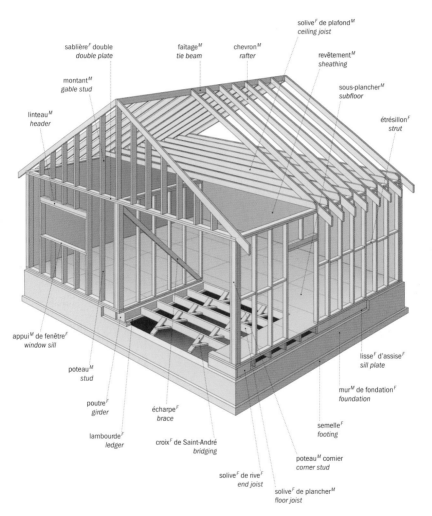

solive^F de plafond^M
ceiling joist

faîtage^M
tie beam

chevron^M
rafter

revêtement^M
sheathing

sous-plancher^M
subfloor

sablière^F double
double plate

montant^M
gable stud

étrésillon^F
strut

linteau^M
header

appui^M de fenêtre^F
window sill

poteau^M
stud

poutre^F
girder

écharpe^F
brace

lambourde^F
ledger

croix^F de Saint-André
bridging

solive^F de rive^F
end joist

solive^F de plancher^M
floor joist

poteau^M cornier
corner stud

semelle^F
footing

mur^M de fondation^F
foundation

lisse^F d'assise^F
sill plate

MAISON

187

principales pièces^F d'une maison^F

main rooms

rez-de-chaussée^M
first floor

MAISON

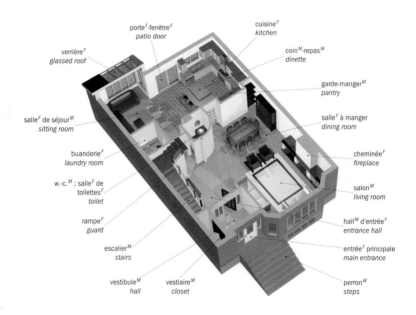

porte^F-fenêtre^F
patio door

cuisine^F
kitchen

verrière^F
glassed roof

coin^M-repas^M
dinette

garde-manger^M
pantry

salle^F de séjour^M
sitting room

salle^F à manger
dining room

buanderie^F
laundry room

cheminée^F
fireplace

w.-c.^M ; salle^F de
toilettes^F
toilet

salon^M
living room

rampe^F
guard

hall^M d'entrée^F
entrance hall

escalier^M
stairs

entrée^F principale
main entrance

vestibule^M
hall

vestiaire^M
closet

perron^M
steps

principales pièces^F d'une maison^F

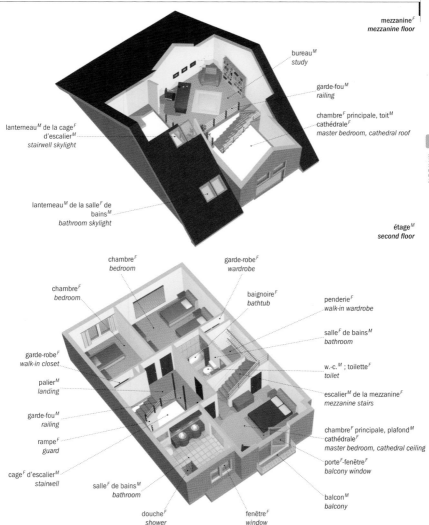

mezzanine^F
mezzanine floor

bureau^M
study

garde-fou^M
railing

chambre^F principale, toit^M
cathédrale^F
master bedroom, cathedral roof

lanterneau^M de la cage^F
d'escalier^M
stairwell skylight

lanterneau^M de la salle^F de
bains^M
bathroom skylight

étage^M
second floor

MAISON

chambre^F
bedroom

garde-robe^F
wardrobe

chambre^F
bedroom

baignoire^F
bathtub

penderie^F
walk-in wardrobe

salle^F de bains^M
bathroom

garde-robe^F
walk-in closet

w.-c.^M ; toilette^F
toilet

palier^M
landing

escalier^M de la mezzanine^F
mezzanine stairs

garde-fou^M
railing

chambre^F principale, plafond^M
cathédrale^F
master bedroom, cathedral ceiling

rampe^F
guard

porte^F-fenêtre^F
balcony window

cage^F d'escalier^M
stairwell

salle^F de bains^M
bathroom

balcon^M
balcony

douche^F
shower

fenêtre^F
window

parquet^M
wood flooring

MAISON

parquet^M sur chape^F de ciment^M
wood flooring on cement screed

parquet^M sur ossature^F de bois^M
wood flooring on wooden structure

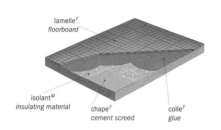

lamelle^F
floorboard

isolant^M
insulating material

chape^F
cement screed

colle^F
glue

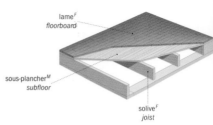

lame^F
floorboard

sous-plancher^M
subfloor

solive^F
joist

arrangements^M des parquets^M
wood flooring arrangements

parquet^M à coupe^F perdue
overlay flooring

parquet^M à coupe^F de pierre^F
strip flooring with alternate joints

parquet^M à bâtons^M rompus
herringbone parquet

parquet^M en chevrons^M
herringbone pattern

parquet^M mosaïque^F
inlaid parquet

parquet^M en vannerie^F
basket weave pattern

parquet^M d'Arenberg
Arenberg parquet

parquet^M Chantilly
Chantilly parquet

parquet^M Versailles
Versailles parquet

revêtements^M de sol^M textiles
textile floor coverings

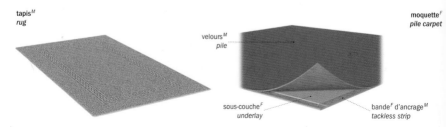

tapis^M
rug

moquette^F
pile carpet

velours^M
pile

sous-couche^F
underlay

bande^F d'ancrage^M
tackless strip

escalier^M
stairs

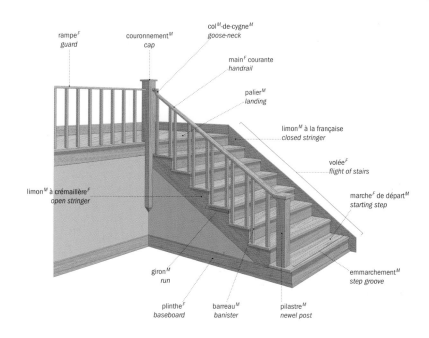

rampe^F
guard

couronnement^M
cap

col^M-de-cygne^M
goose-neck

main^F courante
handrail

palier^M
landing

limon^M à la française
closed stringer

volée^F
flight of stairs

limon^M à crémaillère^F
open stringer

marche^F de départ^M
starting step

giron^M
run

emmarchement^M
step groove

plinthe^F
baseboard

barreau^M
banister

pilastre^M
newel post

marche^F
step

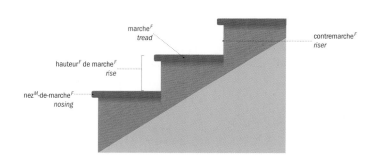

marche^F
tread

contremarche^F
riser

hauteur^F de marche^F
rise

nez^M-de-marche^F
nosing

chauffage^M au bois^M
wood firing

MAISON

cheminée^F à foyer^M
ouvert
fireplace

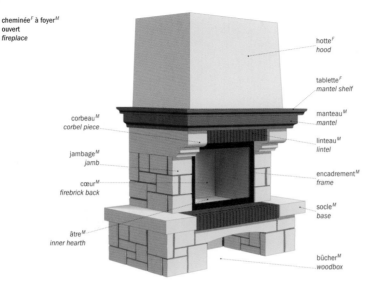

hotte^F
hood

tablette^F
mantel shelf

manteau^M
mantel

corbeau^M
corbel piece

linteau^M
lintel

jambage^M
jamb

encadrement^M
frame

cœur^M
firebrick back

socle^M
base

âtre^M
inner hearth

bûcher^M
woodbox

poêle^M à combustion^F
lente
slow-burning stove

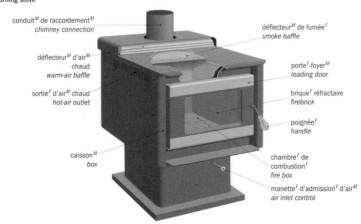

conduit^M de raccordement^M
chimney connection

déflecteur^M de fumée^F
smoke baffle

déflecteur^M d'air^M
chaud
warm-air baffle

porte^F-foyer^M
loading door

sortie^F d'air^M chaud
hot-air outlet

brique^F réfractaire
firebrick

poignée^F
handle

caisson^M
box

chambre^F de
combustion^F
fire box

manette^F d'admission^F d'air^M
air inlet control

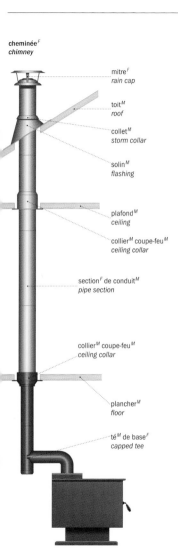

cheminée^F
chimney

mitre^F
rain cap

toit^M
roof

collet^M
storm collar

solin^M
flashing

plafond^M
ceiling

collier^M coupe-feu^M
ceiling collar

section^F de conduit^M
pipe section

collier^M coupe-feu^M
ceiling collar

plancher^M
floor

té^M de base^F
capped tee

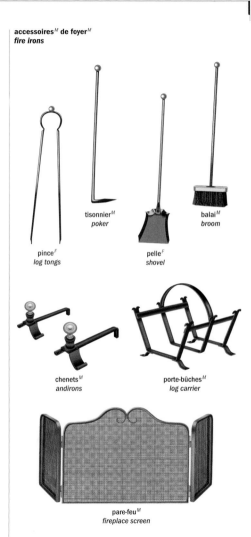

accessoires^M de foyer^M
fire irons

tisonnier^M
poker

balai^M
broom

pince^F
log tongs

pelle^F
shovel

chenets^M
andirons

porte-bûches^M
log carrier

pare-feu^M
fireplace screen

MAISON

circuit^M de plomberie^F
plumbing system

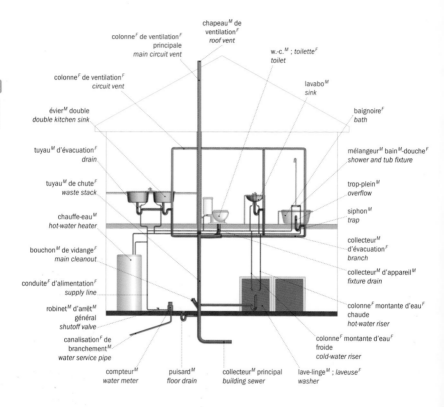

colonne^F de ventilation^F principale
main circuit vent

chapeau^M de ventilation^F
roof vent

w.-c.^M ; toilette^F
toilet

colonne^F de ventilation^F
circuit vent

lavabo^M
sink

évier^M double
double kitchen sink

baignoire^F
bath

tuyau^M d'évacuation^F
drain

mélangeur^M bain^M-douche^F
shower and tub fixture

tuyau^M de chute^F
waste stack

trop-plein^M
overflow

chauffe-eau^M
hot-water heater

siphon^M
trap

bouchon^M de vidange^F
main cleanout

collecteur^M d'évacuation^F
branch

conduite^F d'alimentation^F
supply line

collecteur^M d'appareil^M
fixture drain

robinet^M d'arrêt^M général
shutoff valve

colonne^F montante d'eau^F chaude
hot-water riser

canalisation^F de branchement^M
water service pipe

colonne^F montante d'eau^F froide
cold-water riser

compteur^M
water meter

puisard^M
floor drain

collecteur^M principal
building sewer

lave-linge^M ; laveuse^F
washer

circuit^M de ventilation^F
ventilating circuit

circuit^M d'évacuation^F
draining circuit

circuit^M d'eau^F froide
cold-water circuit

circuit^M d'eau^F chaude
hot-water circuit

salle^F de bains^M
bathroom

MAISON

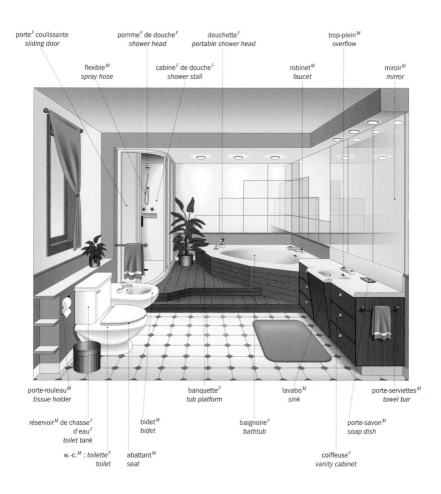

porte^F coulissante
sliding door

pomme^F de douche^F
shower head

douchette^F
portable shower head

trop-plein^M
overflow

flexible^M
spray hose

cabine^F de douche^F
shower stall

robinet^M
faucet

miroir^M
mirror

porte-rouleau^M
tissue holder

banquette^F
tub platform

lavabo^M
sink

porte-serviettes^M
towel bar

réservoir^M de chasse^F
d'eau^F
toilet tank

bidet^M
bidet

baignoire^F
bathtub

porte-savon^M
soap dish

w.-c.^M ; toilette^F
toilet

abattant^M
seat

coiffeuse^F
vanity cabinet

w.-c.^M ; toilette^F

toilet

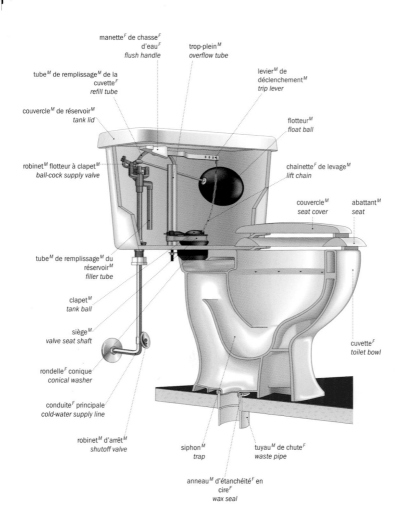

manette^F de chasse^F d'eau^F
flush handle

trop-plein^M
overflow tube

tube^M de remplissage^M de la cuvette^F
refill tube

levier^M de déclenchement^M
trip lever

couvercle^M de réservoir^M
tank lid

flotteur^M
float ball

robinet^M flotteur à clapet^M
ball-cock supply valve

chaînette^F de levage^M
lift chain

couvercle^M
seat cover

abattant^M
seat

tube^M de remplissage^M du réservoir^M
filler tube

clapet^M
tank ball

siège^M
valve seat shaft

cuvette^F
toilet bowl

rondelle^F conique
conical washer

conduite^F principale
cold-water supply line

robinet^M d'arrêt^M
shutoff valve

siphon^M
trap

tuyau^M de chute^F
waste pipe

anneau^M d'étanchéité^F en cire^F
wax seal

exemples^M de branchement^M

examples of branching

évier^M-broyeur^M
garbage disposal sink

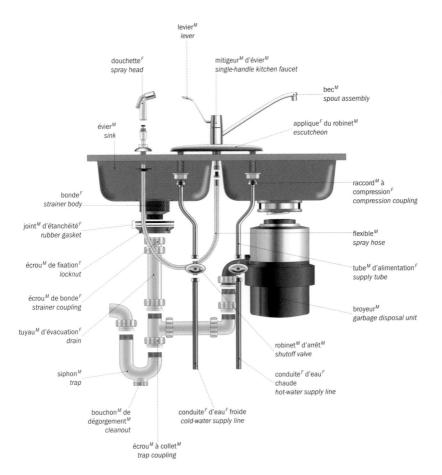

levier^M
lever

douchette^F
spray head

mitigeur^M d'évier^M
single-handle kitchen faucet

bec^M
spout assembly

évier^M
sink

applique^F du robinet^M
escutcheon

bonde^F
strainer body

raccord^M à compression^F
compression coupling

joint^M d'étanchéité^F
rubber gasket

flexible^M
spray hose

écrou^M de fixation^F
locknut

tube^M d'alimentation^F
supply tube

écrou^M de bonde^F
strainer coupling

broyeur^M
garbage disposal unit

tuyau^M d'évacuation^F
drain

robinet^M d'arrêt^M
shutoff valve

siphon^M
trap

conduite^F d'eau^F chaude
hot-water supply line

bouchon^M de dégorgement^M
cleanout

conduite^F d'eau^F froide
cold-water supply line

écrou^M à collet^M
trap coupling

branchement^M au réseau^M

network connection

MAISON

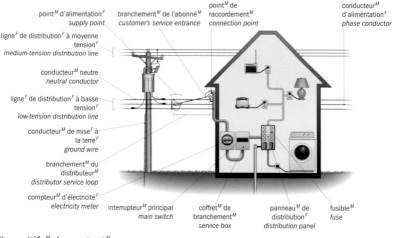

point^M d'alimentation^F
supply point

branchement^M de l'abonné^M
customer's service entrance

point^M de
raccordement^M
connection point

conducteur^M
d'alimentation^F
phase conductor

ligne^F de distribution^F à moyenne
tension^F
medium-tension distribution line

conducteur^M neutre
neutral conductor

ligne^F de distribution^F à basse
tension^F
low-tension distribution line

conducteur^M de mise^F à
la terre^F
ground wire

branchement^M du
distributeur^M
distributor service loop

compteur^M d'électricité^F
electricity meter

interrupteur^M principal
main switch

coffret^M de
branchement^M
service box

panneau^M de
distribution^F
distribution panel

fusible^M
fuse

dispositifs^M de contact^M

contact devices

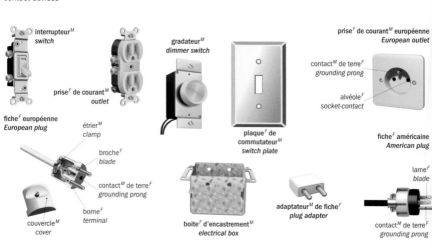

interrupteur^M
switch

prise^F de courant^M
outlet

fiche^F européenne
European plug

étrier^M
clamp

broche^F
blade

contact^M de terre^F
grounding prong

borne^F
terminal

couvercle^M
cover

gradateur^M
dimmer switch

plaque^F de
commutateur^M
switch plate

boîte^F d'encastrement^M
electrical box

adaptateur^M de fiche^F
plug adapter

prise^F de courant^M européenne
European outlet

contact^M de terre^F
grounding prong

alvéole^F
socket-contact

fiche^F américaine
American plug

lame^F
blade

contact^M de terre^F
grounding prong

lampe^F à incandescence^F
incandescent lamp

gaz^M inerte
inert gas

filament^M
filament

bouton^M
button

support^M
support

entrée^F de courant^M
lead-in wire

pied^M
stem

déflecteur^M de chaleur^F
heat deflecting disc

pincement^M
pinch

queusot^M
exhaust tube

culot^M
base

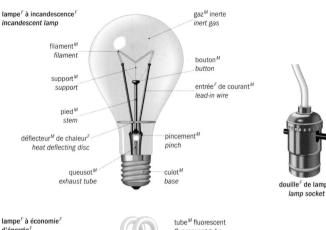

ampoule^F
bulb

douille^F de lampe^F
lamp socket

MAISON

lampe^F à économie^F
d'énergie^F
energy-saving bulb

tube^M fluorescent
fluorescent tube

ampoule^F
bulb

attache^F du tube^M
tube retention clip

plaque^F de montage^M
mounting plate

ballast^M électronique
electronic ballast

boîtier^M
housing

culot^M
base

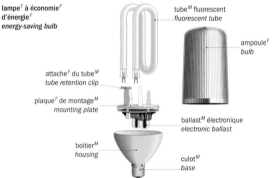

culot^M à vis^F
screw base

culot^M à baïonnette^F
bayonet base

lampe^F à halogène^M
tungsten-halogen lamp

tube^M fluorescent
fluorescent tube

couche^F fluorescente
phosphorescent coating

culot^M à broches^F
pin base

tube^M
bulb

broche^F
pin

broche^F
pin

fauteuil^M
armchair

MAISON

parties^F
parts

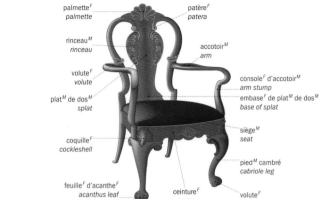

palmette^F
palmette

patère^F
patera

rinceau^M
rinceau

accotoir^M
arm

volute^F
volute

console^F d'accotoir^M
arm stump

plat^M de dos^M
splat

embase^F de plat^M de dos^M
base of splat

siège^M
seat

coquille^F
cockleshell

pied^M cambré
cabriole leg

feuille^F d'acanthe^F
acanthus leaf

ceinture^F
apron

volute^F
scroll foot

exemples^M de fauteuils^M
examples of armchairs

fauteuil^M Wassily
Wassily chair

fauteuil^M metteur^M en scène^F
director's chair

berceuse^F
rocking chair

cabriolet^M
cabriolet

méridienne^F
méridienne

récamier^M
récamier

fauteuil^M club^M
club chair

bergère^F
bergère

canapé^M
sofa

causeuse^F
love seat

canapé^M capitonné
chesterfield

chaise^F
side chair

parties^F
parts

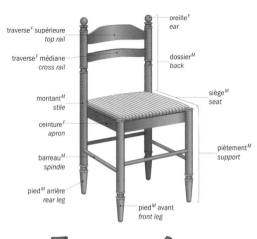

oreille^F
ear

traverse^F supérieure
top rail

traverse^F médiane
cross rail

dossier^M
back

montant^M
stile

siège^M
seat

ceinture^F
apron

piètement^M
support

barreau^M
spindle

pied^M arrière
rear leg

pied^M avant
front leg

MAISON

exemples^M de chaises^F
examples of chairs

chaise^F berçante
rocking chair

chaises^F empilables
stacking chairs

chaise^F pliante
folding chair

chaise^F longue
chaise longue

sièges^M
seats

pouf^M
ottoman

banc^M
bench

banquette^F
banquette

fauteuil^M-sac^M
bean bag chair

chaise^F-escabeau^M
step chair

tabouret^M
footstool

tabouret^M-bar^M
bar stool

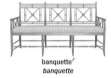
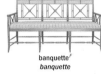

MAISON

table^F
table

table^F à abattants^M
gate-leg table

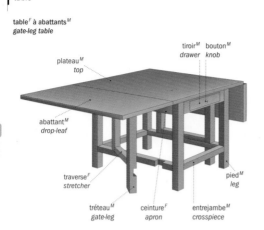

tiroir^M
drawer

bouton^M
knob

plateau^M
top

abattant^M
drop-leaf

traverse^F
stretcher

tréteau^M
gate-leg

ceinture^F
apron

entrejambe^M
crosspiece

pied^M
leg

exemples^M de tables^F
examples of tables

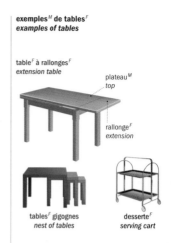

table^F à rallonges^F
extension table

plateau^M
top

rallonge^F
extension

tables^F gigognes
nest of tables

desserte^F
serving cart

meubles^M de rangement^M
storage furniture

armoire^F
armoire

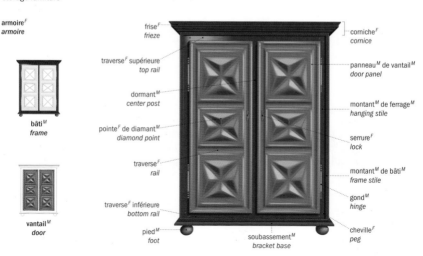

bâti^M
frame

vantail^M
door

frise^F
frieze

corniche^F
cornice

traverse^F supérieure
top rail

panneau^M de vantail^M
door panel

dormant^M
center post

montant^M de ferrage^M
hanging stile

pointe^F de diamant^M
diamond point

serrure^F
lock

traverse^F
rail

montant^M de bâti^M
frame stile

traverse^F inférieure
bottom rail

gond^M
hinge

pied^M
foot

soubassement^M
bracket base

cheville^F
peg

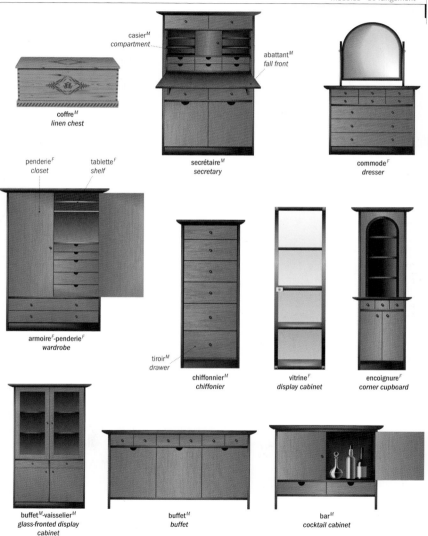

MAISON

coffre^M
linen chest

casier^M
compartment

abattant^M
fall front

secrétaire^M
secretary

commode^F
dresser

penderie^F
closet

tablette^F
shelf

armoire^F-penderie^F
wardrobe

tiroir^M
drawer

chiffonnier^M
chiffonier

vitrine^F
display cabinet

encoignure^F
corner cupboard

buffet^M-vaisselier^M
*glass-fronted display
cabinet*

buffet^M
buffet

bar^M
cocktail cabinet

lit^M
bed

MAISON

canapé^M convertible
sofa bed

futon^M
futon

cadre^M
frame

parties^F
parts

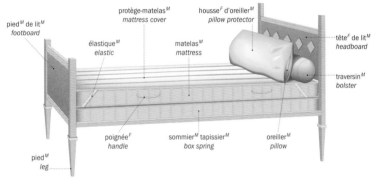

protège-matelas^M
mattress cover

housse^F d'oreiller^M
pillow protector

pied^M de lit^M
footboard

élastique^M
elastic

matelas^M
mattress

tête^F de lit^M
headboard

traversin^M
bolster

poignée^F
handle

sommier^M tapissier^M
box spring

oreiller^M
pillow

pied^M
leg

literie^F
linen

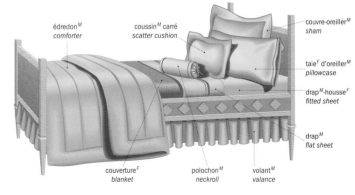

édredon^M
comforter

coussin^M carré
scatter cushion

couvre-oreiller^M
sham

taie^F d'oreiller^M
pillowcase

drap^M-housse^F
fitted sheet

drap^M
flat sheet

couverture^F
blanket

polochon^M
neckroll

volant^M
valance

meubles^M d'enfants^M
children's furniture

lit^M pliant
playpen

accoudoir^M
armrest

rehausseur^M
booster seat

dossier^M
back

plan^M à langer
changing table

bordure^F
top rail

siège^M
seat

table^F à langer
changing table

filet^M
mesh

matelas^M
mattress

MAISON

chaise^F haute
high chair

lit^M à barreaux^M
crib

dossier^M
back

plateau^M
tray

ceinture^F ventrale
waist belt

repose-pieds^M
footrest

pied^M
leg

tête^F de lit^M
headboard

barrière^F
barrier

barreau^M
slat

roulette^F
caster

tiroir^M
drawer

matelas^M
mattress

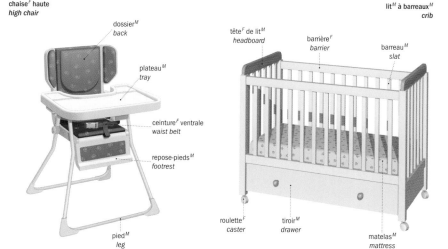

luminaires[M]

lights

MAISON

plafonnier[M]
ceiling fitting

suspension[F]
hanging pendant

spot[M] à pince[F]
clamp spotlight

lampe[F] de bureau[M]
halogène
halogen desk lamp

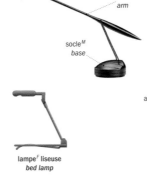

bras[M]
arm

socle[M]
base

lampe[F] d'architecte[M]
adjustable lamp

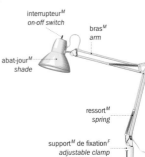

interrupteur[M]
on-off switch

bras[M]
arm

abat-jour[M]
shade

ressort[M]
spring

support[M] de fixation[F]
adjustable clamp

lampe[F] liseuse
bed lamp

abat-jour[M]
shade

pied[M]
stand

socle[M]
base

lampadaire[M]
floor lamp

lampe[F] de table[F]
table lamp

lampe[F] de bureau[M]
desk lamp

lustre^M
chandelier

coupelle^F
bobeche

pendeloque^F
crystal drop

pampille^F
crystal button

fût^M
column

rail^M d'éclairage^M
track lighting

gouttière^F
bar frame

transformateur^M
transformer

manette^F de contact^M
contact lever

spot^M
spot

lanterne^F murale
wall lantern

applique^F orientable
swivel wall lamp

applique^F
wall fitting

rampe^F d'éclairage^M
strip light

lanterne^F de pied^M
post lantern

MAISON

appareils^M électroménagers

domestic appliances

MAISON

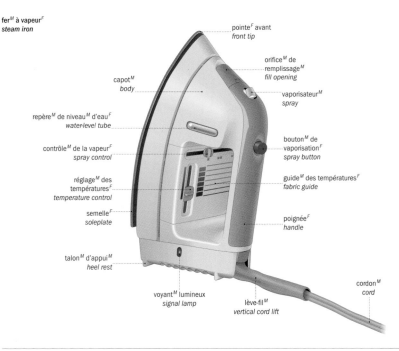

fer^M à vapeur^F
steam iron

pointe^F avant
front tip

orifice^M de
remplissage^M
fill opening

capot^M
body

vaporisateur^M
spray

repère^M de niveau^M d'eau^F
water-level tube

contrôle^M de la vapeur^F
spray control

bouton^M de
vaporisation^F
spray button

réglage^M des
températures^F
temperature control

guide^M des températures^F
fabric guide

semelle^F
soleplate

poignée^F
handle

talon^M d'appui^M
heel rest

cordon^M
cord

voyant^M lumineux
signal lamp

lève-fil^M
vertical cord lift

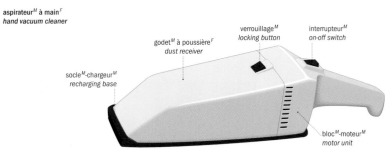

aspirateur^M à main^F
hand vacuum cleaner

verrouillage^M
locking button

interrupteur^M
on-off switch

godet^M à poussière^F
dust receiver

socle^M-chargeur^M
recharging base

bloc^M-moteur^M
motor unit

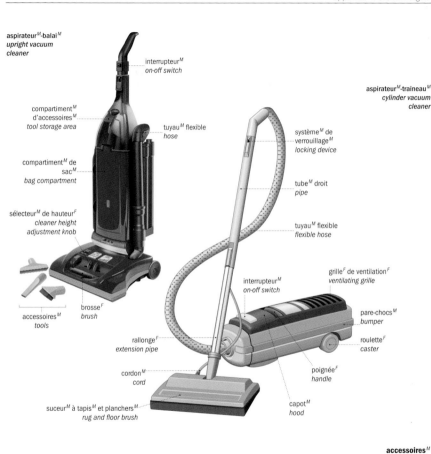

aspirateur^M-balai^M
*upright vacuum
cleaner*

interrupteur^M
on-off switch

aspirateur^M-traineau^M
*cylinder vacuum
cleaner*

compartiment^M
d'accessoires^M
tool storage area

tuyau^M flexible
hose

système^M de
verrouillage^M
locking device

compartiment^M de
sac^M
bag compartment

tube^M droit
pipe

sélecteur^M de hauteur^F
*cleaner height
adjustment knob*

tuyau^M flexible
flexible hose

grille^F de ventilation^F
ventilating grille

interrupteur^M
on-off switch

pare-chocs^M
bumper

accessoires^M
tools

brosse^F
brush

roulette^F
caster

rallonge^F
extension pipe

poignée^F
handle

cordon^M
cord

suceur^M à tapis^M et planchers^M
rug and floor brush

capot^M
hood

MAISON

accessoires^M
cleaning tools

suceur^M triangulaire à tissus^M
upholstery nozzle

brosse^F à épousseter
dusting brush

suceur^M plat
crevice tool

brosse^F à planchers^M
floor brush

appareils^M électroménagers

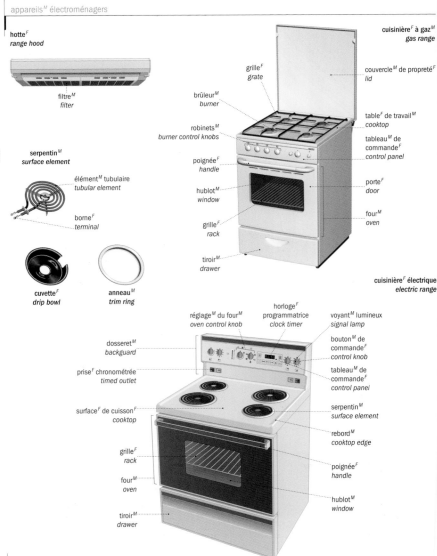

hotte^F
range hood

filtre^M
filter

serpentin^M
surface element

élément^M tubulaire
tubular element

borne^F
terminal

cuvette^F
drip bowl

anneau^M
trim ring

cuisinière^F à gaz^M
gas range

grille^F
grate

couvercle^M de propreté^F
lid

brûleur^M
burner

table^F de travail^M
cooktop

robinets^M
burner control knobs

tableau^M de commande^F
control panel

poignée^F
handle

porte^F
door

hublot^M
window

grille^F
rack

four^M
oven

tiroir^M
drawer

cuisinière^F électrique
electric range

réglage^M du four^M
oven control knob

horloge^F
programmatrice
clock timer

voyant^M lumineux
signal lamp

dosseret^M
backguard

bouton^M de commande^F
control knob

prise^F chronométrée
timed outlet

tableau^M de commande^F
control panel

surface^F de cuisson^F
cooktop

serpentin^M
surface element

rebord^M
cooktop edge

grille^F
rack

four^M
oven

poignée^F
handle

hublot^M
window

tiroir^M
drawer

MAISON

MAISON

congélateur^M coffre^M
chest freezer

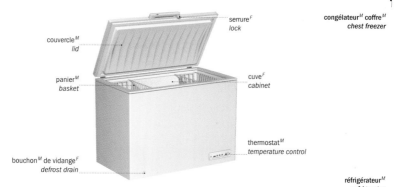

serrure^F
lock

couvercle^M
lid

panier^M
basket

cuve^F
cabinet

thermostat^M
temperature control

bouchon^M de vidange^F
defrost drain

réfrigérateur^M
refrigerator

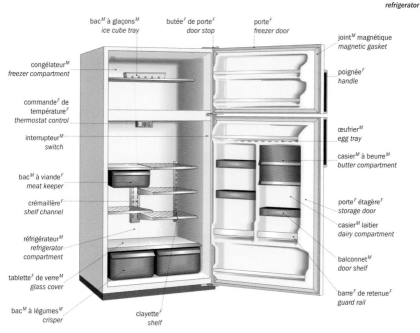

bac^M à glaçons^M
ice cube tray

butée^F de porte^F
door stop

porte^F
freezer door

joint^M magnétique
magnetic gasket

congélateur^M
freezer compartment

poignée^F
handle

commande^F de
température^F
thermostat control

œufrier^M
egg tray

interrupteur^M
switch

casier^M à beurre^M
butter compartment

bac^M à viande^F
meat keeper

crémaillère^F
shelf channel

porte^F étagère^F
storage door

réfrigérateur^M
refrigerator
compartment

casier^M laitier
dairy compartment

tablette^F de verre^M
glass cover

balconnet^M
door shelf

bac^M à légumes^M
crisper

clayette^F
shelf

barre^F de retenue^F
guard rail

MAISON

lave-linge^M ; laveuse^F
washer

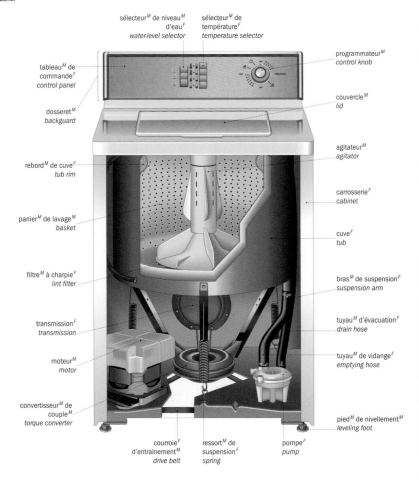

sélecteur^M de niveau^M d'eau^F
water-level selector

sélecteur^M de température^F
temperature selector

programmateur^M
control knob

tableau^M de commande^F
control panel

couvercle^M
lid

dosseret^M
backguard

agitateur^M
agitator

rebord^M de cuve^F
tub rim

carrosserie^F
cabinet

panier^M de lavage^M
basket

cuve^F
tub

filtre^M à charpie^F
lint filter

bras^M de suspension^F
suspension arm

transmission^F
transmission

tuyau^M d'évacuation^F
drain hose

moteur^M
motor

tuyau^M de vidange^F
emptying hose

convertisseur^M de couple^M
torque converter

pied^M de nivellement^M
leveling foot

courroie^F d'entraînement^M
drive belt

ressort^M de suspension^F
spring

pompe^F
pump

**sèche-linge^M électrique ;
sécheuse^F**
electric dryer

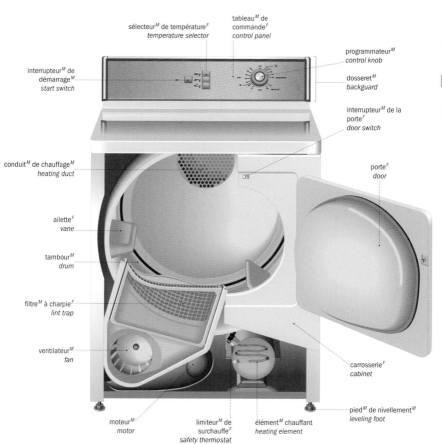

sélecteur^M de température^F
temperature selector

tableau^M de
commande^F
control panel

programmateur^M
control knob

interrupteur^M de
démarrage^M
start switch

dosseret^M
backguard

interrupteur^M de la
porte^F
door switch

conduit^M de chauffage^M
heating duct

porte^F
door

ailette^F
vane

tambour^M
drum

filtre^M à charpie^F
lint trap

ventilateur^M
fan

carrosserie^F
cabinet

pied^M de nivellement^M
leveling foot

moteur^M
motor

limiteur^M de
surchauffe^F
safety thermostat

élément^M chauffant
heating element

MAISON

appareils^M électroménagers

MAISON

tableau^M de commande^F
control panel

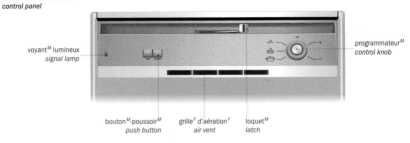

voyant^M lumineux
signal lamp

programmateur^M
control knob

bouton^M-poussoir^M
push button

grille^F d'aération^F
air vent

loquet^M
latch

lave-vaisselle^M
dishwasher

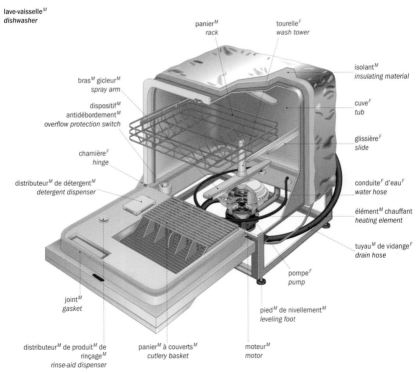

panier^M
rack

tourelle^F
wash tower

isolant^M
insulating material

bras^M gicleur^M
spray arm

cuve^F
tub

dispositif^M
antidébordement^M
overflow protection switch

glissière^F
slide

charnière^F
hinge

distributeur^M de détergent^M
detergent dispenser

conduite^F d'eau^F
water hose

élément^M chauffant
heating element

tuyau^M de vidange^F
drain hose

pompe^F
pump

joint^M
gasket

pied^M de nivellement^M
leveling foot

distributeur^M de produit^M de
rinçage^M
rinse-aid dispenser

panier^M à couverts^M
cutlery basket

moteur^M
motor

articles*M* ménagers
household equipment

torchon*M*
kitchen towel

pelle*F* à poussière*F* ; porte-poussière*M*
dustpan

balai*M*
broom

balai*M* à franges*F* ; vadrouille*F*
mop

éponge*F* à récurer
scouring pad

manche*M*
handle

brosse*F*
brush

monture*F*
block

fibres*F*
fibers

poubelle*F*
refuse container

couvercle*M*
lid

fibres*F*
fibers

poignée*F*
handle

seau*M*
pail

bec*M* verseur
pouring spout

anse*F*
handle

MAISON

215

BRICOLAGE ET JARDINAGE

plomberie^F : outils^M
plumbing tools

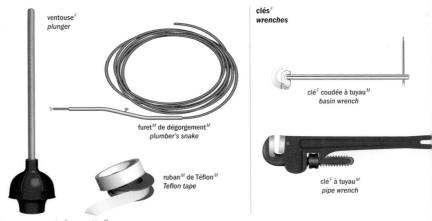

ventouse^F
plunger

furet^M de dégorgement^M
plumber's snake

ruban^M de Téflon^M
Teflon tape

clés^F
wrenches

clé^F coudée à tuyau^M
basin wrench

clé^F à tuyau^M
pipe wrench

maçonnerie^F : outils^M
masonry tools

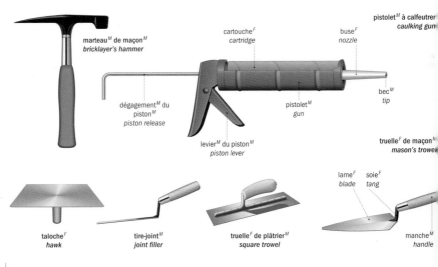

marteau^M de maçon^M
bricklayer's hammer

cartouche^F
cartridge

buse^F
nozzle

pistolet^M à calfeutrer
caulking gun

dégagement^M du piston^M
piston release

bec^M
tip

pistolet^M
gun

levier^M du piston^M
piston lever

truelle^F de maçon^M
mason's trowel

taloche^F
hawk

tire-joint^M
joint filler

truelle^F de plâtrier^M
square trowel

lame^F
blade

soie^F
tang

manche^M
handle

électricité^F : outils^M
electricity tools

baladeuse^F
drop light

crochet^M
hook

réflecteur^M
reflector

lampe^F
bulb

grillage^M de protection^F
guard

prise^F de courant^M
convenience outlet

manche^M
handle

cordon^M
cord

vérificateur^M de circuit^M
neon tester

vérificateur^M de tension^F
voltage tester

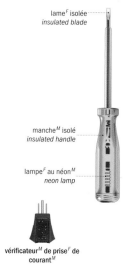

lame^F isolée
insulated blade

manche^M isolé
insulated handle

lampe^F au néon^M
neon lamp

capuchon^M de connexion^F
wire nut

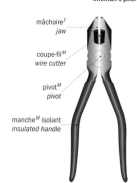

vérificateur^M de prise^F de courant^M
receptacle analyzer

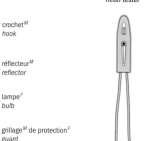

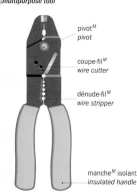

pince^F universelle
multipurpose tool

pivot^M
pivot

coupe-fil^M
wire cutter

dénude-fil^M
wire stripper

manche^M isolant
insulated handle

pince^F à long bec^M
needle-nose pliers

pince^F d'électricien^M
lineman's pliers

mâchoire^F
jaw

coupe-fil^M
wire cutter

pivot^M
pivot

manche^M isolant
insulated handle

soudage^M : outils^M
soldering and welding tools

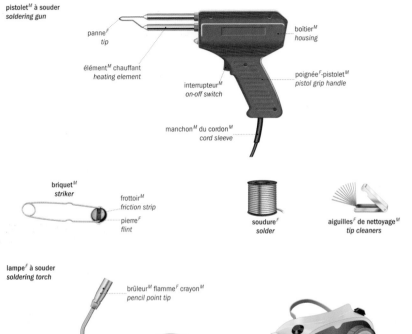

pistolet^M à souder
soldering gun

panne^F
tip

élément^M chauffant
heating element

interrupteur^M
on-off switch

manchon^M du cordon^M
cord sleeve

boîtier^M
housing

poignée^F-pistolet^M
pistol grip handle

briquet^M
striker

frottoir^M
friction strip

pierre^F
flint

soudure^F
solder

aiguilles^F de nettoyage^M
tip cleaners

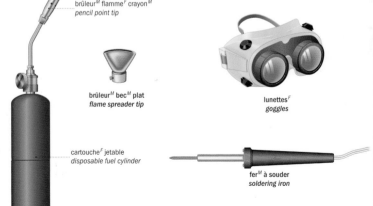

lampe^F à souder
soldering torch

brûleur^M flamme^F crayon^M
pencil point tip

brûleur^M bec^M plat
flame spreader tip

lunettes^F
goggles

cartouche^F jetable
disposable fuel cylinder

fer^M à souder
soldering iron

peinture^F d'entretien^M
painting upkeep

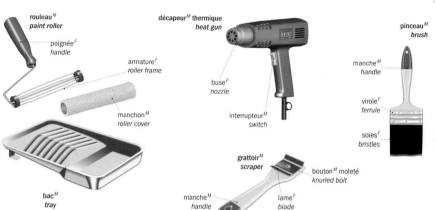

rouleau^M
paint roller

poignée^F
handle

armature^F
roller frame

manchon^M
roller cover

bac^M
tray

décapeur^M **thermique**
heat gun

buse^F
nozzle

interrupteur^M
switch

grattoir^M
scraper

bouton^M moleté
knurled bolt

manche^M
handle

lame^F
blade

pinceau^M
brush

manche^M
handle

virole^F
ferrule

soies^F
bristles

échelles^F et escabeaux^M
ladders and stepladders

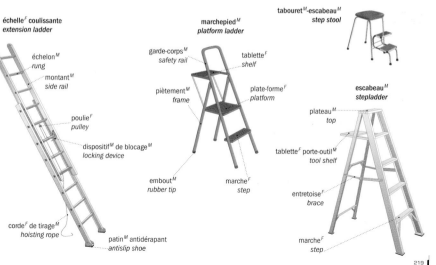

échelle^F **coulissante**
extension ladder

échelon^M
rung

montant^M
side rail

poulie^F
pulley

dispositif^M de blocage^M
locking device

corde^F de tirage^M
hoisting rope

patin^M antidérapant
antislip shoe

marchepied^M
platform ladder

garde-corps^M
safety rail

tablette^F
shelf

piètement^M
frame

plate-forme^F
platform

embout^M
rubber tip

marche^F
step

tabouret^M**-escabeau**^M
step stool

escabeau^M
stepladder

plateau^M
top

tablette^F porte-outil^M
tool shelf

entretoise^F
brace

marche^F
step

menuiserie^F : outils^M pour clouer
carpentry: nailing tools

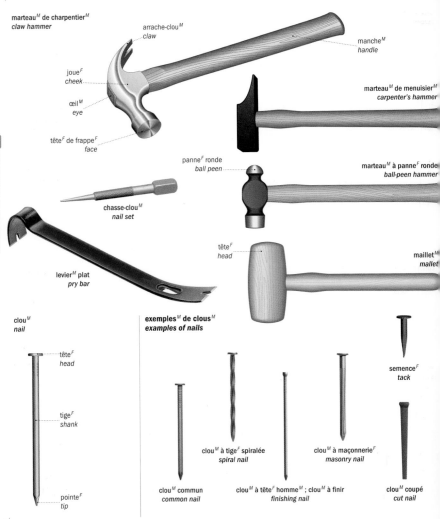

marteau^M de charpentier^M
claw hammer

arrache-clou^M
claw

manche^M
handle

joue^F
cheek

œil^M
eye

tête^F de frappe^F
face

marteau^M de menuisier^M
carpenter's hammer

panne^F ronde
ball peen

marteau^M à panne^F ronde
ball-peen hammer

chasse-clou^M
nail set

tête^F
head

maillet^M
mallet

levier^M plat
pry bar

clou^M
nail

exemples^M de clous^M
examples of nails

tête^F
head

tige^F
shank

semence^F
tack

clou^M à tige^F spiralée
spiral nail

clou^M à maçonnerie^F
masonry nail

pointe^F
tip

clou^M commun
common nail

clou^M à tête^F homme^M ; clou^M à finir
finishing nail

clou^M coupé
cut nail

menuiserie^F : outils^M pour visser
carpentry: screwing tools

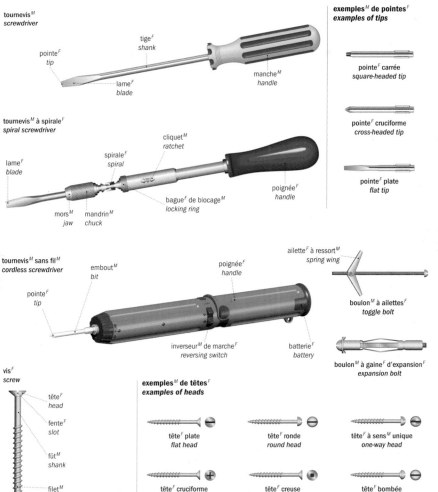

tournevis^M
screwdriver

pointe^F
tip

tige^F
shank

lame^F
blade

manche^M
handle

tournevis^M à spirale^F
spiral screwdriver

lame^F
blade

spirale^F
spiral

cliquet^M
ratchet

bague^F de blocage^M
locking ring

poignée^F
handle

mors^M
jaw

mandrin^M
chuck

tournevis^M sans fil^M
cordless screwdriver

embout^M
bit

poignée^F
handle

pointe^F
tip

inverseur^M de marche^F
reversing switch

batterie^F
battery

vis^F
screw

tête^F
head

fente^F
slot

fût^M
shank

filet^M
thread

exemples^M de pointes^F
examples of tips

pointe^F carrée
square-headed tip

pointe^F cruciforme
cross-headed tip

pointe^F plate
flat tip

ailette^F à ressort^M
spring wing

boulon^M à ailettes^F
toggle bolt

boulon^M à gaine^F d'expansion^F
expansion bolt

exemples^M de têtes^F
examples of heads

tête^F plate
flat head

tête^F ronde
round head

tête^F à sens^M unique
one-way head

tête^F cruciforme
cross head

tête^F creuse
socket head

tête^F bombée
oval head

menuiserie^F : outils^M pour serrer
carpentry: gripping and tightening tools

pinces^F
pliers

pince^F **à joint**^{M} **coulissant**
slip joint pliers

pince^F **multiprise**
rib joint pliers

mâchoire^F droite
straight jaw

mâchoire^F incurvée
curved jaw

boulon^M
bolt

cran^M de réglage^M
adjustable channel

branche^F
handle

joint^M à coulisse^F
slip joint

écrou^M
nut

branche^F
handle

pince^F**-étau**^{M}
locking pliers

ressort^M
spring

levier^M
lever

vis^F de réglage^M
adjusting screw

mâchoire^F dentée
toothed jaw

rivet^M
rivet

levier^M de
dégagement^M
release lever

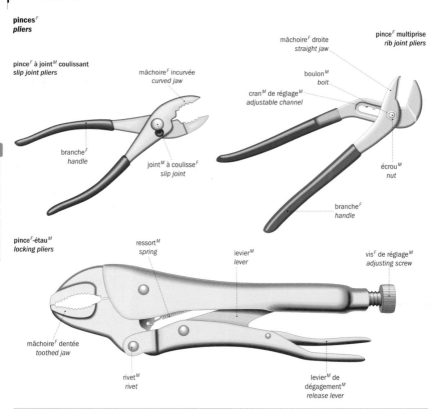

rondelles^F
washers

rondelle^F plate
flat washer

rondelle^F à ressort^M
lock washer

rondelle^F à denture^F extérieure
external tooth lock washer

rondelle^F à denture^F intérieure
internal tooth lock washer

clés^F
wrenches

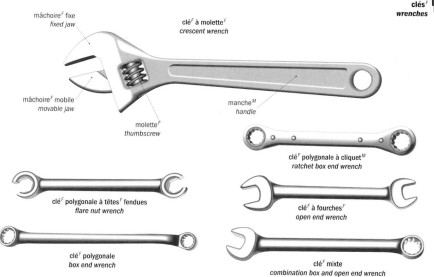

mâchoire^F fixe
fixed jaw

clé^F à molette^F
crescent wrench

mâchoire^F mobile
movable jaw

manche^M
handle

molette^F
thumbscrew

clé^F polygonale à cliquet^M
ratchet box end wrench

clé^F polygonale à têtes^F fendues
flare nut wrench

clé^F à fourches^F
open end wrench

clé^F polygonale
box end wrench

clé^F mixte
combination box and open end wrench

clé^F à douille^F à cliquet^M
ratchet socket wrench

boulons^M
bolts

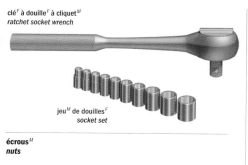

jeu^M de douilles^F
socket set

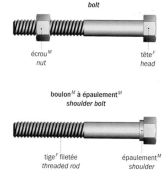

boulon^M
bolt

écrou^M
nut

tête^F
head

écrous^M
nuts

boulon^M à épaulement^M
shoulder bolt

écrou^M hexagonal
hexagon nut

écrou^M borgne
acorn nut

écrou^M à oreilles^F
wing nut

tige^F filetée
threaded rod

épaulement^M
shoulder

BRICOLAGE ET JARDINAGE

serre-joint^M
C-clamp

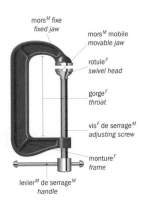

mors^M fixe
fixed jaw

mors^M mobile
movable jaw

rotule^F
swivel head

gorge^F
throat

vis^F de serrage^M
adjusting screw

monture^F
frame

levier^M de serrage^M
handle

étau^M
vise

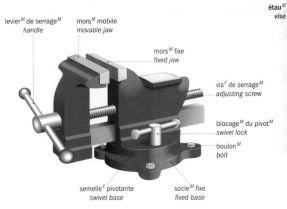

levier^M de serrage^M
handle

mors^M mobile
movable jaw

mors^M fixe
fixed jaw

vis^F de serrage^M
adjusting screw

blocage^M du pivot^M
swivel lock

boulon^M
bolt

semelle^F pivotante
swivel base

socle^M fixe
fixed base

serre-joint^M à tuyau^M
pipe clamp

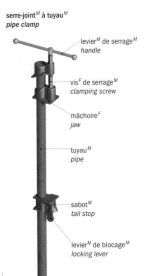

levier^M de serrage^M
handle

vis^F de serrage^M
clamping screw

mâchoire^F
jaw

tuyau^M
pipe

sabot^M
tail stop

levier^M de blocage^M
locking lever

établi^M **étau**^M
work bench and vise

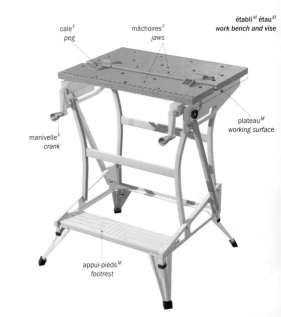

cale^F
peg

mâchoires^F
jaws

manivelle^F
crank

plateau^M
working surface

appui-pieds^M
footrest

menuiserie^F : instruments^M de traçage^M et de mesure^F
carpentry: measuring and marking tools

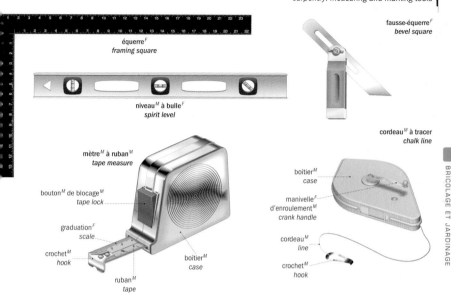

fausse-équerre^F
bevel square

équerre^F
framing square

niveau^M à bulle^F
spirit level

cordeau^M à tracer
chalk line

mètre^M à ruban^M
tape measure

boîtier^M
case

bouton^M de blocage^M
tape lock

manivelle^F
d'enroulement^M
crank handle

graduation^F
scale

crochet^M
hook

cordeau^M
line

boîtier^M
case

crochet^M
hook

ruban^M
tape

menuiserie^F : matériel^M divers
carpentry: miscellaneous material

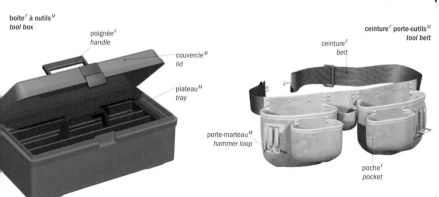

boîte^F à outils^M
tool box

poignée^F
handle

couvercle^M
lid

plateau^M
tray

ceinture^F porte-outils^M
tool belt

ceinture^F
belt

porte-marteau^M
hammer loop

poche^F
pocket

menuiserie^F : outils^M pour scier
carpentry: sawing tools

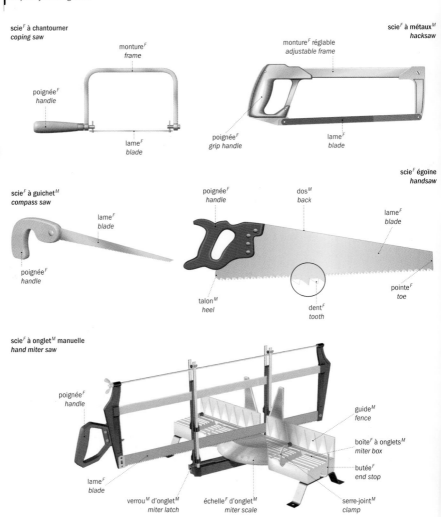

scie^F à chantourner
coping saw

monture^F
frame

poignée^F
handle

lame^F
blade

scie^F à métaux^M
hacksaw

monture^F réglable
adjustable frame

poignée^F
grip handle

lame^F
blade

scie^F à guichet^M
compass saw

lame^F
blade

poignée^F
handle

scie^F égoïne
handsaw

poignée^F
handle

dos^M
back

lame^F
blade

talon^M
heel

dent^F
tooth

pointe^F
toe

scie^F à onglet^M manuelle
hand miter saw

poignée^F
handle

guide^M
fence

boîte^F à onglets^M
miter box

butée^F
end stop

lame^F
blade

verrou^M d'onglet^M
miter latch

échelle^F d'onglet^M
miter scale

serre-joint^M
clamp

scie^F sauteuse
jig saw

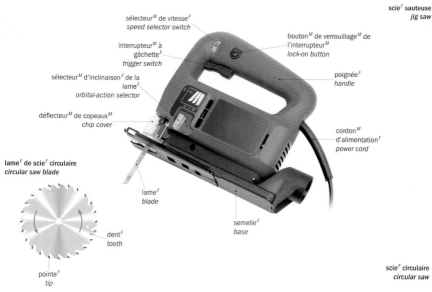

sélecteur^M de vitesse^F
speed selector switch

bouton^M de verrouillage^M de l'interrupteur^M
lock-on button

interrupteur^M à gâchette^F
trigger switch

sélecteur^M d'inclinaison^F de la lame^F
orbital-action selector

poignée^F
handle

déflecteur^M de copeaux^M
chip cover

cordon^M d'alimentation^F
power cord

lame^F de scie^F circulaire
circular saw blade

lame^F
blade

dent^F
tooth

semelle^F
base

pointe^F
tip

scie^F circulaire
circular saw

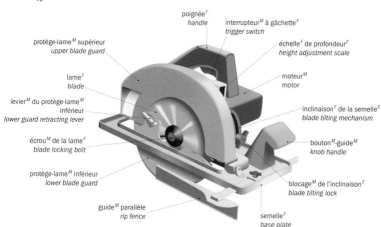

poignée^F
handle

interrupteur^M à gâchette^F
trigger switch

protège-lame^M supérieur
upper blade guard

échelle^F de profondeur^F
height adjustment scale

lame^F
blade

moteur^M
motor

levier^M du protège-lame^M inférieur
lower guard retracting lever

inclinaison^F de la semelle^F
blade tilting mechanism

écrou^M de la lame^F
blade locking bolt

bouton^M-guide^M
knob handle

protège-lame^M inférieur
lower blade guard

blocage^M de l'inclinaison^F
blade tilting lock

guide^M parallèle
rip fence

semelle^F
base plate

menuiserie^F : outils^M pour percer
carpentry: drilling tools

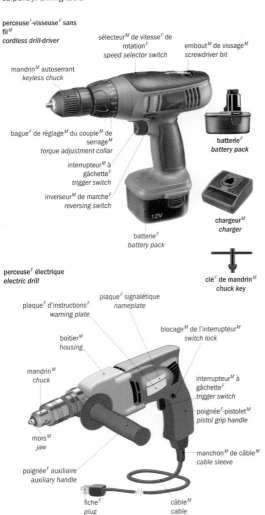

perceuse^F-visseuse^F sans fil^M
cordless drill-driver

sélecteur^M de vitesse^F de rotation^F
speed selector switch

embout^M de vissage^M
screwdriver bit

mandrin^M autoserrant
keyless chuck

bague^F de réglage^M du couple^M de serrage^M
torque adjustment collar

interrupteur^M à gâchette^F
trigger switch

inverseur^M de marche^F
reversing switch

batterie^F
battery pack

batterie^F
battery pack

chargeur^M
charger

clé^F de mandrin^M
chuck key

perceuse^F électrique
electric drill

plaque^F signalétique
nameplate

plaque^F d'instructions^F
warning plate

blocage^M de l'interrupteur^M
switch lock

boîtier^M
housing

mandrin^M
chuck

interrupteur^M à gâchette^F
trigger switch

poignée^F-pistolet^M
pistol grip handle

mors^M
jaw

manchon^M de câble^M
cable sleeve

poignée^F auxiliaire
auxiliary handle

fiche^F
plug

câble^M
cable

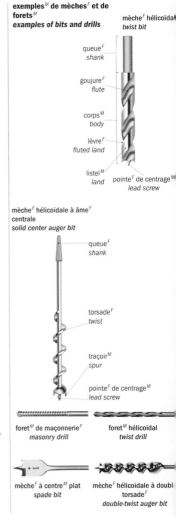

exemples^M de mèches^F et de forets^M
examples of bits and drills

mèche^F hélicoïdale
twist bit

queue^F
shank

goujure^F
flute

corps^M
body

lèvre^F
fluted land

listel^M
land

pointe^F de centrage^M
lead screw

mèche^F hélicoïdale à âme^F centrale
solid center auger bit

queue^F
shank

torsade^F
twist

traçoir^M
spur

pointe^F de centrage^M
lead screw

foret^M de maçonnerie^F
masonry drill

foret^M hélicoïdal
twist drill

mèche^F à centre^M plat
spade bit

mèche^F hélicoïdale à doubl torsade^F
double-twist auger bit

BRICOLAGE ET JARDINAGE

menuiserie^F : outils^M pour façonner
carpentry: shaping tools

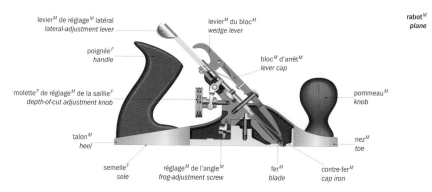

rabot^M
plane

levier^M de réglage^M latéral
lateral-adjustment lever

levier^M du bloc^M
wedge lever

poignée^F
handle

bloc^M d'arrêt^M
lever cap

molette^F de réglage^M de la saillie^F
depth-of-cut adjustment knob

pommeau^M
knob

talon^M
heel

nez^M
toe

semelle^F
sole

réglage^M de l'angle^M
frog-adjustment screw

fer^M
blade

contre-fer^M
cap iron

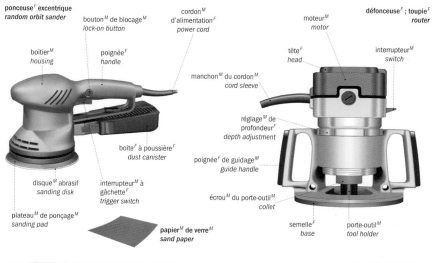

ponceuse^F excentrique
random orbit sander

bouton^M de blocage^M
lock-on button

cordon^M
d'alimentation^F
power cord

moteur^M
motor

défonceuse^F ; toupie^F
router

boitier^M
housing

poignée^F
handle

tête^F
head

interrupteur^M
switch

manchon^M du cordon^M
cord sleeve

réglage^M de
profondeur^F
depth adjustment

boîte^F à poussière^F
dust canister

poignée^F de guidage^M
guide handle

disque^M abrasif
sanding disk

interrupteur^M à
gâchette^F
trigger switch

écrou^M du porte-outil^M
collet

plateau^M de ponçage^M
sanding pad

semelle^F
base

porte-outil^M
tool holder

papier^M de verre^M
sand paper

lime^F
file

ciseau^M à bois^M
wood chisel

BRICOLAGE ET JARDINAGE

jardin^M d'agrément^M
pleasure garden

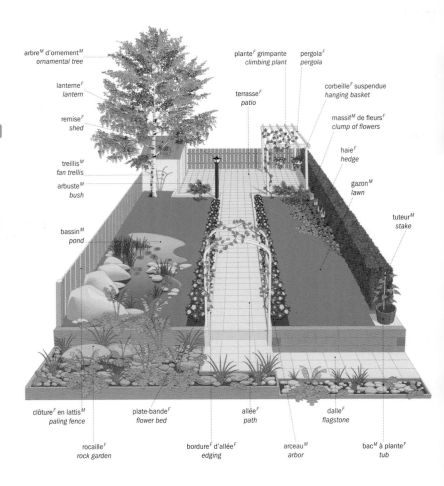

arbre^M d'ornement^M
ornamental tree

lanterne^F
lantern

remise^F
shed

treillis^M
fan trellis

arbuste^M
bush

bassin^M
pond

plante^F grimpante
climbing plant

pergola^F
pergola

terrasse^F
patio

corbeille^F suspendue
hanging basket

massif^M de fleurs^F
clump of flowers

haie^F
hedge

gazon^M
lawn

tuteur^M
stake

clôture^F en lattis^M
paling fence

plate-bande^F
flower bed

allée^F
path

dalle^F
flagstone

rocaille^F
rock garden

bordure^F d'allée^F
edging

arceau^M
arbor

bac^M à plante^F
tub

équipement^M divers
miscellaneous equipment

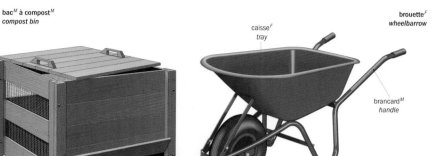

bac^M à compost^M
compost bin

caisse^F
tray

brouette^F
wheelbarrow

brancard^M
handle

pied^M
leg

roue^F
wheel

outils^M pour semer et planter
seeding and planting tools

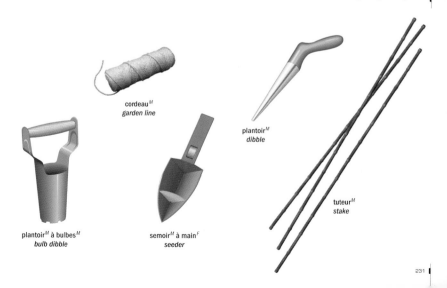

cordeau^M
garden line

plantoir^M
dibble

plantoir^M à bulbes^M
bulb dibble

semoir^M à main^F
seeder

tuteur^M
stake

jeu^M de petits outils^M
hand tools

BRICOLAGE ET JARDINAGE

griffe^F à fleurs^F
small hand cultivator

transplantoir^M
trowel

tire-racine^M
weeder

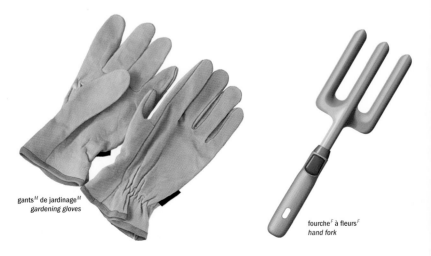

gants^M de jardinage^M
gardening gloves

fourche^F à fleurs^F
hand fork

outils^M pour remuer la terre^F
tools for loosening the earth

sarcloir^M
weeding hoe

serfouette^F
hoe-fork

binette^F
draw hoe

ratissoire^F
scuffle hoe

bêche^F
spade

pelle^F
shovel

fourche^F à bêcher
spading fork

râteau^M
rake

houe^F
hoe

pioche^F
pick

coupe-bordures^M
lawn edger

outils^M pour couper
pruning and cutting tools

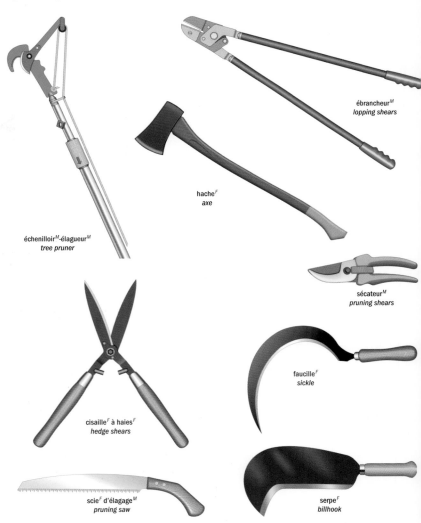

ébrancheur^M
lopping shears

hache^F
axe

échenilloir^M-élagueur^M
tree pruner

sécateur^M
pruning shears

faucille^F
sickle

cisaille^F à haies^F
hedge shears

scie^F d'élagage^M
pruning saw

serpe^F
billhook

outils^M pour couper

taille-haies^M
hedge trimmer

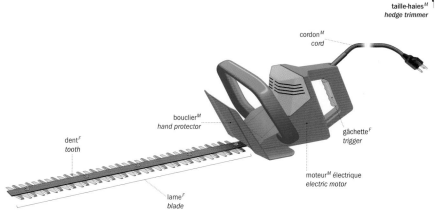

cordon^M
cord

bouclier^M
hand protector

gâchette^F
trigger

dent^F
tooth

moteur^M électrique
electric motor

lame^F
blade

tronçonneuse^F
chainsaw

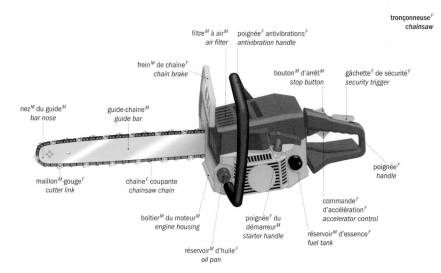

filtre^M à air^M
air filter

poignée^F antivibrations^F
antivibration handle

frein^M de chaîne^F
chain brake

bouton^M d'arrêt^M
stop button

gâchette^F de sécurité^F
security trigger

nez^M du guide^M
bar nose

guide-chaîne^M
guide bar

poignée^F
handle

maillon^M-gouge^F
cutter link

chaîne^F coupante
chainsaw chain

boîtier^M du moteur^M
engine housing

poignée^F du
démarreur^M
starter handle

commande^F
d'accélération^F
accelerator control

réservoir^M d'essence^F
fuel tank

réservoir^M d'huile^F
oil pan

outils^M pour arroser
watering tools

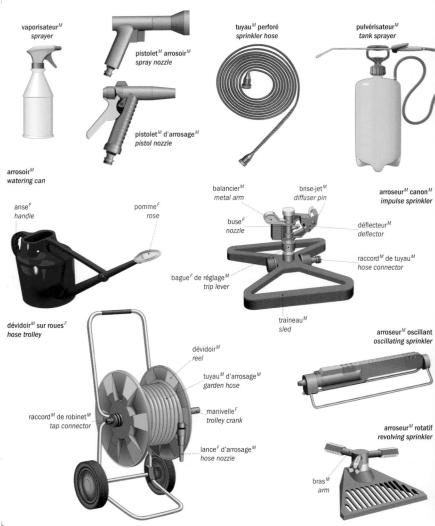

vaporisateur^M
sprayer

pistolet^M arrosoir^M
spray nozzle

pistolet^M d'arrosage^M
pistol nozzle

tuyau^M perforé
sprinkler hose

pulvérisateur^M
tank sprayer

arrosoir^M
watering can

anse^F
handle

pomme^F
rose

balancier^M
metal arm

brise-jet^M
diffuser pin

arroseur^M canon^M
impulse sprinkler

buse^F
nozzle

déflecteur^M
deflector

raccord^M de tuyau^M
hose connector

bague^F de réglage^M
trip lever

traineau^M
sled

dévidoir^M sur roues^F
hose trolley

dévidoir^M
reel

tuyau^M d'arrosage^M
garden hose

manivelle^F
trolley crank

raccord^M de robinet^M
tap connector

lance^F d'arrosage^M
hose nozzle

arroseur^M oscillant
oscillating sprinkler

arroseur^M rotatif
revolving sprinkler

bras^M
arm

soins^M de la pelouse^F
lawn care

taille-bordures^M
edger

cordon^M
cord

balai^M à feuilles^F
lawn rake

moteur^M électrique
electric motor

carter^M de sécurité^F
security casing

fil^M de nylon^M
nylon yarn

aérateur^M à gazon^M
lawn aerator

guidon^M
handle

sélecteur^M de régime^M
speed control

poignée^F de sécurité^F
safety handle

clé^F de contact^M
ignition key

tondeuse^F à moteur^M
power mower

bac^M de ramassage^M
grassbox

démarreur^M manuel
starter

bouchon^M de remplissage^M
filler cap

moteur^M
motor

câble^M d'accélération^F
accelerator cable

déflecteur^M
deflector

bougie^F
spark plug

carter^M
casing

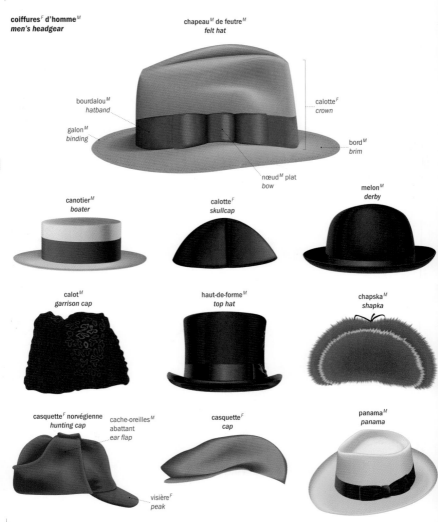

coiffures^F d'homme^M
men's headgear

chapeau^M de feutre^M
felt hat

bourdalou^M
hatband

galon^M
binding

calotte^F
crown

bord^M
brim

nœud^M plat
bow

canotier^M
boater

calotte^F
skullcap

melon^M
derby

calot^M
garrison cap

haut-de-forme^M
top hat

chapska^M
shapka

casquette^F norvégienne
hunting cap

cache-oreilles^M
abattant
ear flap

casquette^F
cap

panama^M
panama

visière^F
peak

VÊTEMENTS

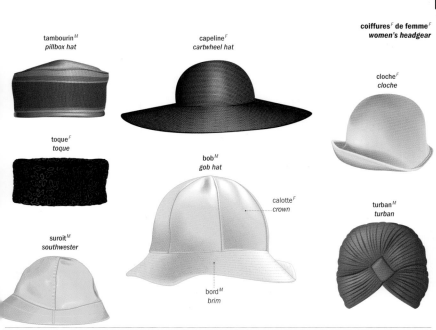

tambourin^M
pillbox hat

capeline^F
cartwheel hat

cloche^F
cloche

toque^F
toque

bob^M
gob hat

calotte^F
crown

turban^M
turban

suroît^M
southwester

bord^M
brim

VÊTEMENTS

coiffures^F unisexes
unisex headgear

béret^M
beret

cagoule^F
balaclava

bonnet^M pompon^M ;
tuque^F
stocking cap

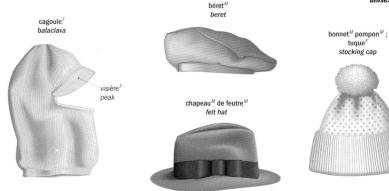

visière^F
peak

chapeau^M de feutre^M
felt hat

chaussures^F

shoes

chaussures^F d'homme^M
men's shoes

doublure^F
lining

parties^F d'une
chaussure^F
parts of a shoe

lacet^M
shoelace

revers^M
cuff

languette^F
tongue

claque^F
vamp

glissoir^M
heel grip

surpiqûre^F
stitch

quartier^M
quarter

perforation^F
punch hole

talonnette^F de dessus^M
outside counter

talon^M
heel

bonbout^M
top lift

cambrure^F
waist

aile^F de quartier^M
nose of the quarter

ferret^M
tag

garant^M
eyelet tab

semelle^F d'usure^F
outsole

bout^M fleuri
perforated toe cap

œillet^M
eyelet

trépointe^F
welt

brodequin^M de travail^M
heavy duty boot

chukka^M
chukka

claque^F
rubber

bottillon^M
bootee

richelieu^M
oxford shoe

derby^M
blucher oxford

VÊTEMENTS

ballerine^F
ballerina

sandale^F
sandal

escarpin^M
pump

escarpin^M-sandale^F
sling back shoe

Charles IX^M
one-bar shoe

salomé^M
T-strap shoe

trotteur^M
casual shoe

cuissarde^F
thigh-boot

botte^F
boot

bottine^F
ankle boot

VÊTEMENTS

chaussures^F unisexes
unisex shoes

mule^F
mule

espadrille^F
espadrille

tennis^M
tennis shoe

loafer^M ; flâneur^M
loafer

nu-pied^M
sandal

mocassin^M
moccasin

tong^M
thong

socque^M
clog

sandalette^F
sandal

brodequin^M de
randonnée^F
hiking boot

VÊTEMENTS

gants^M d'homme^M
men's gloves

dos^M d'un gant^M
back of a glove

paume^F d'un gant^M
palm of a glove

fourchette^F
fourchette

doigt^M
glove finger

pouce^M
thumb

paume^F
palm

baguette^F
stitching

couture^F
d'assemblage^M
seam

bouton^M-pression^F
snap fastener

fenêtre^F
opening

perforation^F
perforation

gant^M de conduite^F
driving glove

moufle^F ; mitaine^F
mitten

gants^M de femme^F
women's gloves

gant^M court
short glove

gant^M saxe
wrist-length glove

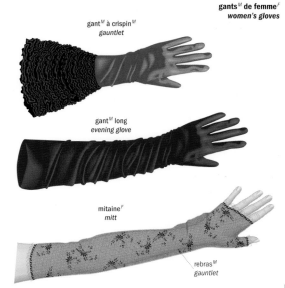

gant^M à crispin^M
gauntlet

gant^M long
evening glove

mitaine^F
mitt

rebras^M
gauntlet

veston^M et veste^F
jackets

veston^M croisé
double-breasted jacket

col^M
collar

revers^M à cran^M aigu
peaked lapel

doublure^F
lining

pochette^F
breast welt pocket

fente^F latérale
side back vent

manche^F
sleeve

rabat^M
flap

poche^F-ticket^M
outside ticket pocket

poche^F plaquée
patch pocket

gilet^M
vest

encolure^F en V
V-neck

doublure^F
lining

patte^F
welt

devant^M
front

découpe^F
seam

poche^F gilet^M
welt pocket

tirant^M de réglage^M
adjustable waist tab

veste^F droite
single-breasted jacket

revers^M
lapel

cran^M
notch

devant^M
front

doublure^F
lining

pochette^F
pocket handkerchief

dos^M
back

manche^F
sleeve

poche^F tiroir^M
flap pocket

fente^F médiane
center back vent

chemise^F
shirt

empiècement^M
yoke

col^M
collar

manche^F montée
set-in sleeve

pointe^F de col^M
collar point

poche^F poitrine^F
breast pocket

devant^M
front

patte^F de boutonnage^M
buttoned placket

patte^F capucin^M
pointed tab end

bouton^M
button

poignet^M
cuff

pan^M
shirttail

col^M pointes^F boutonnées
buttondown collar

ascot^F
ascot tie

baleine^F de col^M
collar stay

nœud^M papillon^M
bow tie

col^M italien
spread collar

VÊTEMENTS

cravate^F
necktie

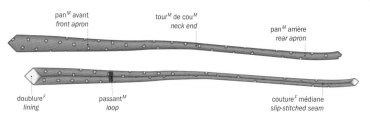

pan^M avant
front apron

tour^M de cou^M
neck end

pan^M arrière
rear apron

doublure^F
lining

passant^M
loop

couture^F médiane
slip-stitched seam

VÊTEMENTS

pantalon^M
pants

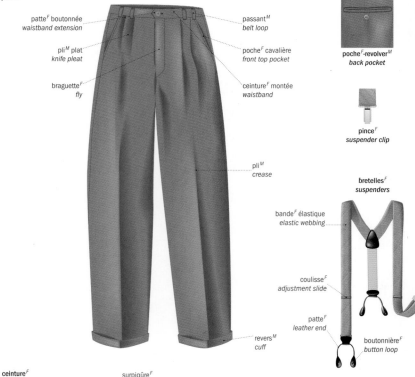

patte^F boutonnée
waistband extension

pli^M plat
knife pleat

braguette^F
fly

passant^M
belt loop

poche^F cavalière
front top pocket

ceinture^F montée
waistband

pli^M
crease

revers^M
cuff

poche^F-revolver^M
back pocket

pince^F
suspender clip

bretelles^F
suspenders

bande^F élastique
elastic webbing

coulisse^F
adjustment slide

patte^F
leather end

boutonnière^F
button loop

ceinture^F
belt

surpiqûre^F
top stitching

croûte^F de cuir^M
panel

pointe^F
tip

cran^M
punch hole

ardillon^M
tongue

boucle^F
buckle

passant^M
belt loop

sous-vêtements^M
underwear

maillot^M de corps^M
athletic shirt

encolure^F
neckhole

emmanchure^F
armhole

slip^M
briefs

ceinture^F élastique
waistband

braguette^F
fly

jambe^F élastique
elasticized leg opening

entrejambe^M
crotch

combinaison^F
union suit

caleçon^M long
drawers

minislip^M
bikini briefs

caleçon^M
boxer shorts

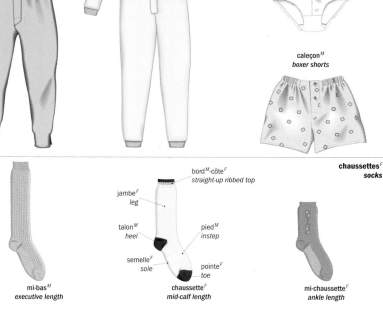

chaussettes^F
socks

bord^M-côte^F
straight-up ribbed top

jambe^F
leg

talon^M
heel

pied^M
instep

semelle^F
sole

pointe^F
toe

mi-bas^M
executive length

chaussette^F
mid-calf length

mi-chaussette^F
ankle length

VÊTEMENTS

VÊTEMENTS

manteaux^M et blousons^M
coats

imperméable^M
raincoat

col^M
collar

manche^F raglan
raglan sleeve

revers^M cranté
notched lapel

patte^F
tab

poche^F raglan
broad welt side pocket

boutonnière^F
buttonhole

pan^M
side panel

pardessus^M
overcoat

revers^M cranté
notched lapel

poche^F poitrine^F
breast pocket

pince^F de taille^F
breast dart

poche^F à rabat^M
flap pocket

trench^M
trench coat

col^M transformable
two-way collar

bavolet^M
gun flap

double boutonnage^M
*double-breasted
buttoning*

ceinture^F
belt

passant^M
belt loop

boucle^F de ceinture^F
frame

patte^F d'épaule^F
epaulet

manche^F raglan
raglan sleeve

passant^M
sleeve strap loop

patte^F de serrage^M
sleeve strap

poche^F raglan
broad welt side pocket

paletot^M
three-quarter coat

parka^F ; parka^M
parka

patte^F à boutons^M-pression^F
snap-fastening tab

fermeture^F à glissière^F
zipper

canadienne^F
sheepskin jacket

duffle-coat^M ; corvette^F
duffle coat

capuchon^M
hood

empiècement^M
yoke

brandebourg^M
frog

poche^F plaquée
patch pocket

bûchette^F
toggle fastening

blouson^M court
jacket

bouton^M-pression^F
snap fastener

blouson^M long
windbreaker

ceinture^F montée
waistband

cordon^M coulissant
drawstring

poche^F repose-bras^M
hand-warmer pocket

ceinture^F élastique
elastic waistband

VÊTEMENTS

VÊTEMENTS

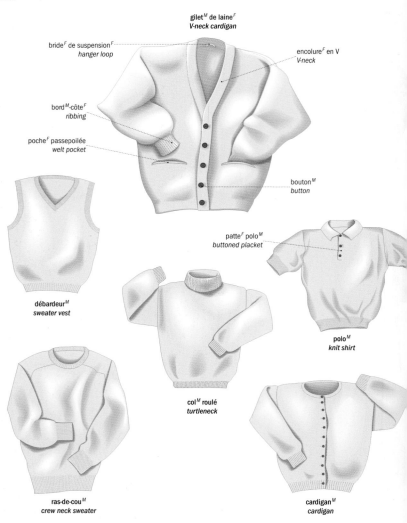

gilet ^M de laine ^F
V-neck cardigan

bride ^F de suspension ^F
hanger loop

encolure ^F en V
V-neck

bord ^M-côte ^F
ribbing

poche ^F passepoilée
welt pocket

bouton ^M
button

patte ^F polo ^M
buttoned placket

débardeur ^M
sweater vest

polo ^M
knit shirt

col ^M roulé
turtleneck

ras-de-cou ^M
crew neck sweater

cardigan ^M
cardigan

tailleur^M
suit

veste^F
jacket

jupe^F
skirt

raglan^M
raglan

manche^F raglan
raglan sleeve

boutonnage^M sous
patte^F
fly front closing

poche^F raglan
broad welt side pocket

manteaux^M
coats

redingote^F
top coat

pèlerine^F
pelerine

pèlerine^F
pelerine

poche^F prise dans une
couture^F
seam pocket

cape^F
cape

passe-bras^M
arm slit

caban^M
pea jacket

col^M tailleur^M
tailored collar

poche^F repose-bras^M
hand-warmer pocket

fausse poche^F
mock pocket

manteau^M
overcoat

paletot^M
car coat

veste^F
jacket

poncho^M
poncho

exemples^M de robes^F
examples of dresses

robe^F fourreau^M
sheath dress

robe^F princesse^F
princess dress

robe^F-manteau^M
coat dress

robe^F-polo^M
polo dress

robe^F de maison^F
house dress

robe^F chemisier^M
shirtwaist dress

robe^F taille^F basse
drop waist dress

robe^F trapèze^M
trapeze dress

robe^F bain^M-de-soleil^M
sundress

robe^F enveloppe^F
wraparound dress

robe^F tunique^F
tunic dress

chasuble^F
jumper

exemples*M* de jupes*F*
examples of skirts

jupe*F* à lés*M*
gored skirt

kilt*M*
kilt

paréo*M*
sarong

jupe*F* portefeuille*M*
wraparound skirt

jupe*F* fourreau*M*
sheath skirt

jupe*F* à volants*M* étagés
ruffled skirt

jupe*F* droite
straight skirt

jupe*F* à empiècement*M*
yoke skirt

jupe*F* froncée
gather skirt

jupe*F*-culotte*F*
culottes

exemples*M* de plis*M*
examples of pleats

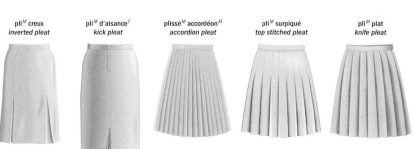

pli*M* creux
inverted pleat

pli*M* d'aisance*F*
kick pleat

plissé*M* accordéon*M*
accordion pleat

pli*M* surpiqué
top stitched pleat

pli*M* plat
knife pleat

VÊTEMENTS

exemples^M de pantalons^M
examples of pants

short^M
shorts

bermuda^M
Bermuda shorts

knicker^M
knickers

corsaire^M
pedal pushers

jean^M
jeans

fuseau^M
ski pants

sous-pied^M
footstrap

combinaison^F-pantalon^M
jumpsuit

salopette^F
overalls

pantalon^M pattes^F d'éléphant^M
bell bottoms

vestes^F et pulls^M
jackets, vest and sweaters

boléro^M
bolero

spencer^M
spencer

blazer^M
blazer

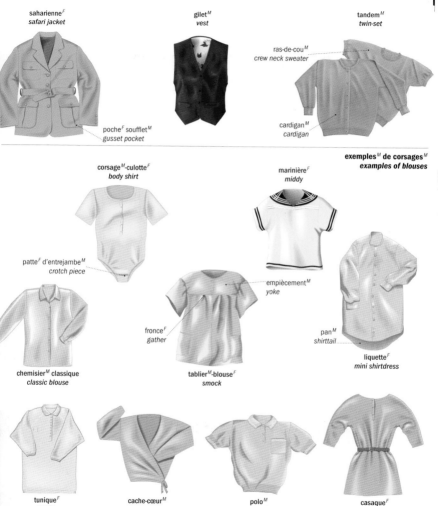

saharienne^F
safari jacket

gilet^M
vest

tandem^M
twin-set

ras-de-cou^M
crew neck sweater

poche^F soufflet^M
gusset pocket

cardigan^M
cardigan

exemples^M de corsages^M
examples of blouses

corsage^M-culotte^F
body shirt

marinière^F
middy

patte^F d'entrejambe^M
crotch piece

empiècement^M
yoke

fronce^F
gather

pan^M
shirttail

liquette^F
mini shirtdress

chemisier^M classique
classic blouse

tablier^M-blouse^F
smock

tunique^F
tunic

cache-cœur^M
wrapover top

polo^M
polo shirt

casaque^F
over-blouse

VÊTEMENTS

255

vêtements^M de nuit^F
nightwear

kimono^M
kimono

chemise^F de nuit^F
nightgown

nuisette^F
baby doll

pyjama^M
pajamas

déshabillé^M
negligee

peignoir^M
bathrobe

VÊTEMENTS

mi-bas^M
knee-high sock

chaussette^F
sock

mi-chaussette^F
anklet

socquette^F
short sock

VÊTEMENTS

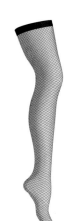

collant^M
panty hose

bas^M
stocking

bas^M-cuissarde^F
thigh-high stocking

bas^M résille^F
net stocking

sous-vêtements^M
underwear

VÊTEMENTS

combiné^M
corselette

caraco^M ; camisole^F
camisole

teddy^M ; combinaison^F-
culotte^F
teddy

body^M ; combiné-slip^M
body suit

combiné^M-culotte^F
panty corselette

découpe^F princesse^F
princess seaming

jupon^M
half-slip

fond^M de robe^F
foundation slip

combinaison^F-jupon^M
slip

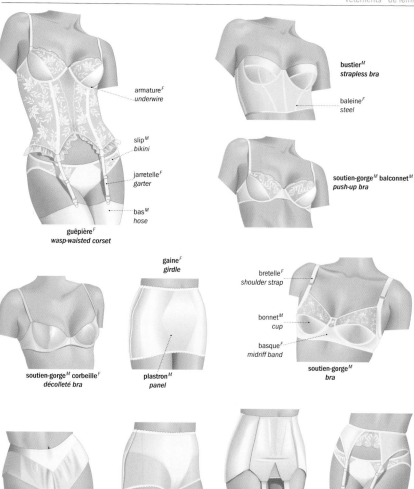

armature*F*
underwire

slip*M*
bikini

jarretelle*F*
garter

bas*M*
hose

guêpière*F*
wasp-waisted corset

bustier*M*
strapless bra

baleine*F*
steel

soutien-gorge*M* balconnet*M*
push-up bra

gaine*F*
girdle

bretelle*F*
shoulder strap

bonnet*M*
cup

basque*F*
midriff band

soutien-gorge*M* corbeille*F*
décolleté bra

plastron*M*
panel

soutien-gorge*M*
bra

culotte*F*
briefs

gaine*F*-culotte*F*
panty girdle

corset*M*
corset

porte-jarretelles*M*
garter belt

vêtements^M de nouveau-né^M

newborn children's clothing

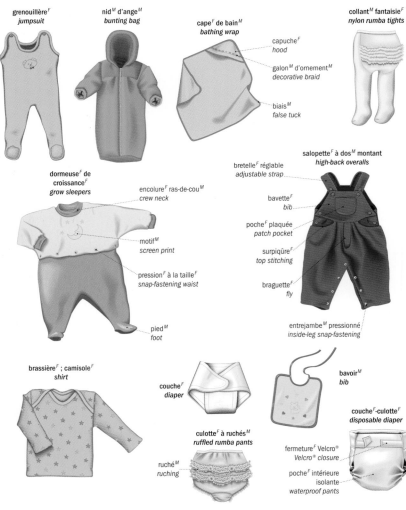

grenouillère^F
jumpsuit

nid^M **d'ange**^M
bunting bag

cape^F **de bain**^M
bathing wrap

capuche^F
hood

galon^M d'ornement^M
decorative braid

biais^M
false tuck

collant^M **fantaisie**^F
nylon rumba tights

dormeuse^F **de croissance**^F
grow sleepers

encolure^F ras-de-cou^M
crew neck

motif^M
screen print

pression^F à la taille^F
snap-fastening waist

pied^M
foot

salopette^F **à dos**^M **montant**
high-back overalls

bretelle^F réglable
adjustable strap

bavette^F
bib

poche^F plaquée
patch pocket

surpiqûre^F
top stitching

braguette^F
fly

entrejambe^M pressionné
inside-leg snap-fastening

brassière^F ; **camisole**^F
shirt

couche^F
diaper

culotte^F **à ruchés**^M
ruffled rumba pants

ruché^M
ruching

bavoir^M
bib

couche^F-**culotte**^F
disposable diaper

fermeture^F Velcro®
Velcro® closure

poche^F intérieure isolante
waterproof pants

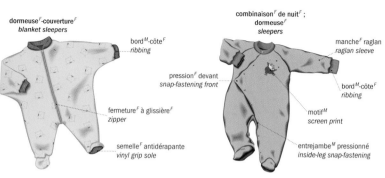

dormeuse^F-couverture^F
blanket sleepers

bord^M-côte^F
ribbing

pression^F devant
snap-fastening front

fermeture^F à glissière^F
zipper

semelle^F antidérapante
vinyl grip sole

**combinaison^F de nuit^F ;
dormeuse^F**
sleepers

manche^F raglan
raglan sleeve

bord^M-côte^F
ribbing

motif^M
screen print

entrejambe^M pressionné
inside-leg snap-fastening

vêtements^M d'enfant^M
children's clothing

VÊTEMENTS

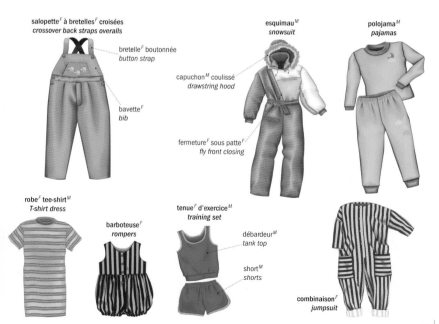

salopette^F à bretelles^F croisées
crossover back straps overalls

bretelle^F boutonnée
button strap

bavette^F
bib

esquimau^M
snowsuit

capuchon^M coulissé
drawstring hood

fermeture^F sous patte^F
fly front closing

polojama^M
pajamas

robe^F tee-shirt^M
T-shirt dress

barboteuse^F
rompers

tenue^F d'exercice^M
training set

débardeur^M
tank top

short^M
shorts

combinaison^F
jumpsuit

tenue^F d'exercice^M

sportswear

chaussure^F de sport^M
running shoe

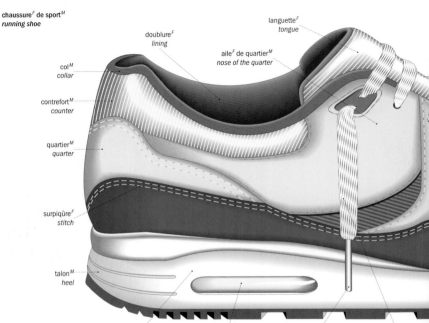

doublure^F
lining

languette^F
tongue

aile^F de quartier^M
nose of the quarter

col^M
collar

contrefort^M
counter

quartier^M
quarter

surpiqûre^F
stitch

talon^M
heel

semelle^F intercalaire
middle sole

coussin^M d'air^M
air unit

ferret^M
tag

lacet^M
shoelace

survêtement^M
training suit

blouson^M d'entraînement^M
hooded sweat shirt

pull^M d'entraînement^M
sweat shirt

pantalon^M molleton^M
sweat pants

VÊTEMENTS

tenue*F* d'exercice*M*

slip*M* de bain*M*
swimming trunks

maillot*M* de bain*M*
swimsuit

vêtements*M* d'exercice*M*
exercise wear

œillet*M*
eyelet

claque*F*
vamp

perforation*F*
punch hole

justaucorps*M*
leotard

semelle*F* d'usure*F*
outsole

crampon*M*
stud

collant*M* sans pieds*M*
footless tights

jambière*F*
leg-warmer

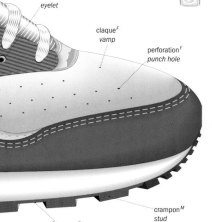

VÊTEMENTS

pantalon*M*
pants

anorak*M*
anorak

short*M* boxeur*M*
boxer shorts

débardeur*M*
tank top

bijouterie^F
jewelry

boucles^F d'oreille^F
earrings

boucles^F d'oreille^F à pince^F
clip earrings

boucles^F d'oreille^F à vis^F
screw earrings

boucles^F d'oreille^F à tige^F
pierced earrings

pendants^M d'oreille^F
drop earrings

anneaux^M
hoop earrings

colliers^M
necklaces

sautoir^M
rope

sautoir^M, longueur^F opéra^M
opera-length necklace

collier^M de perles^F, longueur^F matinée^F
matinee-length necklace

collier^M de soirée^F
bib necklace

collier^M-de-chien^M
velvet-band choker

ras-de-cou^M
choker

pendentif^M
pendant

médaillon^M
locket

bracelets^M
bracelets

gourmette^F d'identité^F
identification bracelet

gourmette^F
charm bracelet

bracelet^M tubulaire
bangle

bagues^F
rings

jonc^M
band ring

chevalière^F
signet ring

bague^F solitaire^M
solitaire ring

bague^F de fiançailles^F
engagement ring

alliance^F
wedding ring

manucure^F
nail care

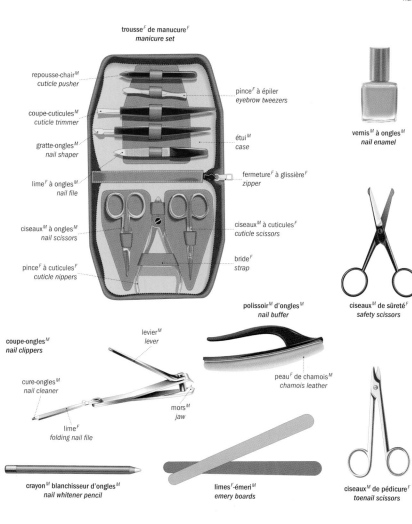

trousse^F de manucure^F
manicure set

repousse-chair^M
cuticle pusher

coupe-cuticules^M
cuticle trimmer

gratte-ongles^M
nail shaper

lime^F à ongles^M
nail file

ciseaux^M à ongles^M
nail scissors

pince^F à cuticules^F
cuticle nippers

pince^F à épiler
eyebrow tweezers

étui^M
case

fermeture^F à glissière^F
zipper

ciseaux^M à cuticules^F
cuticle scissors

bride^F
strap

vernis^M à ongles^M
nail enamel

ciseaux^M de sûreté^F
safety scissors

polissoir^M d'ongles^M
nail buffer

coupe-ongles^M
nail clippers

levier^M
lever

cure-ongles^M
nail cleaner

lime^F
folding nail file

mors^M
jaw

peau^F de chamois^M
chamois leather

crayon^M blanchisseur d'ongles^M
nail whitener pencil

limes^F-émeri^M
emery boards

ciseaux^M de pédicure^F
toenail scissors

PARURE ET OBJETS PERSONNELS

maquillage^M
makeup

**maquillage^M
facial makeup**

pinceau^M éventail^M
fan brush

houppette^F
powder puff

fard^M à joues^F en
poudre^F
powder blusher

pinceau^M pour fard^M à
joues^F
blusher brush

poudrier^M
compact

poudre^F pressée
pressed powder

éponge^F synthétique
synthetic sponge

poudre^F libre
loose powder

pinceau^M pour poudre^F
libre
loose powder brush

fond^M de teint^M liquide
liquid foundation

**maquillage^M des yeux^M
eye makeup**

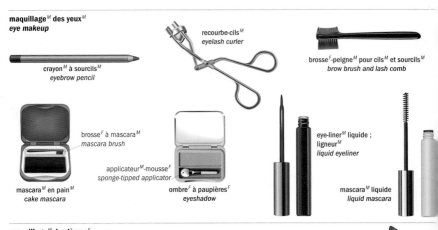

crayon^M à sourcils^M
eyebrow pencil

recourbe-cils^M
eyelash curler

brosse^F-peigne^M pour cils^M et sourcils^M
brow brush and lash comb

brosse^F à mascara^M
mascara brush

applicateur^M-mousse^F
sponge-tipped applicator

mascara^M en pain^M
cake mascara

ombre^F à paupières^F
eyeshadow

eye-liner^M liquide ;
ligneur^M
liquid eyeliner

mascara^M liquide
liquid mascara

**maquillage^M des lèvres^F
lip makeup**

pinceau^M à lèvres^F
lipbrush

crayon^M contour^M des
lèvres^F
lipliner

rouge^M à lèvres^F
lipstick

soins^M du corps^M
body care

bouchon^M
stopper

flacon^M
bottle

eau^F de parfum^M
eau de parfum

savon^M de toilette^F
toilet soap

colorant^M capillaire
haircolor

revitalisant^M capillaire
hair conditioner

shampooing^M
shampoo

eau^F de toilette^F
eau de toilette

bain^M moussant
bubble bath

déodorant^M
deodorant

gant^M de toilette^F
washcloth

débarbouillette^F
washcloth

gant^M de crin^M
massage glove

éponge^F végétale
vegetable sponge

drap^M de bain^M
bath sheet

serviette^F de toilette^F
bath towel

brosse^F pour le bain^M
bath brush

éponge^F de mer^F
natural sponge

brosse^F pour le dos^M
back brush

PARURE ET OBJETS PERSONNELS

267

coiffure^F
hairdressing

PARURE ET OBJETS PERSONNELS

brosses^F à cheveux^M
hairbrushes

brosse^F pneumatique
flat-back brush

brosse^F ronde
round brush

brosse^F anglaise
quill brush

brosse^F-araignée^F
vent brush

peignes^M
combs

peigne^M afro
Afro pick

peigne^M à crêper
teaser comb

peigne^M à tige^F
tail comb

peigne^M de coiffeur^M
barber comb

combiné^M 2 dans 1
pitchfork comb

démêloir^M
rake comb

bigoudi^M
hair roller

rouleau^M
roller

épingle^F à bigoudi^M
hair roller pin

épingle^F à cheveux^M
hairpin

pince^F à cheveux^M
bobby pin

pince^F à boucles^F de
cheveux^M
wave clip

pince^F de mise^F en
plis^M
hair clip

barrette^F
barrette

coiffure^F

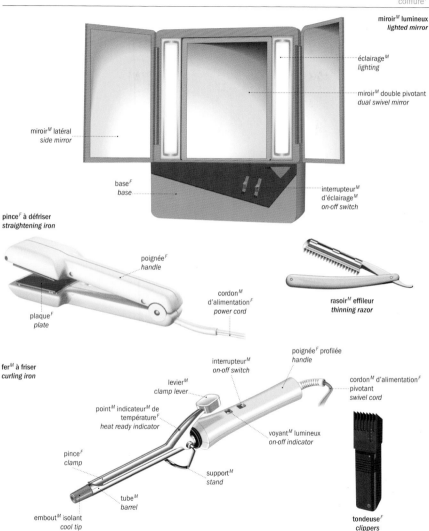

miroir^M lumineux
lighted mirror

éclairage^M
lighting

miroir^M double pivotant
dual swivel mirror

miroir^M latéral
side mirror

base^F
base

interrupteur^M
d'éclairage^M
on-off switch

pince^F à défriser
straightening iron

poignée^F
handle

cordon^M
d'alimentation^F
power cord

plaque^F
plate

rasoir^M effileur
thinning razor

fer^M à friser
curling iron

interrupteur^M
on-off switch

poignée^F profilée
handle

levier^M
clamp lever

cordon^M d'alimentation^F
pivotant
swivel cord

point^M indicateur^M de
température^F
heat ready indicator

voyant^M lumineux
on-off indicator

pince^F
clamp

support^M
stand

tube^M
barrel

embout^M isolant
cool tip

tondeuse^F
clippers

PARURE ET OBJETS PERSONNELS

269

coiffure^F

PARURE ET OBJETS PERSONNELS

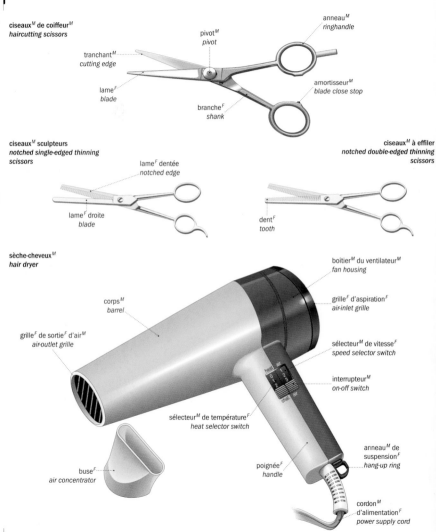

ciseaux^M de coiffeur^M
haircutting scissors

pivot^M
pivot

anneau^M
ringhandle

tranchant^M
cutting edge

lame^F
blade

amortisseur^M
blade close stop

branche^F
shank

ciseaux^M sculpteurs
notched single-edged thinning scissors

lame^F dentée
notched edge

lame^F droite
blade

ciseaux^M à effiler
notched double-edged thinning scissors

dent^F
tooth

sèche-cheveux^M
hair dryer

boîtier^M du ventilateur^M
fan housing

corps^M
barrel

grille^F d'aspiration^F
air-inlet grille

grille^F de sortie^F d'air^M
air-outlet grille

sélecteur^M de vitesse^F
speed selector switch

interrupteur^M
on-off switch

sélecteur^M de température^F
heat selector switch

buse^F
air concentrator

poignée^F
handle

anneau^M de suspension^F
hang-up ring

cordon^M d'alimentation^F
power supply cord

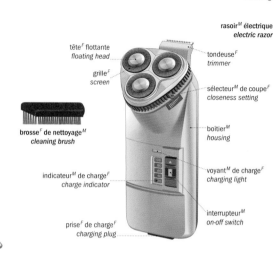

rasoir^M électrique
electric razor

tête^F flottante
floating head

tondeuse^F
trimmer

grille^F
screen

sélecteur^M de coupe^F
closeness setting

brosse^F de nettoyage^M
cleaning brush

boîtier^M
housing

indicateur^M de charge^F
charge indicator

voyant^M de charge^F
charging light

prise^F de charge^F
charging plug

interrupteur^M
on-off switch

mousse^F à raser
shaving foam

cordon^M
d'alimentation^F
power cord

blaireau^M
shaving brush

adaptateur^M de fiche^F
plug adapter

soie^F
bristle

après-rasage^M
after shave

rasoir^M à manche^M
straight razor

lame^F
blade

manche^M
handle

pivot^M
pivot

distributeur^M de lames^F
blade injector

rasoir^M à double
tranchant^M
double-edged razor

tête^F
head

anneau^M
collar

rasoir^M jetable
disposable razor

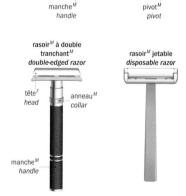

bol^M à raser
shaving mug

lame^F à double
tranchant^M
double-edged blade

manche^M
handle

PARURE ET OBJETS PERSONNELS

hygiène^F dentaire
dental care

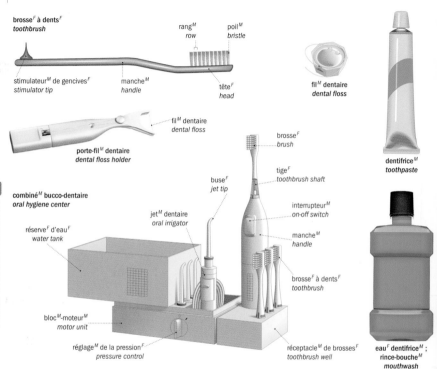

brosse^F à dents^F
toothbrush

rang^M
row

poil^M
bristle

stimulateur^M de gencives^F
stimulator tip

manche^M
handle

tête^F
head

fil^M dentaire
dental floss

fil^M dentaire
dental floss

porte-fil^M dentaire
dental floss holder

brosse^F
brush

tige^F
toothbrush shaft

dentifrice^M
toothpaste

buse^F
jet tip

interrupteur^M
on-off switch

combiné^M bucco-dentaire
oral hygiene center

jet^M dentaire
oral irrigator

manche^M
handle

réserve^F d'eau^F
water tank

brosse^F à dents^F
toothbrush

bloc^M-moteur^M
motor unit

réglage^M de la pression^F
pressure control

réceptacle^M de brosses^F
toothbrush well

eau^F dentifrice^M ;
rince-bouche^M
mouthwash

lentilles^F de contact^M
contact lenses

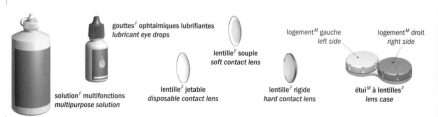

gouttes^F ophtalmiques lubrifiantes
lubricant eye drops

lentille^F souple
soft contact lens

logement^M gauche
left side

logement^M droit
right side

solution^F multifonctions
multipurpose solution

lentille^F jetable
disposable contact lens

lentille^F rigide
hard contact lens

étui^M à lentilles^F
lens case

lunettes^F
eyeglasses

parties^F des lunettes^F
eyeglasses parts

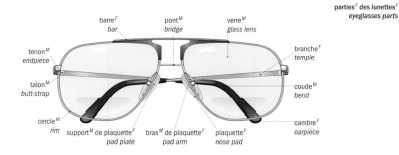

barre^F
bar

pont^M
bridge

verre^M
glass lens

tenon^M
endpiece

branche^F
temple

talon^M
butt-strap

coude^M
bend

cercle^M
rim

cambre^F
earpiece

support^M de plaquette^F
pad plate

bras^M de plaquette^F
pad arm

plaquette^F
nose pad

exemples^M de lunettes^F
examples of eyeglasses

lorgnette^F
opera glasses

lunettes^F de soleil^M
sunglasses

demi-lune^F
half-glasses

parapluie^M et canne^F
umbrella and stick

parapluie^M
umbrella

porte-parapluies^M
umbrella stand

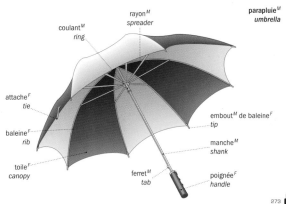

rayon^M
spreader

coulant^M
ring

attache^F
tie

embout^M de baleine^F
tip

baleine^F
rib

manche^M
shank

toile^F
canopy

ferret^M
tab

poignée^F
handle

canne^F
walking stick

PARURE ET OBJETS PERSONNELS

articles^M de maroquinerie^F

leather goods

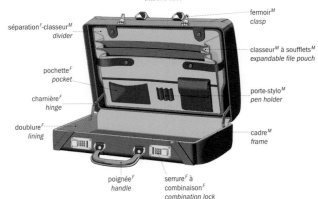

mallette^F porte-documents^M
attaché case

fermoir^M
clasp

séparation^F-classeur^M
divider

classeur^M à soufflets^M
expandable file pouch

pochette^F
pocket

porte-stylo^M
pen holder

charnière^F
hinge

doublure^F
lining

cadre^M
frame

poignée^F
handle

serrure^F à combinaison^F
combination lock

porte-documents^M à soufflet^M
bottom-fold portfolio

serviette^F
briefcase

poignée^F rentrante
retractable handle

poche^F extérieure
exterior pocket

patte^F
tab

serrure^F à clé^F
key lock

soufflet^M
gusset

portefeuille^M chéquier^M
checkbook/secretary clutch

porte-cartes^M
card case

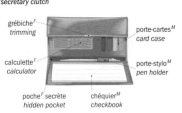

grébiche^F
trimming

porte-cartes^M
card case

calculette^F
calculator

porte-stylo^M
pen holder

poche^F secrète
hidden pocket

chéquier^M
checkbook

poche^F américaine
bill compartment

feuillets^M
windows

patte^F
tab

fente^F
slot

volet^M transparent
window

portefeuille^M
wallet

porte-monnaie^M
coin purse

porte-clés^M
key case

bourse^F à monnaie^F
purse

porte-passeport^M
passport case

porte-coupures^M
billfold

écritoire^F
writing case

porte-chéquier^M
checkbook

étui^M à lunettes^F
eyeglasses case

porte-documents^M plat
underarm portfolio

PARURE ET OBJETS PERSONNELS

sacs^M à main^F
handbags

sac^M seau^M
drawstring bag

sac^M cartable^M
satchel bag

œillet^M
eyelet

lacet^M de serrage^M
drawstring

poche^F frontale
front pocket

poignée^F
handle

rabat^M
flap

fermoir^M
clasp

serrure^F
lock

sacs^M à main^F

PARURE ET OBJETS PERSONNELS

sac^M boite^F
box bag

balluchon^M
drawstring bag

sac^M à bandoulière^F
shoulder bag

boucle^F
buckle

bandoulière^F
shoulder strap

manchon^M
muff

sac^M besace^F
hobo bag

sac^M accordéon^M
accordion bag

soufflet^M
gusset

sac^M fourre-tout^M
tote bag

pochette^F d'homme^M
men's bag

sac^M marin^M
sea bag

sac^M polochon^M
duffel bag

sac^M à provisions^F
carrier bag

cabas^M
shopping bag

bagages^M

luggage

trousse^F de toilette^F
utility case

bagage^M à main^F
carry-on bag

poignée^F
handle

poche^F extérieure
exterior pocket

bandoulière^F
shoulder strap

sac^M fourre-tout^M
tote bag

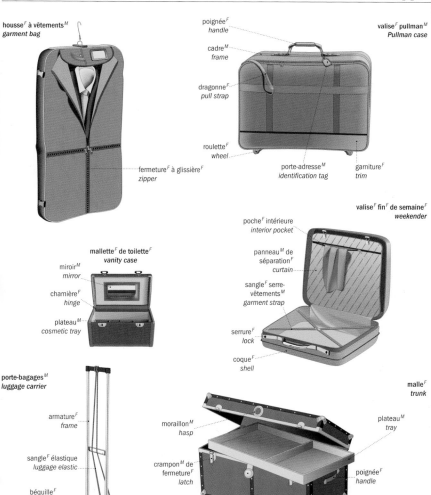

housse^F à vêtements^M
garment bag

poignée^F
handle

valise^F pullman^M
Pullman case

cadre^M
frame

dragonne^F
pull strap

roulette^F
wheel

porte-adresse^M
identification tag

garniture^F
trim

fermeture^F à glissière^F
zipper

valise^F fin^F de semaine^F
weekender

poche^F intérieure
interior pocket

panneau^M de séparation^F
curtain

sangle^F serre-vêtements^M
garment strap

serrure^F
lock

coque^F
shell

mallette^F de toilette^F
vanity case

miroir^M
mirror

charnière^F
hinge

plateau^M
cosmetic tray

porte-bagages^M
luggage carrier

armature^F
frame

sangle^F élastique
luggage elastic

béquille^F
stand

moraillon^M
hasp

crampon^M de fermeture^F
latch

cantonnière^F
cornerpiece

plateau^M
tray

poignée^F
handle

ferrure^F
fittings

malle^F
trunk

PARURE ET OBJETS PERSONNELS

pyramide^F
pyramid

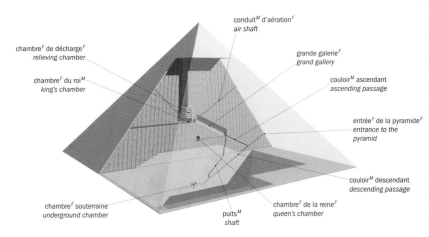

conduit^M d'aération^F
air shaft

chambre^F de décharge^F
relieving chamber

grande galerie^F
grand gallery

chambre^F du roi^M
king's chamber

couloir^M ascendant
ascending passage

entrée^F de la pyramide^F
entrance to the pyramid

couloir^M descendant
descending passage

chambre^F souterraine
underground chamber

puits^M
shaft

chambre^F de la reine^F
queen's chamber

théâtre^M grec
Greek theater

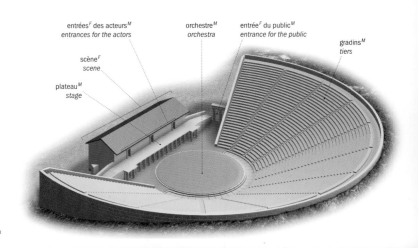

entrées^F des acteurs^M
entrances for the actors

orchestre^M
orchestra

entrée^F du public^M
entrance for the public

gradins^M
tiers

scène^F
scene

plateau^M
stage

temple^M grec
Greek temple

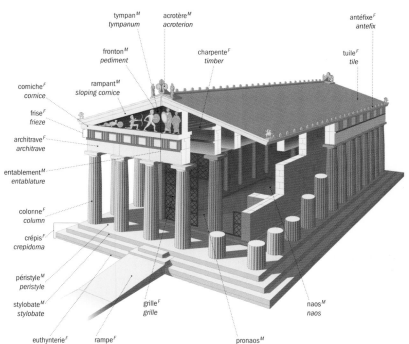

tympan^M
tympanum

acrotère^M
acroterion

antéfixe^F
antefix

fronton^M
pediment

charpente^F
timber

tuile^F
tile

corniche^F
cornice

rampant^M
sloping cornice

frise^F
frieze

architrave^F
architrave

entablement^M
entablature

colonne^F
column

crépis^F
crepidoma

péristyle^M
peristyle

stylobate^M
stylobate

euthynterie^F
euthynteria

rampe^F
ramp

grille^F
grille

pronaos^M
pronaos

naos^M
naos

ARTS ET ARCHITECTURE

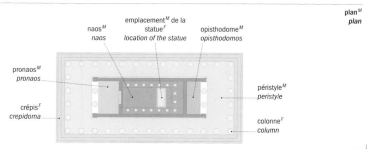

plan^M
plan

naos^M
naos

emplacement^M de la
statue^F
location of the statue

opisthodome^M
opisthodomos

pronaos^M
pronaos

péristyle^M
peristyle

crépis^F
crepidoma

colonne^F
column

maison^F romaine
Roman house

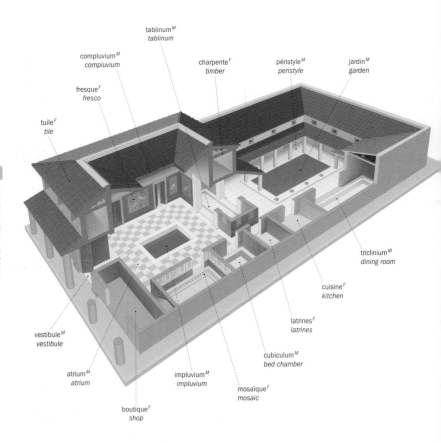

tablinum^M
tablinum

compluvium^M
compluvium

charpente^F
timber

péristyle^M
peristyle

jardin^M
garden

fresque^F
fresco

tuile^F
tile

triclinium^M
dining room

cuisine^F
kitchen

latrines^F
latrines

vestibule^M
vestibule

cubiculum^M
bed chamber

atrium^M
atrium

impluvium^M
impluvium

mosaïque^F
mosaic

boutique^F
shop

amphithéâtre^M romain
Roman amphitheater

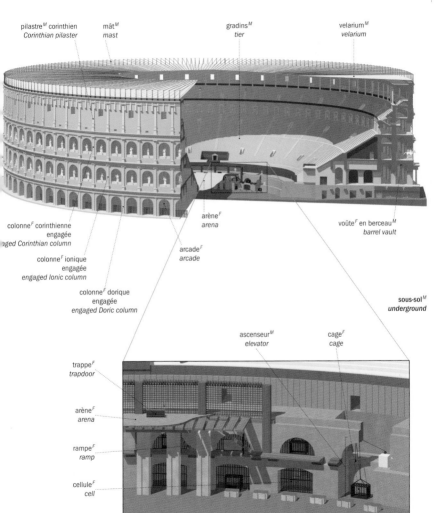

pilastre^M corinthien
Corinthian pilaster

mât^M
mast

gradins^M
tier

velarium^M
velarium

colonne^F corinthienne
engagée
aged Corinthian column

colonne^F ionique
engagée
engaged Ionic column

colonne^F dorique
engagée
engaged Doric column

arène^F
arena

arcade^F
arcade

voûte^F en berceau^M
barrel vault

sous-sol^M
underground

ascenseur^M
elevator

cage^F
cage

trappe^F
trapdoor

arène^F
arena

rampe^F
ramp

cellule^F
cell

château^M fort
castle

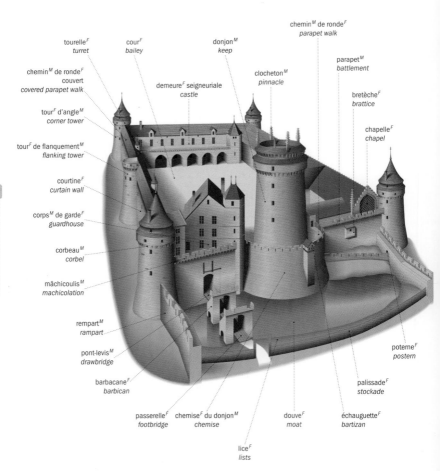

chemin^M de ronde^F
parapet walk

tourelle^F
turret

cour^F
bailey

donjon^M
keep

parapet^M
battlement

chemin^M de ronde^F
couvert
covered parapet walk

clocheton^M
pinnacle

demeure^F seigneuriale
castle

bretèche^F
brattice

tour^F d'angle^M
corner tower

chapelle^F
chapel

tour^F de flanquement^M
flanking tower

courtine^F
curtain wall

corps^M de garde^F
guardhouse

corbeau^M
corbel

mâchicoulis^M
machicolation

rempart^M
rampart

poterne^F
postern

pont-levis^M
drawbridge

barbacane^F
barbican

palissade^F
stockade

passerelle^F
footbridge

chemise^F du donjon^M
chemise

douve^F
moat

échauguette^F
bartizan

lice^F
lists

pagode^F
pagoda

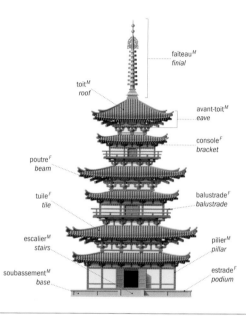

faiteau^M
finial

toit^M
roof

avant-toit^M
eave

console^F
bracket

poutre^F
beam

balustrade^F
balustrade

tuile^F
tile

escalier^M
stairs

pilier^M
pillar

soubassement^M
base

estrade^F
podium

temple^M aztèque
Aztec temple

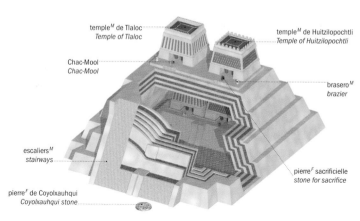

temple^M de Tlaloc
Temple of Tlaloc

temple^M de Huitzilopochtli
Temple of Huitzilopochtli

Chac-Mool
Chac-Mool

brasero^M
brazier

escaliers^M
stairways

pierre^F sacrificielle
stone for sacrifice

pierre^F de Coyolxauhqui
Coyolxauhqui stone

cathédrale^F

cathedral

cathédrale^F gothique
Gothic cathedral

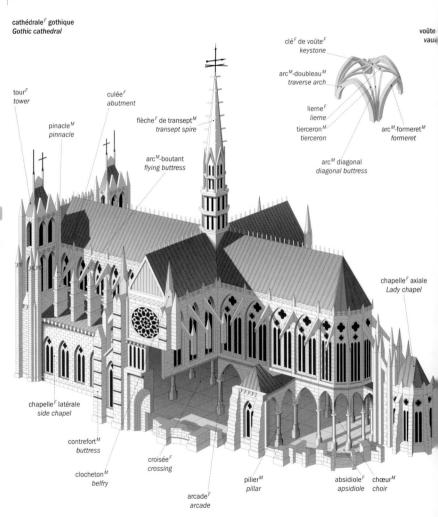

voûte
vaû

clé^F de voûte^F
keystone

arc^M-doubleau^M
traverse arch

lierne^F
lierne

tierceron^M
tierceron

arc^M-formeret^M
formeret

arc^M diagonal
diagonal buttress

tour^F
tower

culée^F
abutment

pinacle^M
pinnacle

flèche^F de transept^M
transept spire

arc^M-boutant
flying buttress

chapelle^F axiale
Lady chapel

chapelle^F latérale
side chapel

contrefort^M
buttress

croisée^F
crossing

clocheton^M
belfry

pilier^M
pillar

absidiole^F
apsidiole

chœur^M
choir

arcade^F
arcade

cathédrale^F

façade^F
façade

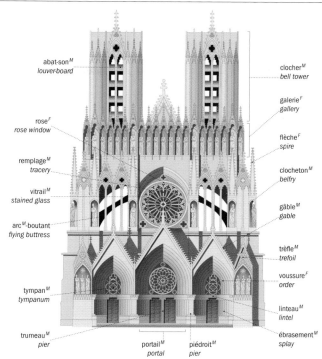

abat-son^M
louver-board

clocher^M
bell tower

rose^F
rose window

galerie^F
gallery

remplage^M
tracery

flèche^F
spire

vitrail^M
stained glass

clocheton^M
belfry

arc^M-boutant
flying buttress

gâble^M
gable

trèfle^M
trefoil

voussure^F
order

tympan^M
tympanum

linteau^M
lintel

trumeau^M
pier

ébrasement^M
splay

portail^M
portal

piédroit^M
pier

ARTS ET ARCHITECTURE

plan^M
plan

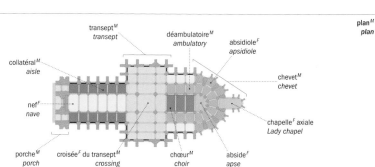

transept^M
transept

déambulatoire^M
ambulatory

absidiole^F
apsidiole

collatéral^M
aisle

chevet^M
chevet

nef^F
nave

chapelle^F axiale
Lady chapel

porche^M
porch

croisée^F du transept^M
crossing

chœur^M
choir

abside^F
apse

éléments^M d'architecture^F
elements of architecture

exemples^M de portes^F
examples of doors

porte^F à tambour^M manuelle
manual revolving door

couronne^F
canopy

vantail^M
wing

sas^M
enclosure

barre^F de poussée^F
push bar

compartiment^M
compartment

détecteur^M de mouvement^M
motion detector

porte^F coulissante automatique
automatic sliding door

vantail^M
wing

lanière^F
strip

porte^F classique
conventional door

porte^F pliante
folding door

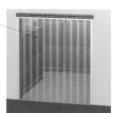

porte^F à lanières^F
strip door

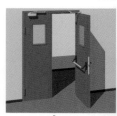

porte^F coupe-feu
fire door

porte^F accordéon^M
sliding folding door

porte^F coulissante
sliding door

porte^F de garage^M sectionnelle
sectional garage door

porte^F de garage^M basculante
up and over garage door

ARTS ET ARCHITECTURE

éléments^M d'architecture^F

exemples^M de fenêtres^F
examples of windows

fenêtre^F en accordéon^M
sliding folding window

fenêtre^F à la française^F
French window

fenêtre^F à l'anglaise^F
casement window

fenêtre^F à jalousies^F
louvered window

fenêtre^F coulissante
sliding window

fenêtre^F à guillotine^F
sash window

fenêtre^F basculante
horizontal pivoting window

fenêtre^F pivotante
vertical pivoting window

ascenseur^M
elevator

cabine^F d'ascenseur^M
elevator car

indicateur^M de position^F
position indicator

plafond^M de cabine^F
car ceiling

câble^M de levage^M
hoisting rope

interrupteur^M de fin^F de course^F
limit switch

tableau^M de manœuvre^F
operating panel

main^F courante
handrail

plancher^M de cabine^F
car floor

porte^F
door

contrepoids^M
counterweight

rail^M-guide^M de contrepoids^M
counterweight guide rail

treuil^M
winch

régulateur^M de vitesse^F
speed governor

bouton^M d'appel^M
call button

cabine^F d'ascenseur^M
elevator car

parachute^M de cabine^F
car safety

rail^M-guide^M de la cabine^F
car guide rail

amortisseur^M
buffer

poulie^F de tension^F du régulateur^M
governor tension sheave

maisons^F traditionnelles
traditional houses

ARTS ET ARCHITECTURE

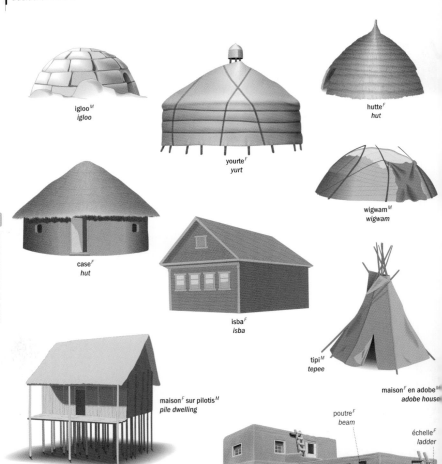

igloo^M
igloo

yourte^F
yurt

hutte^F
hut

wigwam^M
wigwam

case^F
hut

isba^F
isba

tipi^M
tepee

maison^F sur pilotis^M
pile dwelling

maison^F en adobe^M
adobe house

poutre^F
beam

échelle^F
ladder

maisons^F de ville^F
city houses

maison^F à étage^M
two-storey house

maison^F de plain-pied^M
one-storey house

maison^F jumelée
semidetached cottage

maisons^F en rangée^F
town houses

appartements^M en copropriété^F
condominiums

tour^F d'habitation^F
high-rise apartment

ARTS ET ARCHITECTURE

plateau^M de tournage^M
movie set

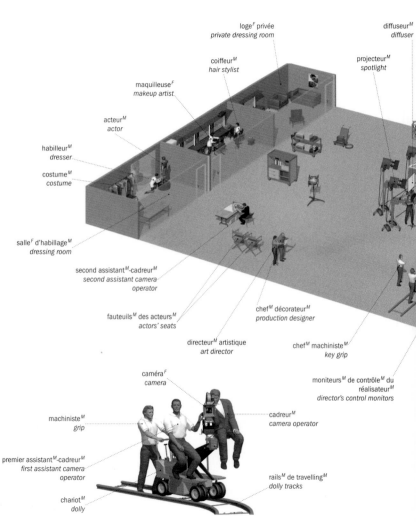

loge^F privée
private dressing room

diffuseur^M
diffuser

coiffeur^M
hair stylist

projecteur^M
spotlight

maquilleuse^F
makeup artist

acteur^M
actor

habilleur^M
dresser

costume^M
costume

salle^F d'habillage^M
dressing room

second assistant^M-cadreur^M
second assistant camera operator

fauteuils^M des acteurs^M
actors' seats

chef^M décorateur^M
production designer

directeur^M artistique
art director

chef^M machiniste^M
key grip

caméra^F
camera

moniteurs^M de contrôle^M du réalisateur^M
director's control monitors

machiniste^M
grip

cadreur^M
camera operator

premier assistant^M-cadreur^M
first assistant camera operator

rails^M de travelling^M
dolly tracks

chariot^M
dolly

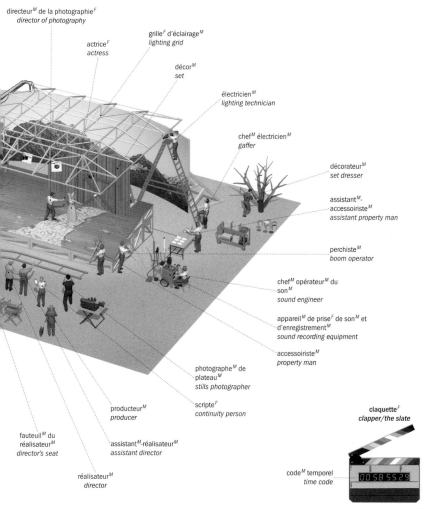

directeur^M de la photographie^F
director of photography

actrice^F
actress

grille^F d'éclairage^M
lighting grid

décor^M
set

électricien^M
lighting technician

chef^M électricien^M
gaffer

décorateur^M
set dresser

assistant^M-
accessoiriste^M
assistant property man

perchiste^M
boom operator

chef^M opérateur^M du
son^M
sound engineer

appareil^M de prise^F de son^M et
d'enregistrement^M
sound recording equipment

accessoiriste^M
property man

photographe^M de
plateau^M
stills photographer

scripte^F
continuity person

producteur^M
producer

fauteuil^M du
réalisateur^M
director's seat

assistant^M-réalisateur^M
assistant director

réalisateur^M
director

claquette^F
clapper/the slate

code^M temporel
time code

00 58 55 29

ARTS ET ARCHITECTURE

salle^F de spectacle^M

theater

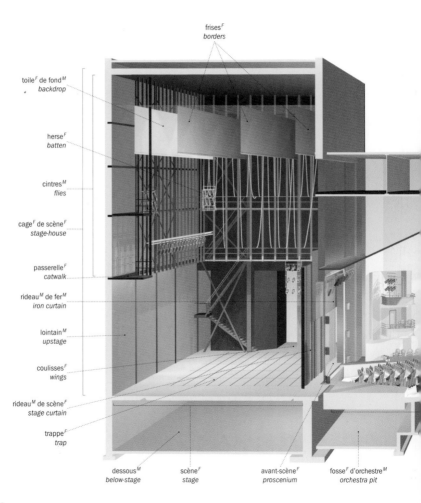

frises^F
borders

toile^F de fond^M
backdrop

herse^F
batten

cintres^M
flies

cage^F de scène^F
stage-house

passerelle^F
catwalk

rideau^M de fer^M
iron curtain

lointain^M
upstage

coulisses^F
wings

rideau^M de scène^F
stage curtain

trappe^F
trap

dessous^M
below-stage

scène^F
stage

avant-scène^F
proscenium

fosse^F d'orchestre^M
orchestra pit

salle^F de spectacle^M

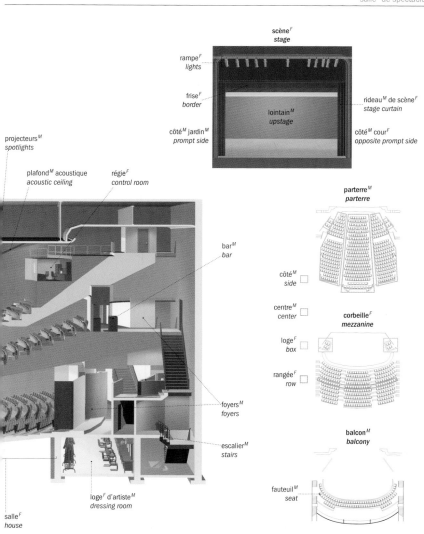

scène^F
stage

rampe^F
lights

frise^F
border

rideau^M de scène^F
stage curtain

lointain^M
upstage

côté^M jardin^M
prompt side

côté^M cour^F
opposite prompt side

projecteurs^M
spotlights

plafond^M acoustique
acoustic ceiling

régie^F
control room

bar^M
bar

parterre^M
parterre

côté^M
side

centre^M
center

corbeille^F
mezzanine

loge^F
box

rangée^F
row

foyers^M
foyers

escalier^M
stairs

balcon^M
balcony

loge^F d'artiste^M
dressing room

fauteuil^M
seat

salle^F
house

ARTS ET ARCHITECTURE

cinéma^M
movie theater

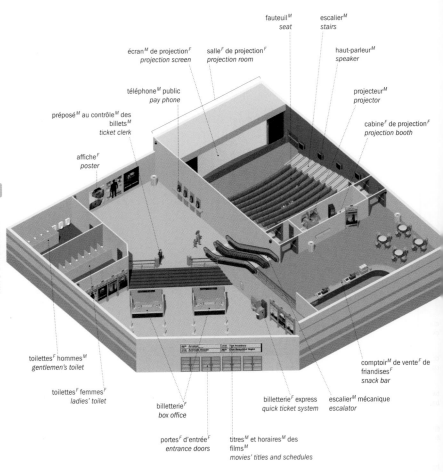

fauteuil^M
seat

escalier^M
stairs

écran^M de projection^F
projection screen

salle^F de projection^F
projection room

haut-parleur^M
speaker

téléphone^M public
pay phone

projecteur^M
projector

préposé^M au contrôle^M des
billets^M
ticket clerk

cabine^F de projection^F
projection booth

affiche^F
poster

toilettes^F hommes^M
gentlemen's toilet

toilettes^F femmes^F
ladies' toilet

billetterie^F
box office

portes^F d'entrée^F
entrance doors

titres^M et horaires^M des
films^M
movies' titles and schedules

billetterie^F express
quick ticket system

escalier^M mécanique
escalator

comptoir^M de vente^F de
friandises^F
snack bar

orchestre^M symphonique
symphony orchestra

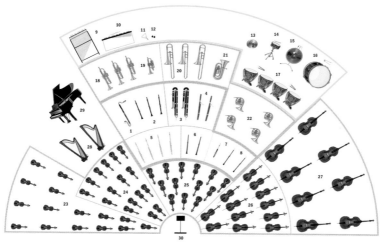

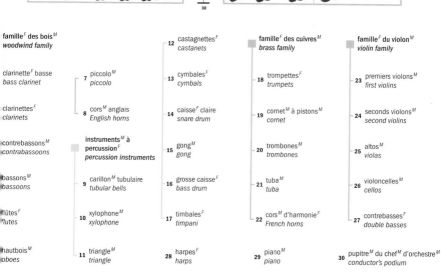

famille^F des bois^M
woodwind family

clarinette^F basse
bass clarinet

clarinettes^F
clarinets

contrebassons^M
contrabassoons

bassons^M
bassoons

flûtes^F
flutes

hautbois^M
oboes

7 piccolo^M
piccolo

8 cors^M anglais
English horns

instruments^M à percussion^F
percussion instruments

9 carillon^M tubulaire
tubular bells

10 xylophone^M
xylophone

11 triangle^M
triangle

12 castagnettes^F
castanets

13 cymbales^F
cymbals

14 caisse^F claire
snare drum

15 gong^M
gong

16 grosse caisse^F
bass drum

17 timbales^F
timpani

28 harpes^F
harps

famille^F des cuivres^M
brass family

18 trompettes^F
trumpets

19 cornet^M à pistons^M
cornet

20 trombones^M
trombones

21 tuba^M
tuba

22 cors^M d'harmonie^F
French horns

29 piano^M
piano

famille^F du violon^M
violin family

23 premiers violons^M
first violins

24 seconds violons^M
second violins

25 altos^M
violas

26 violoncelles^M
cellos

27 contrebasses^F
double basses

30 pupitre^M du chef^M d'orchestre^M
conductor's podium

instruments^M traditionnels

traditional musical instruments

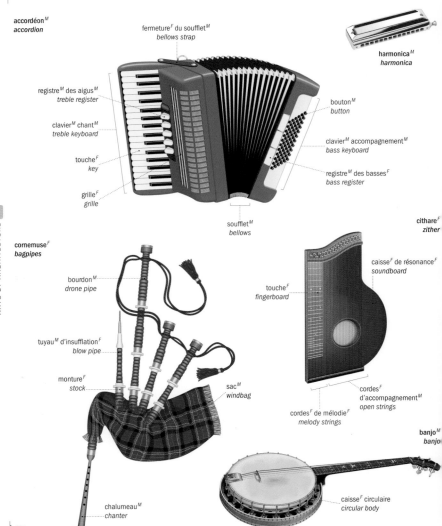

accordéon^M
accordion

fermeture^F du soufflet^M
bellows strap

harmonica^M
harmonica

registre^M des aigus^M
treble register

clavier^M chant^M
treble keyboard

touche^F
key

grille^F
grille

bouton^M
button

clavier^M accompagnement^M
bass keyboard

registre^M des basses^F
bass register

soufflet^M
bellows

cithare^F
zither

cornemuse^F
bagpipes

bourdon^M
drone pipe

caisse^F de résonance^F
soundboard

touche^F
fingerboard

tuyau^M d'insufflation^F
blow pipe

monture^F
stock

sac^M
windbag

cordes^F
d'accompagnement^M
open strings

cordes^F de mélodie^F
melody strings

banjo^M
banjo

chalumeau^M
chanter

caisse^F circulaire
circular body

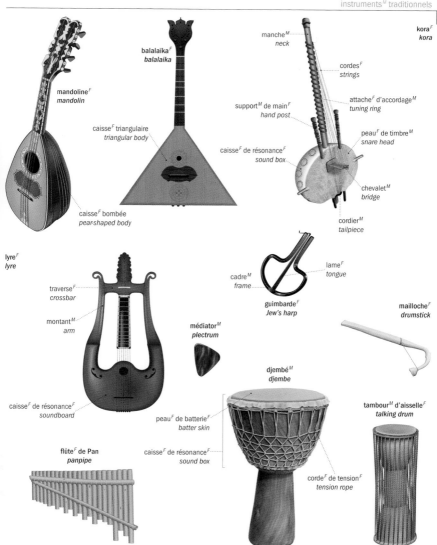

kora^F
kora

manche^M
neck

cordes^F
strings

attache^F d'accordage^M
tuning ring

support^M de main^F
hand post

peau^F de timbre^M
snare head

caisse^F de résonance^F
sound box

chevalet^M
bridge

cordier^M
tailpiece

balalaïka^F
balalaika

caisse^F triangulaire
triangular body

mandoline^F
mandolin

caisse^F bombée
pear-shaped body

lyre^F
lyre

traverse^F
crossbar

montant^M
arm

caisse^F de résonance^F
soundboard

cadre^M
frame

lame^F
tongue

guimbarde^F
Jew's harp

médiator^M
plectrum

mailloche^F
drumstick

djembé^M
djembe

peau^F de batterie^F
batter skin

caisse^F de résonance^F
sound box

corde^F de tension^F
tension rope

tambour^M d'aisselle^F
talking drum

flûte^F de Pan
panpipe

ARTS ET ARCHITECTURE

notation^F musicale
musical notation

portée^F
staff

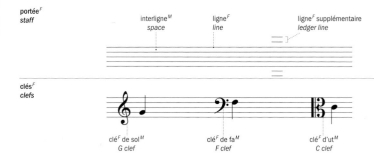

interligne^M
space

ligne^F
line

ligne^F supplémentaire
ledger line

clés^F
clefs

clé^F de sol^M
G clef

clé^F de fa^M
F clef

clé^F d'ut^M
C clef

mesures^F
time signatures

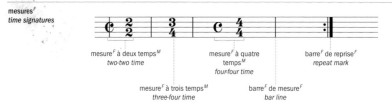

mesure^F à deux temps^M
two-two time

mesure^F à quatre temps^M
four-four time

barre^F de reprise^F
repeat mark

mesure^F à trois temps^M
three-four time

barre^F de mesure^F
bar line

intervalles^M
intervals

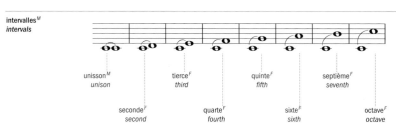

unisson^M
unison

tierce^F
third

quinte^F
fifth

septième^F
seventh

seconde^F
second

quarte^F
fourth

sixte^F
sixth

octave^F
octave

gamme^F
scale

do^M
C

ré^M
D

mi^M
E

fa^M
F

sol^M
G

la^M
A

si^M
B

do^M
C

notation^F musicale

valeur^F des silences^M
rest symbols

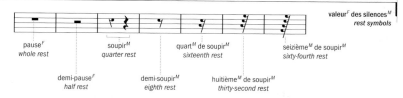

pause^F
whole rest

soupir^M
quarter rest

quart^M de soupir^M
sixteenth rest

seizième^M de soupir^M
sixty-fourth rest

demi-pause^F
half rest

demi-soupir^M
eighth rest

huitième^M de soupir^M
thirty-second rest

ornements^M
ornaments

appoggiature^F
appoggiatura

trille^M
trill

gruppetto^M
turn

mordant^M
mordent

valeur^F des notes^F
note symbols

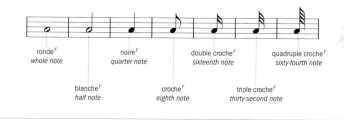

ronde^F
whole note

noire^F
quarter note

double croche^F
sixteenth note

quadruple croche^F
sixty-fourth note

blanche^F
half note

croche^F
eighth note

triple croche^F
thirty-second note

ARTS ET ARCHITECTURE

altérations^F
accidentals

bémol^M
flat

double dièse^M
double sharp

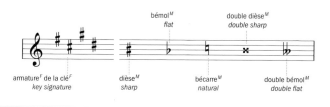

armature^F de la clé^F
key signature

dièse^M
sharp

bécarre^M
natural

double bémol^M
double flat

autres signes^M
other signs

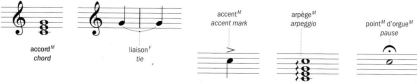

accent^M
accent mark

arpège^M
arpeggio

point^M d'orgue^M
pause

accord^M
chord

liaison^F
tie

exemples^M de groupes^M instrumentaux
examples of instrumental groups

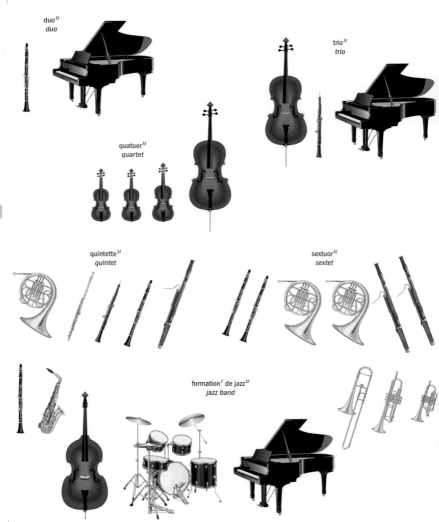

duo^M
duo

trio^M
trio

quatuor^M
quartet

quintette^M
quintet

sextuor^M
sextet

formation^F de jazz^M
jazz band

instruments^M à cordes^F
stringed instruments

archet^M
bow

tête^F
head

pointe^F
point

baguette^F
stick

mèche^F
hair

poignée^F
handle

talon^M
heel

hausse^F
frog

vis^F
screw

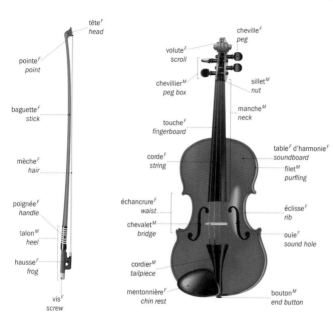

violon^M
violin

cheville^F
peg

volute^F
scroll

sillet^M
nut

chevillier^M
peg box

manche^M
neck

touche^F
fingerboard

corde^F
string

table^F d'harmonie^F
soundboard

filet^M
purfling

échancrure^F
waist

éclisse^F
rib

chevalet^M
bridge

ouïe^F
sound hole

cordier^M
tailpiece

mentonnière^F
chin rest

bouton^M
end button

famille^F du violon^M
violin family

contrebasse^F
double bass

violoncelle^M
cello

alto^M
viola

violon^M
violin

ARTS ET ARCHITECTURE

instruments^M à cordes^F

harpe^F
harp

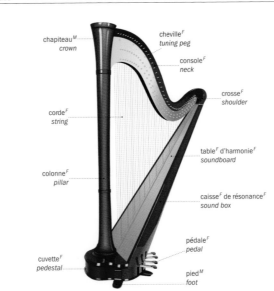

chapiteau^M
crown

cheville^F
tuning peg

console^F
neck

crosse^F
shoulder

corde^F
string

table^F d'harmonie^F
soundboard

colonne^F
pillar

caisse^F de résonance^F
sound box

pédale^F
pedal

cuvette^F
pedestal

pied^M
foot

guitare^F acoustique
acoustic guitar

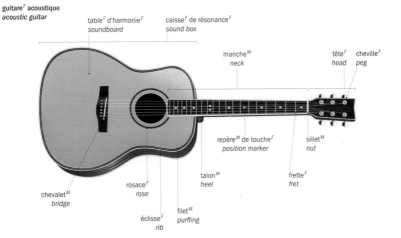

table^F d'harmonie^F
soundboard

caisse^F de résonance^F
sound box

manche^M
neck

tête^F
head

cheville^F
peg

repère^M de touche^F
position marker

sillet^M
nut

chevalet^M
bridge

rosace^F
rose

talon^M
heel

frette^F
fret

éclisse^F
rib

filet^M
purfling

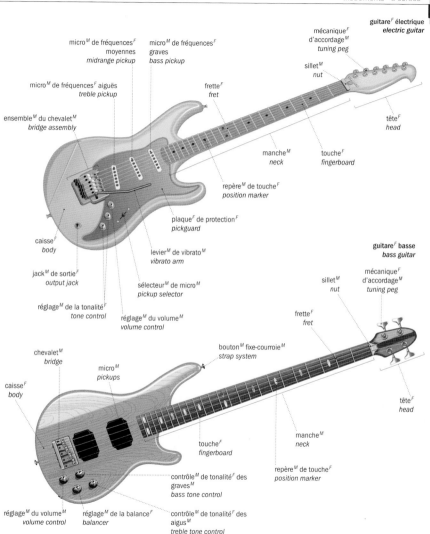

guitare^F électrique
electric guitar

micro^M de fréquences^F
moyennes
midrange pickup

micro^M de fréquences^F
graves
bass pickup

mécanique^F
d'accordage^M
tuning peg

sillet^M
nut

micro^M de fréquences^F aiguës
treble pickup

frette^F
fret

ensemble^M du chevalet^M
bridge assembly

tête^F
head

manche^M
neck

touche^F
fingerboard

repère^F de touche^F
position marker

caisse^F
body

plaque^F de protection^F
pickguard

jack^M de sortie^F
output jack

levier^M de vibrato^M
vibrato arm

guitare^F basse
bass guitar

sélecteur^M de micro^M
pickup selector

sillet^M
nut

mécanique^F
d'accordage^M
tuning peg

réglage^M de la tonalité^F
tone control

frette^F
fret

réglage^M du volume^M
volume control

bouton^M fixe-courroie^M
strap system

chevalet^M
bridge

micro^M
pickups

tête^F
head

caisse^F
body

touche^F
fingerboard

manche^M
neck

repère^F de touche^F
position marker

contrôle^M de tonalité^F des
graves^M
bass tone control

réglage^M du volume^M
volume control

réglage^M de la balance^F
balancer

contrôle^M de tonalité^F des
aigus^M
treble tone control

ARTS ET ARCHITECTURE

instruments^M à clavier^M
keyboard instruments

piano^M droit
upright piano

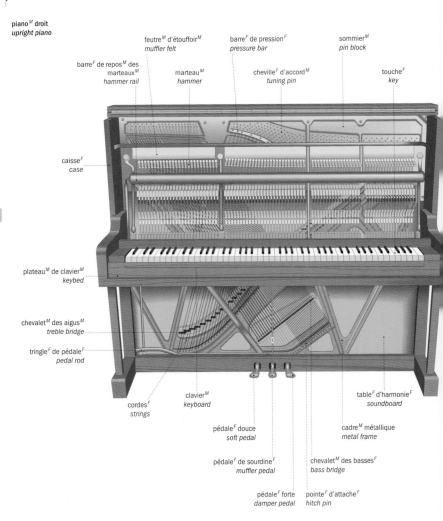

feutre^M d'étouffoir^M
muffler felt

barre^F de pression^F
pressure bar

sommier^M
pin block

barre^F de repos^M des marteaux^M
hammer rail

marteau^M
hammer

cheville^F d'accord^M
tuning pin

touche^F
key

caisse^F
case

plateau^M de clavier^M
keybed

chevalet^M des aigus^M
treble bridge

tringle^F de pédale^F
pedal rod

cordes^F
strings

clavier^M
keyboard

table^F d'harmonie^F
soundboard

pédale^F douce
soft pedal

cadre^M métallique
metal frame

pédale^F de sourdine^F
muffler pedal

chevalet^M des basses^F
bass bridge

pédale^F forte
damper pedal

pointe^F d'attache^F
hitch pin

ARTS ET ARCHITECTURE

orgue^M
organ

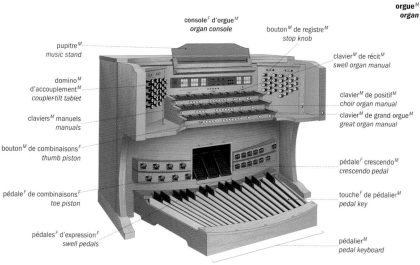

console^F d'orgue^M
organ console

bouton^M de registre^M
stop knob

pupitre^M
music stand

clavier^M de récit^M
swell organ manual

domino^M d'accouplement^M
coupler-tilt tablet

clavier^M de positif^M
choir organ manual

claviers^M manuels
manuals

clavier^M de grand orgue^M
great organ manual

bouton^M de combinaisons^F
thumb piston

pédale^F crescendo^M
crescendo pedal

pédale^F de combinaisons^F
toe piston

touche^F de pédalier^M
pedal key

pédales^F d'expression^F
swell pedals

pédalier^M
pedal keyboard

ARTS ET ARCHITECTURE

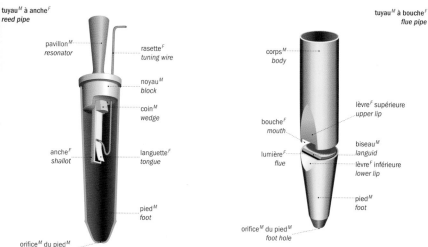

tuyau^M à anche^F
reed pipe

tuyau^M à bouche^F
flue pipe

pavillon^M
resonator

rasette^F
tuning wire

corps^M
body

noyau^M
block

coin^M
wedge

lèvre^F supérieure
upper lip

bouche^F
mouth

biseau^M
languid

anche^F
shallot

languette^F
tongue

lumière^F
flue

lèvre^F inférieure
lower lip

pied^M
foot

pied^M
foot

orifice^M du pied^M
foot hole

orifice^M du pied^M
foot hole

instruments^M à vent^M
wind instruments

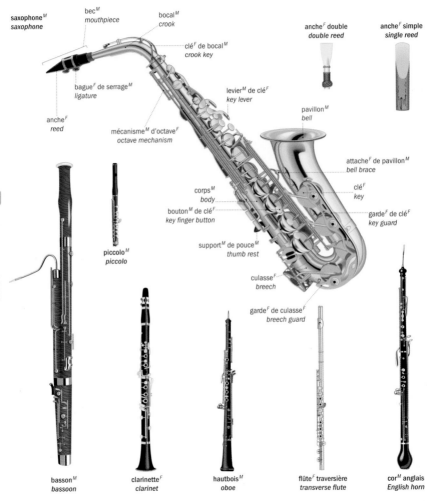

saxophone^M
saxophone

bec^M
mouthpiece

bocal^M
crook

clé^F de bocal^M
crook key

anche^F double
double reed

anche^F simple
single reed

bague^F de serrage^M
ligature

levier^M de clé^F
key lever

anche^F
reed

pavillon^M
bell

mécanisme^M d'octave^F
octave mechanism

attache^F de pavillon^M
bell brace

corps^M
body

clé^F
key

bouton^M de clé^F
key finger button

garde^F de clé^F
key guard

support^M de pouce^M
thumb rest

piccolo^M
piccolo

culasse^F
breech

garde^F de culasse^F
breech guard

basson^M
bassoon

clarinette^F
clarinet

hautbois^M
oboe

flûte^F traversière
transverse flute

cor^M anglais
English horn

trompette^F
trumpet

crochet^M de petit doigt^M
little finger hook

bouton^M de piston^M
finger button

pavillon^M
bell

branche^F d'embouchure^F
mouthpipe

bague^F
ring

boisseau^M d'embouchure^F
mouthpiece receiver

embouchure^F
mouthpiece

coulisse^F d'accord^M
tuning slide

coulisse^F du premier piston^M
first valve slide

soupape^F d'évacuation^F
water key

coulisse^F du troisième piston^M
third valve slide

crochet^M de pouce^M
thumb hook

piston^M
valve

sourdine^F
mute

corps^M de piston^M
valve casing

coulisse^F du deuxième piston^M
second valve slide

cor^M d'harmonie^F
French horn

cornet^M à pistons^M
cornet

saxhorn^M
saxhorn

clairon^M
bugle

tuba^M
tuba

trombone^M
trombone

ARTS ET ARCHITECTURE

instruments^M à percussion^F

percussion instruments

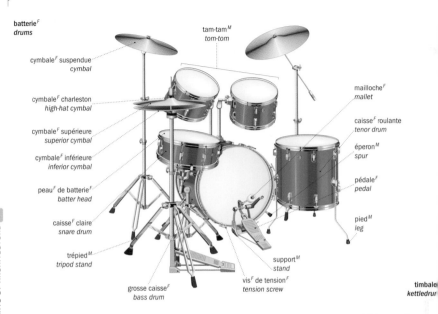

batterie^F
drums

tam-tam^M
tom-tom

cymbale^F suspendue
cymbal

cymbale^F charleston
high-hat cymbal

cymbale^F supérieure
superior cymbal

cymbale^F inférieure
inferior cymbal

peau^F de batterie^F
batter head

caisse^F claire
snare drum

trépied^M
tripod stand

grosse caisse^F
bass drum

support^M
stand

vis^F de tension^F
tension screw

mailloche^F
mallet

caisse^F roulante
tenor drum

éperon^M
spur

pédale^F
pedal

pied^M
leg

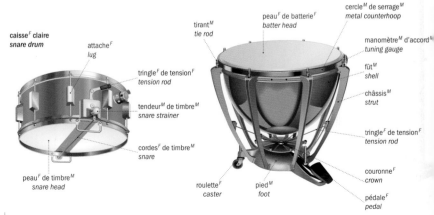

caisse^F **claire**
snare drum

attache^F
lug

tringle^F de tension^F
tension rod

tendeur^M de timbre^M
snare strainer

cordes^F de timbre^M
snare

peau^F de timbre^M
snare head

tirant^M
tie rod

peau^F de batterie^F
batter head

cercle^M de serrage^M
metal counterhoop

timbale^F
kettledrum

manomètre^M d'accord^M
tuning gauge

fût^M
shell

châssis^M
strut

tringle^F de tension^F
tension rod

couronne^F
crown

pédale^F
pedal

roulette^F
caster

pied^M
foot

ARTS ET ARCHITECTURE

instruments^M à percussion^F

grelots^M
sleigh bells

clochettes^F
set of bells

sistre^M
sistrum

castagnettes^F
castanets

cymbales^F
cymbals

tambour^M de basque^M
tambourine

triangle^M
triangle

bongo^M
bongos

peau^F
head

cymbalette^F
jingle

battant^M
metal rod

gong^M
gong

balai^M métallique
wire brush

baguettes^F
sticks

xylophone^M
xylophone

tube^M de résonance^F
resonator

châssis^M
frame

lame^F
bar

carillon^M tubulaire
tubular bells

mailloches^F
mallets

instruments^M électroniques

electronic instruments

séquenceur^M
sequencer

échantillonneur^M
sample

prise^F casque^M
headphone jack

affichage^M des
fonctions^F
function display

lecteur^M de disquette^F
disk drive

expandeur^M
expander

synthétiseur^M
synthesizer

contrôle^M du volume^M
volume control

modification^F fine des variables^F
fine data entry control

lecteur^M de disquette^F
disk drive

fonctions^F système^M
system buttons

affichage^M des
fonctions^F
function display

contrôle^M du
séquenceur^M
sequencer control

modification^F rapide des
variables^F
fast data entry control

sélecteur^M de
programme^M
program selector

clavier^M
keyboard

modulation^F du timbre^M du son^M
modulation wheel

programmation^F des voix^F
voice edit buttons

modulation^F de la hauteur^F du
son^M
pitch wheel

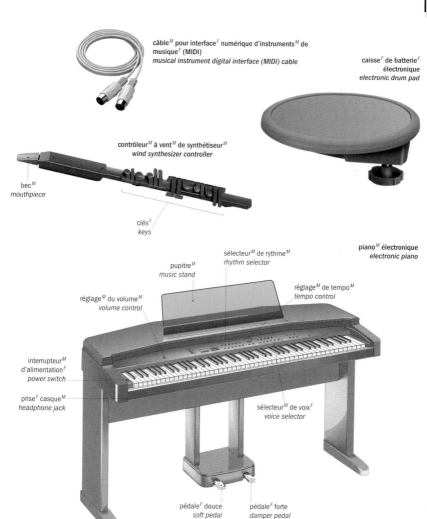

câble^M pour interface^F numérique d'instruments^M de musique^F (MIDI)
musical instrument digital interface (MIDI) cable

caisse^F de batterie^F électronique
electronic drum pad

contrôleur^M à vent^M de synthétiseur^M
wind synthesizer controller

bec^M
mouthpiece

clés^F
keys

sélecteur^M de rythme^M
rhythm selector

pupitre^M
music stand

réglage^M de tempo^M
tempo control

piano^M électronique
electronic piano

réglage^M du volume^M
volume control

interrupteur^M d'alimentation^F
power switch

prise^F casque^M
headphone jack

sélecteur^M de voix^F
voice selector

pédale^F douce
soft pedal

pédale^F forte
damper pedal

ARTS ET ARCHITECTURE

311

instruments^M d'écriture^F

writing instruments

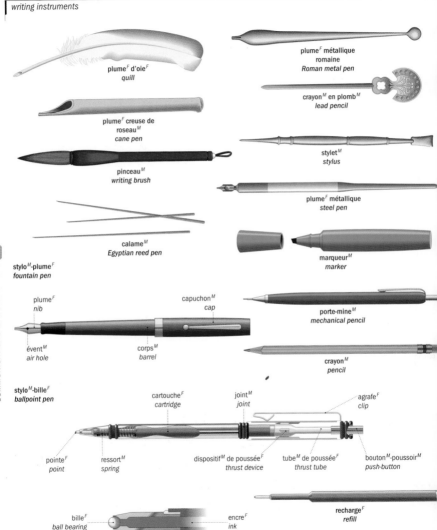

plume^F d'oie^F
quill

plume^F métallique romaine
Roman metal pen

crayon^M en plomb^M
lead pencil

plume^F creuse de roseau^M
cane pen

stylet^M
stylus

pinceau^M
writing brush

plume^F métallique
steel pen

calame^M
Egyptian reed pen

marqueur^M
marker

stylo^M-plume^F
fountain pen

plume^F
nib

capuchon^M
cap

porte-mine^M
mechanical pencil

évent^M
air hole

corps^M
barrel

crayon^M
pencil

stylo^M-bille^F
ballpoint pen

cartouche^F
cartridge

joint^M
joint

agrafe^F
clip

pointe^F
point

ressort^M
spring

dispositif^M de poussée^F
thrust device

tube^M de poussée^F
thrust tube

bouton^M-poussoir^M
push-button

bille^F
ball bearing

encre^F
ink

recharge^F
refill

journal^M
newspaper

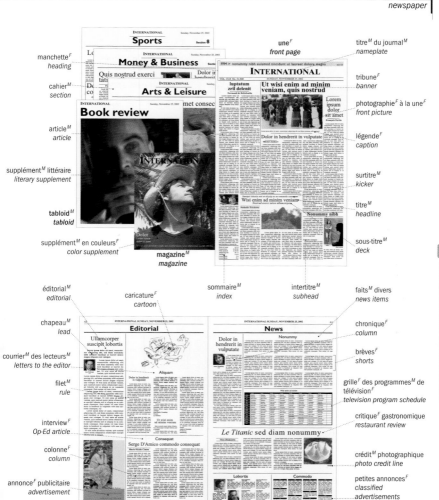

manchette^F
heading

cahier^M
section

article^M
article

supplément^M littéraire
literary supplement

tabloïd^M
tabloid

supplément^M en couleurs^F
color supplement

magazine^M
magazine

une^F
front page

titre^M du journal^M
nameplate

tribune^F
banner

photographie^F à la une^F
front picture

légende^F
caption

surtitre^M
kicker

titre^M
headline

sous-titre^M
deck

éditorial^M
editorial

caricature^F
cartoon

sommaire^M
index

intertitre^M
subhead

faits^M divers
news items

chapeau^M
lead

courrier^M des lecteurs^M
letters to the editor

filet^M
rule

interview^F
Op-Ed article

colonne^F
column

annonce^F publicitaire
advertisement

ours^M
masthead

chronique^F
column

brèves^F
shorts

grille^F des programmes^M de télévision^F
television program schedule

critique^F gastronomique
restaurant review

crédit^M photographique
photo credit line

petites annonces^F
classified advertisements

nécrologie^F
obituaries

photographie^F

photography

appareil^M à visée^F reflex mono-objectif^M :
vue avant
single-lens reflex (SLR) camera: front view

correction^F d'exposition^F
exposure adjustment knob

écran^M de contrôle^M
control panel

sélecteur^M de fonctions^F
command control dial

commutateur^M marche^F/arrêt^M
on-off switch

déclencheur^M
shutter release button

témoin^M du retardateur^M
self-timer indicator

boîtier^M
camera body

déverrouillage^M de l'objectif^M
lens release button

griffe^F porte-accessoires^M
accessory shoe

contact^M électrique
hot-shoe contact

mode^M d'acquisition^F
drive mode

mode^M d'exposition^F
exposure mode

surimpression^F
multiple exposure mode

sensibilité^F
sensitivity

prise^F de télécommande^F
remote control terminal

mode^M de mise^F au point^M
focus mode selector

objectif^M
objective lens

vérification^F de la profondeur^F de champ^M
depth-of-field preview button

objectifs^M
lenses

téléobjectif^M
telephoto lens

objectif^M zoom^M
zoom lens

objectif^M grand-angulaire
wide-angle lens

objectif^M macro
macro lens

accessoires^M de l'objectif^F
lens accessories

capuchon^M d'objectif^M
lens cap

parasoleil^M
lens hood

filtre^M de polarisation^F
polarizing filter

314

photographie^F

appareil^M à visée^F reflex numérique : dos^M
digital reflex camera: camera back

commutateur^M d'alimentation^F
power switch

touche^F de sélection^F des menus^M
menu button

écran^M à cristaux^M liquides
liquid crystal display

viseur^M
viewfinder

touche^F d'affichage^M des réglages^M
settings display button

carte^F de mémoire^F
compact memory card

couvercle^M
cover

œillet^M d'attache^F
strap eyelet

touche^F de saut^M d'images^F
multi-image jump button

prises^F vidéo et numérique
video and digital terminals

che^F de visualisation^F des images^F
image review button

prise^F de télécommande^F
remote control terminal

touche^F d'index^M/agrandissement^M
index/enlarge button

touche^F d'effacement^M
erase button

sélecteur^M
quadridirectionnel
four-way selector

bouton^M d'éjection^F
eject button

appareils^M photographiques
still cameras

Polaroid®^M
Polaroid® camera

appareil^M reflex 6 X 6 mono-objectif^M
medium format SLR (6 x 6)

appareil^M ultracompact
ultracompact camera

appareil^M compact
compact camera

appareil^M jetable
disposable camera

chambre^F photographique
view camera

télédiffusion^F par satellite^M

broadcast satellite communication

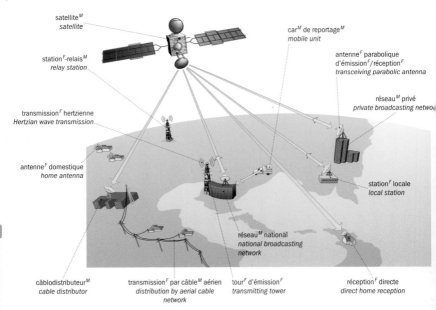

satellite^M
satellite

station^F-relais^M
relay station

car^M de reportage^M
mobile unit

antenne^F parabolique
d'émission^F/réception^F
transceiving parabolic antenna

réseau^M privé
private broadcasting network

transmission^F hertzienne
Hertzian wave transmission

antenne^F domestique
home antenna

station^F locale
local station

réseau^M national
national broadcasting network

câblodistributeur^M
cable distributor

transmission^F par câble^M aérien
distribution by aerial cable network

tour^F d'émission^F
transmitting tower

réception^F directe
direct home reception

satellites^M de télécommunications^F

telecommunication satellites

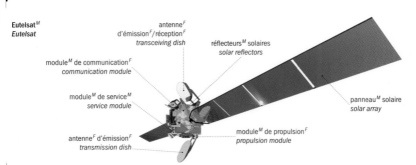

Eutelsat^M
Eutelsat

antenne^F
d'émission^F/réception^F
transceiving dish

réflecteurs^M solaires
solar reflectors

module^M de communication^F
communication module

module^M de service^M
service module

antenne^F d'émission^F
transmission dish

module^M de propulsion^F
propulsion module

panneau^M solaire
solar array

télécommunications^F par satellite^M
telecommunications by satellite

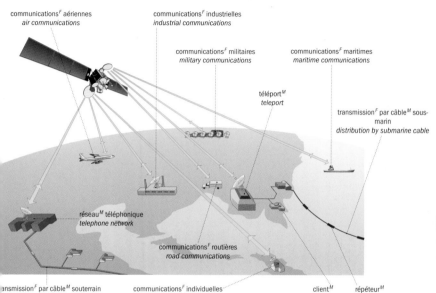

communications^F aériennes
air communications

communications^F industrielles
industrial communications

communications^F militaires
military communications

communications^F maritimes
maritime communications

téléport^M
teleport

transmission^F par câble^M sous-marin
distribution by submarine cable

réseau^M téléphonique
telephone network

communications^F routières
road communications

ansmission^F par câble^M souterrain
istribution by underground cable network

communications^F individuelles
personal communications

client^M
consumer

répéteur^M
repeater

satellites^M de télécommunications^F

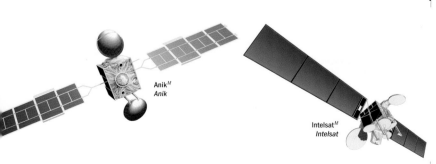

Anik^M
Anik

Intelsat^M
Intelsat

télévision^F
television

téléviseur^M à cristaux^M liquides
liquid crystal display (LCD)
television

téléviseur^M à plasma^M
plasma television

téléviseur^M à écran^M cathodique
cathode ray tube (CRT)
television

coffret^M
cabinet

écran^M
screen

interrupteur^M
d'alimentation^F
power button

boutons^M de réglage^M
tuning controls

capteur^M de télécommande^F
remote control sensor

tube^M-image^F
picture tube

cône^M
funnel

masque^M de sélection^F des
couleurs^F
color selection filter

canon^M à électrons^M
electron gun

culot^M
base

col^M
neck

faisceau^M d'électrons^M
electron beam

vitre^F protectrice
protective window

écran^M
screen

canon^M à électrons
electron gun

faisceau^M rouge
red beam

grille^F
grid

faisceau^M vert
green beam

champ^M magnétique
magnetic field

faisceau^M bleu
blue beam

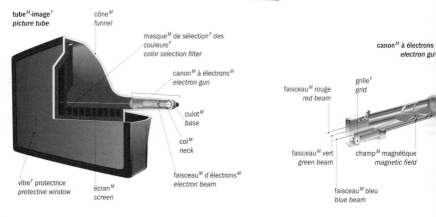

télévision^F

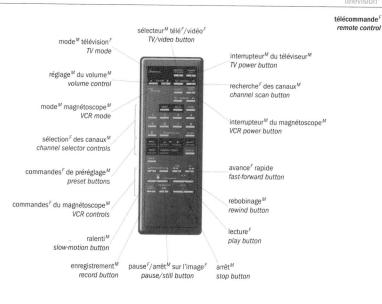

télécommande^F
remote control

sélecteur^M télé^F/vidéo^F
TV/video button

mode^M télévision^F
TV mode

interrupteur^M du téléviseur^M
TV power button

réglage^M du volume^M
volume control

recherche^F des canaux^M
channel scan button

mode^M magnétoscope^M
VCR mode

interrupteur^M du magnétoscope^M
VCR power button

sélection^F des canaux^M
channel selector controls

commandes^F de préréglage^M
preset buttons

avance^F rapide
fast-forward button

commandes^F du magnétoscope^M
VCR controls

rebobinage^M
rewind button

lecture^F
play button

ralenti^M
slow-motion button

enregistrement^M
record button

pause^F/arrêt^M sur l'image^F
pause/still button

arrêt^M
stop button

interrupteur^M d'alimentation^F
power button

sélection^F des canaux^M
channel select

afficheur^M
display

touche^F d'enregistrement^M
record button

enregistreur^M de DVD^M vidéo
DVD recorder

touche^F de lecture^F
play button

touche^F d'arrêt^M
stop button

plateau^M de chargement^M
disc tray

contrôle^M du plateau^M
disc compartment control

pause^F/arrêt^M sur l'image^F
pause/still button

changement^M de piste^F/lecture^F rapide
track search/fast operation buttons

cassette^F vidéo
videocassette

supports^M d'enregistrement^M
recording media

bande^F magnétique
recording tape

bobine^F
reel

disque^M numérique polyvalent (DVD)
digital versatile disc (DVD)

COMMUNICATIONS ET BUREAUTIQUE

caméscope^M mini-DV : vue^F avant
mini-DV camcorder: front view

commande^F du zoom^M
zoom button

mode^M d'enregistrement^M
recording mode

viseur^M électronique
electronic viewfinder

touche^F photo^F
photoshot button

objectif^M zoom^M
zoom lens

commutateur^M alimentation^F/fonctions^F
power/functions switch

couvre-prises^M
terminal cover

lampe^F
lamp

dragonne^F
hand strap

microphone^M
microphone

caméscope^M mini-DV : vue^F arrière
mini-DV camcorder: rear view

touche^F de mise^F au point^M
focus button

commandes^F de la bande^F vidéo
videotape operation controls

touche^F de prise^F de vues^F nocturne
nightshot button

écran^M à cristaux^M liquides
liquid crystal display

oculaire^M
eyepiece

touche^F d'enregistrement^M
recording start/stop button

pile^F rechargeable
rechargeable battery pack

logement^M de la carte^F mémoire^F
card slot

touche^F de menu^M
menu button

haut-parleur^M
speaker

touche^F de rétroéclairage^M
backlighting button

touche^F écran^M large/code^M de données^F
widescreen/data code button

télévision^F

antenne^F parabolique
dish antenna

terminal^M numérique
receiver

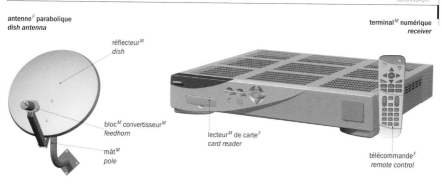

réflecteur^M
dish

bloc^M convertisseur^M
feedhorn

mât^M
pole

lecteur^M de carte^F
card reader

télécommande^F
remote control

cinéma^M maison^F
home theater

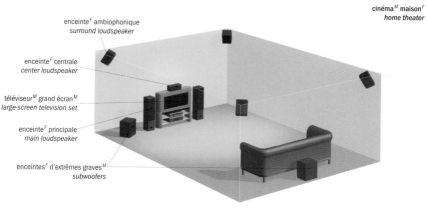

enceinte^F ambiophonique
surround loudspeaker

enceinte^F centrale
center loudspeaker

téléviseur^M grand écran^M
large-screen television set

enceinte^F principale
main loudspeaker

enceintes^F d'extrêmes graves^M
subwoofers

magnétoscope^M
videocassette recorder
(VCR)

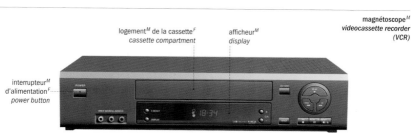

logement^M de la cassette^F
cassette compartment

afficheur^M
display

interrupteur^M
d'alimentation^F
power button

chaîne^F stéréo

sound reproducing system

ampli^M-syntoniseur^M : vue^F avant
ampli-tuner: front view

voyants^M d'indication^F du mode^M
sélecteur^M de mode^M sonore   sonore   voyants^M d'entrée^F   touche^F de sélection^F du
sound mode selector   sound mode lights   input lights   magnétophone^M
                                                              tape recorder select button

interrupteur^M d'alimentation^F   contrôle^M du champ^M sonore   touche^F de sélection^F d'entrée^F
power button   sound field control   input select button

touches^F de sélection^F des enceintes^F
loudspeaker system select buttons

prise^F casque^M
headphone jack

touches^F de sélection^F des stations^F   afficheur^M   réglage^M du volume^M
tuning buttons   display   volume control

touche^F de présélection^F   touche^F mémoire^F   sélecteur^M d'entrée^F   équilibrage^M des haut-parleurs^M
preset tuning button   memory button   input selector   balance control

touche^F de modulation^F   contrôle^M de tonalité^F des   contrôle^M de tonalité^F des aigus^M
band select button   touche^F de sélection^F du mode^M FM   graves^M   treble tone control
                       FM mode select button   bass tone control

ampli^M-syntoniseur^M : vue^F arrière
ampli-tuner: back view

cordon^M d'alimentation^F
power cord

borne^F de mise^F à la terre^F   ventilateur^M
ground terminal   cooling fan

bornes^F de raccordement^M des
antennes^F
antenna terminals

prises^F d'entrée^F/de sortie^F audio/vidéo   bornes^F de raccordement^M des enceintes^F   prise^F de courant^M commutée
input/output audio/video jacks   loudspeaker terminals   switched outlet

platine^F cassette^F
cassette tape deck

bouton^M de remise^F à zéro^M
counter reset button

lecture^F
play button

avance^F rapide
fast-forward button

bouton^M d'éjection^F
eject button

compteur^M
tape counter

sélecteur de bandes^F
tape selector

indicateur^M de niveau^M
peak level meter

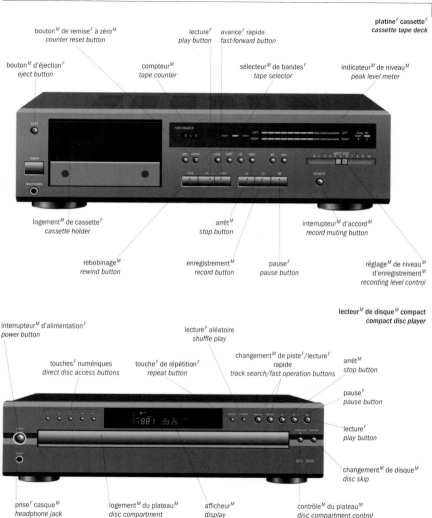

logement^M de cassette^F
cassette holder

arrêt^M
stop button

interrupteur^M d'accord^M
record muting button

rebobinage^M
rewind button

enregistrement^M
record button

pause^F
pause button

réglage^M de niveau^M
d'enregistrement^M
recording level control

lecteur^M de disque^M compact
compact disc player

interrupteur^M d'alimentation^F
power button

lecture^F aléatoire
shuffle play

touches^F numériques
direct disc access buttons

touche^F de répétition^F
repeat button

changement^M de piste^F/lecture^F
rapide
track search/fast operation buttons

arrêt^M
stop button

pause^F
pause button

lecture^F
play button

changement^M de disque^M
disc skip

prise^F casque^M
headphone jack

logement^M du plateau^M
disc compartment

afficheur^M
display

contrôle^M du plateau^M
disc compartment control

chaîne^F stéréo

casque^M d'écoute^F
headphones

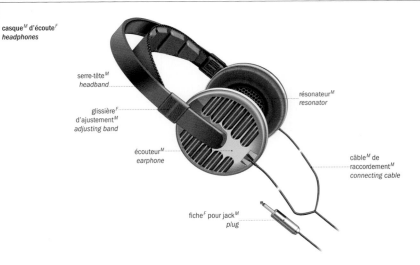

serre-tête^M
headband

glissière^F
d'ajustement^M
adjusting band

écouteur^M
earphone

résonateur^M
resonator

câble^M de
raccordement^M
connecting cable

fiche^F pour jack^M
plug

enceinte^F acoustique
loudspeakers

COMMUNICATIONS ET BUREAUTIQUE

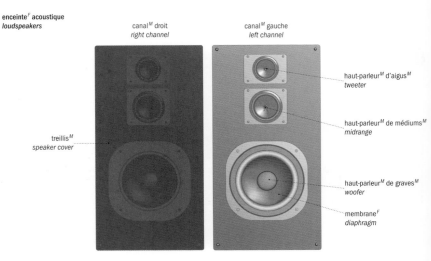

canal^M droit
right channel

canal^M gauche
left channel

haut-parleur^M d'aigus^M
tweeter

haut-parleur^M de médiums^M
midrange

treillis^M
speaker cover

haut-parleur^M de graves^M
woofer

membrane^F
diaphragm

minichaîne*F* stéréo
mini stereo sound system

lecteur*M* de disque*M* compact
compact disc player

ampli*M*-syntoniseur
ampli-tuner

enceinte*F* acoustique
loudspeaker

graveur*M* de disque*M* compact
compact disc recorder

double platine*F* cassette*F*
dual cassette deck

appareils*M* de son*M* portatifs
portable sound systems

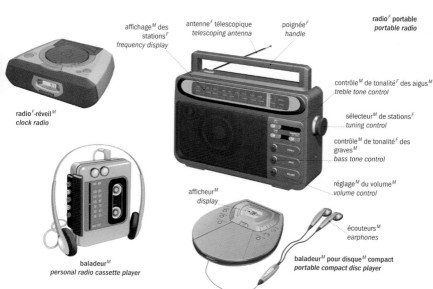

affichage*M* des stations*F*
frequency display

antenne*F* télescopique
telescoping antenna

poignée*F*
handle

radio*F* portable
portable radio

radio*F*-réveil*M*
clock radio

contrôle*M* de tonalité*F* des aigus*M*
treble tone control

sélecteur*M* de stations*F*
tuning control

contrôle*M* de tonalité*F* des graves*M*
bass tone control

réglage*M* du volume*M*
volume control

afficheur*M*
display

écouteurs*M*
earphones

baladeur*M*
personal radio cassette player

baladeur*M* pour disque*M* compact
portable compact disc player

appareils^M de son^M portatifs

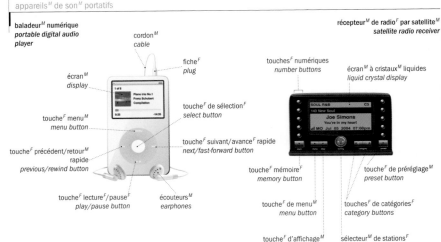

baladeur^M numérique
portable digital audio player

cordon^M
cable

fiche^F
plug

écran^M
display

touche^F menu^M
menu button

touche^F précédent/retour^M rapide
previous/rewind button

touche^F de sélection^F
select button

touche^F suivant/avance^F rapide
next/fast-forward button

touche^F lecture^F/pause^F
play/pause button

écouteurs^M
earphones

récepteur^M de radio^F par satellite^M
satellite radio receiver

touches^F numériques
number buttons

écran^M à cristaux^M liquides
liquid crystal display

touche^F mémoire^F
memory button

touche^F de préréglage^M
preset button

touche^F de menu^M
menu button

touches^F de catégories^F
category buttons

touche^F d'affichage^M
display button

sélecteur^M de stations^F
tuning control

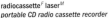

radiocassette^F laser^M
portable CD radio cassette recorder

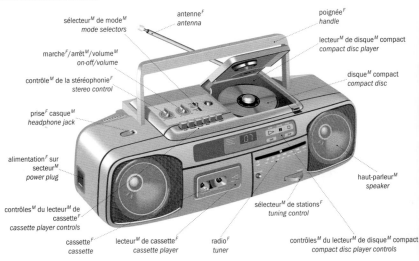

sélecteur^M de mode^M
mode selectors

antenne^F
antenna

poignée^F
handle

marche^F/arrêt^M/volume^M
on-off/volume

lecteur^M de disque^M compact
compact disc player

contrôle^M de la stéréophonie^F
stereo control

disque^M compact
compact disc

prise^F casque^M
headphone jack

alimentation^F sur secteur^M
power plug

haut-parleur^M
speaker

contrôles^M du lecteur^M de cassette^F
cassette player controls

sélecteur^M de stations^F
tuning control

cassette^F
cassette

lecteur^M de cassette^F
cassette player

radio^F
tuner

contrôles^M du lecteur^M de disque^M compact
compact disc player controls

communication^F par téléphone^M
communication by telephone

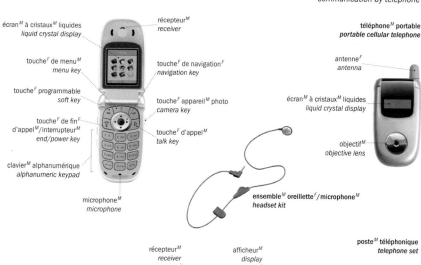

écran^M à cristaux^M liquides
liquid crystal display

récepteur^M
receiver

touche^F de menu^M
menu key

touche^F de navigation^F
navigation key

touche^F programmable
soft key

touche^F appareil^M photo
camera key

touche^F de fin^F
d'appel^M/interrupteur^M
end/power key

touche^F d'appel^M
talk key

clavier^M alphanumérique
alphanumeric keypad

microphone^M
microphone

téléphone^M portable
portable cellular telephone

antenne^F
antenna

écran^M à cristaux^M liquides
liquid crystal display

objectif^M
objective lens

ensemble^M oreillette^F/microphone^M
headset kit

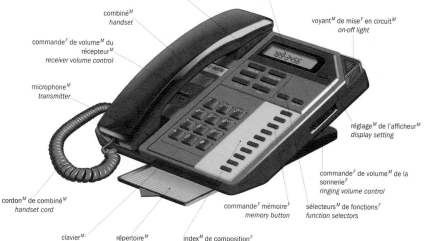

poste^M téléphonique
telephone set

récepteur^M
receiver

afficheur^M
display

voyant^M de mise^F en circuit^M
on-off light

combiné^M
handset

commande^F de volume^M du
récepteur^M
receiver volume control

microphone^M
transmitter

réglage^M de l'afficheur^M
display setting

commande^F de volume^M de la
sonnerie^F
ringing volume control

sélecteurs^M de fonctions^F
function selectors

cordon^M de combiné^M
handset cord

clavier^M
push buttons

répertoire^M
téléphonique
telephone index

index^M de composition^F
automatique
automatic dialer index

commande^F mémoire^F
memory button

COMMUNICATIONS ET BUREAUTIQUE

communication^F par téléphone^M

répondeur^M numérique
digital answering machine

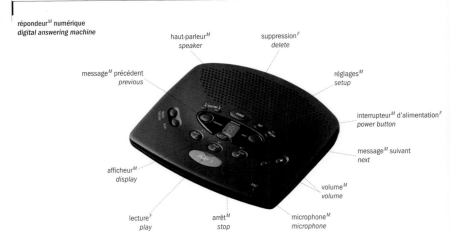

haut-parleur^M
speaker

suppression^F
delete

message^M précédent
previous

réglages^M
setup

interrupteur^M d'alimentation^F
power button

message^M suivant
next

afficheur^M
display

volume^M
volume

lecture^F
play

arrêt^M
stop

microphone^M
microphone

télécopieur^M
facsimile (fax) machine

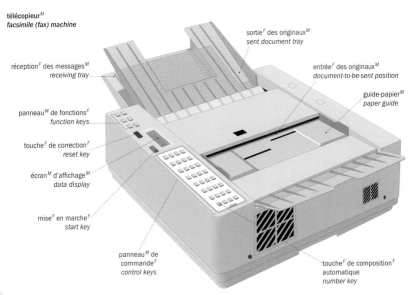

sortie^F des originaux^M
sent document tray

réception^F des messages^M
receiving tray

entrée^F des originaux^M
document-to-be-sent position

guide-papier^M
paper guide

panneau^M de fonctions^F
function keys

touche^F de correction^F
reset key

écran^M d'affichage^M
data display

mise^F en marche^F
start key

panneau^M de
commande^F
control keys

touche^F de composition^F
automatique
number key

COMMUNICATIONS ET BUREAUTIQUE

micro-ordinateur^M
personal computer

écran^M
video monitor

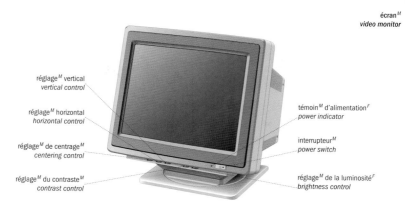

réglage^M vertical
vertical control

réglage^M horizontal
horizontal control

réglage^M de centrage^M
centering control

réglage^M du contraste^M
contrast control

témoin^M d'alimentation^F
power indicator

interrupteur^M
power switch

réglage^M de la luminosité^F
brightness control

boîtier^M tour^F : vue^F arrière
tower case: back view

boîtier^M tour^F : vue^F avant
tower case: front view

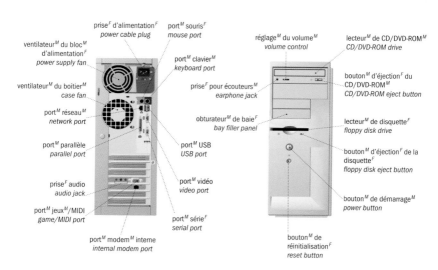

prise^F d'alimentation^F
power cable plug

ventilateur^M du bloc^M
d'alimentation^F
power supply fan

ventilateur^M du boîtier^M
case fan

port^M réseau^M
network port

port^M parallèle
parallel port

prise^F audio
audio jack

port^M jeux^M/MIDI
game/MIDI port

port^M modem^M interne
internal modem port

port^M souris^F
mouse port

port^M clavier^M
keyboard port

prise^F pour écouteurs^M
earphone jack

obturateur^M de baie^F
bay filler panel

port^M USB
USB port

port^M vidéo
video port

port^M série^F
serial port

réglage^M du volume^M
volume control

lecteur^M de CD/DVD-ROM^M
CD/DVD-ROM drive

bouton^M d'éjection^F du
CD/DVD-ROM^M
CD/DVD-ROM eject button

lecteur^M de disquette^F
floppy disk drive

bouton^M d'éjection^F de la
disquette^F
floppy disk eject button

bouton^M de démarrage^M
power button

bouton^M de
réinitialisation^F
reset button

COMMUNICATIONS ET BUREAUTIQUE

329

périphériques^M d'entrée^F

input devices

clavier^M et pictogrammes^M
keyboard and pictograms

touches^F de fonction^F
function keys

touches^F Internet^M
Internet keys

touche^F de courriel^M
e-mail key

touche^F d'échappement^M
escape key

touche^F de tabulation^F
tabulation key

touche^F de verrouillage^M des majuscules^F
capitals lock key

touche^F majuscule
shift key

touche^F de contrôle^M
control key

touche^F de démarrage^M
start key

touche^F alternative
alternate key

repose-poignets^M détachable
detachable palm rest

barre^F d'espacement^M
space bar

pavé^M alphanumérique
alphanumeric keypad

échappement^M
escape

tabulation^F à gauche
tabulation left

tabulation^F à droite
tabulation right

verrouillage^M des majuscules^F
capitals lock

alternative : sélection^F du niveau^M 3
alternate: level 3 select

majuscule^F : sélection^F du niveau^M 2
shift: level 2 select

contrôle^M : sélection^F de groupe^M
control: group select

contrôle^M
control

alternative
alternate

espace^F
space

espace^F insécable
nonbreaking space

COMMUNICATIONS ET BUREAUTIQUE

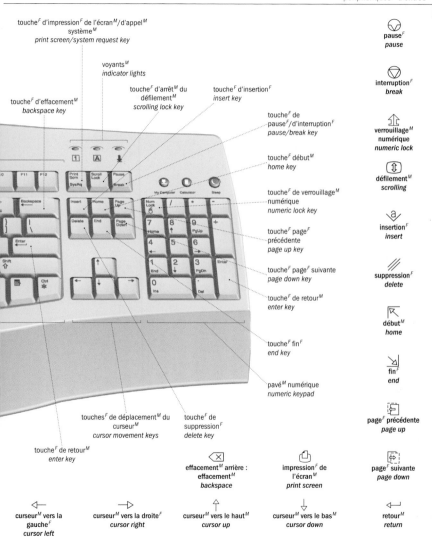

touche^F d'impression^F de l'écran^M/d'appel^M
système^M
print screen/system request key

voyants^M
indicator lights

touche^F d'arrêt^M du
défilement^M
scrolling lock key

touche^F d'insertion^F
insert key

touche^F d'effacement^M
backspace key

touche^F de
pause^F/d'interruption^F
pause/break key

touche^F début^M
home key

touche^F de verrouillage^M
numérique
numeric lock key

touche^F page^F
précédente
page up key

touche^F page^F suivante
page down key

touche^F de retour^M
enter key

touche^F fin^F
end key

pavé^M numérique
numeric keypad

touches^F de déplacement^M du
curseur^M
cursor movement keys

touche^F de
suppression^F
delete key

touche^F de retour^M
enter key

pause^F
pause

interruption^F
break

verrouillage^M
numérique
numeric lock

défilement^M
scrolling

insertion^F
insert

suppression^F
delete

début^M
home

fin^F
end

page^F précédente
page up

page^F suivante
page down

effacement^M arrière :
effacement^M
backspace

impression^F de
l'écran^M
print screen

curseur^M vers la
gauche^F
cursor left

curseur^M vers la droite^F
cursor right

curseur^M vers le haut^M
cursor up

curseur^M vers le bas^M
cursor down

retour^M
return

périphériques^M d'entrée^F

souris^F à roulette^F
wheel mouse

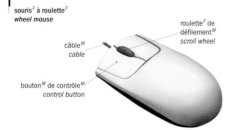

câble^M
cable

roulette^F de
défilement^M
scroll wheel

bouton^M de contrôle^M
control button

souris^F sans fil^M
cordless mouse

souris^F mécanique
mechanical mouse

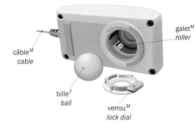

câble^M
cable

galet^M
roller

bille^F
ball

verrou^M
lock dial

souris^F optique
optical mouse

capteur^M optique
optical sensor

tapis^M de souris^F
mouse pad

manche^M à balai^M
joystick

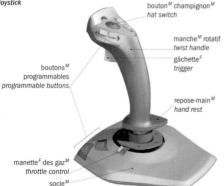

bouton^M champignon^M
hat switch

manche^M rotatif
twist handle

gâchette^F
trigger

boutons^M
programmables
programmable buttons

repose-main^M
hand rest

manette^F des gaz^M
throttle control

socle^M
base

webcaméra^F
Webcam

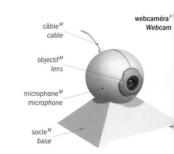

câble^M
cable

objectif^M
lens

microphone^M
microphone

socle^M
base

périphériques^M de sortie^F
output devices

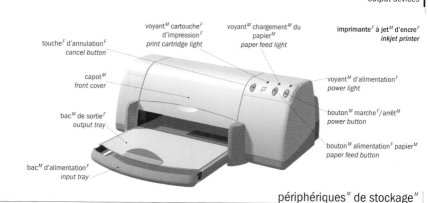

voyant^M cartouche^F d'impression^F
print cartridge light

voyant^M chargement^M du papier^M
paper feed light

imprimante^F à jet^M d'encre^F
inkjet printer

touche^F d'annulation^F
cancel button

capot^M
front cover

bac^M de sortie^F
output tray

bac^M d'alimentation^F
input tray

voyant^M d'alimentation^F
power light

bouton^M marche^F/arrêt^M
power button

bouton^M alimentation^F papier^M
paper feed button

périphériques^M de stockage^M
data storage devices

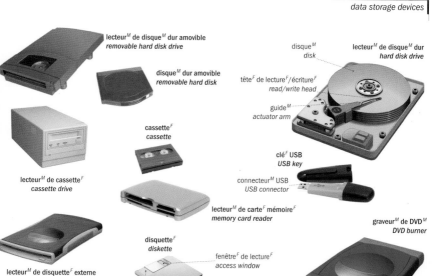

lecteur^M de disque^M dur amovible
removable hard disk drive

disque^M dur amovible
removable hard disk

cassette^F
cassette

lecteur^M de cassette^F
cassette drive

lecteur^M de carte^F mémoire^F
memory card reader

lecteur^M de disquette^F externe
external floppy disk drive

disquette^F
diskette

fenêtre^F de lecture^F
access window

volet^M
shutter

taquet^M de verrouillage^M
protect tab

disque^M
disk

lecteur^M de disque^M dur
hard disk drive

tête^F de lecture^F/écriture^F
read/write head

guide^M
actuator arm

clé^F USB
USB key

connecteur^M USB
USB connector

graveur^M de DVD^M
DVD burner

COMMUNICATIONS ET BUREAUTIQUE

Internet[M]
Internet

adresse[F] URL[F] (localisateur[M] universel de
ressources[F])
uniform resource locator (URL)

protocole[M] de communication[F]
communication protocol

nom[M] de domaine[M]
domain name

format[M] du fichier[M]
file format

http://www.un.org/aboutun/index.html

double barre[F] oblique
double virgule

domaine[M] de second
niveau[M]
second-level domain

répertoire[M]
directory

fichier[M]
file

serveur[M]
server

domaine[M] de premier niveau[M]
top-level domain

navigateur[M]
browser

station[F]-relais[M] à micro-ondes[F]
microwave relay station

adresse[F] URL[F]
uniform resource locator (URL)

ligne[F] sous-marine
submarine line

hyperliens[M]
hyperlinks

ligne[F] téléphonique
telephone line

logiciel[M] de courrier[M] électronique
e-mail software

internaute[F]
Internet user

navigateur[M]
browser

modem[M]
modem

ordinateur[M] de bureau[M]
desktop computer

routeur[M]
router

ligne[F] dédiée
dedicated line

utilisations^F d'Internet^M
Internet uses

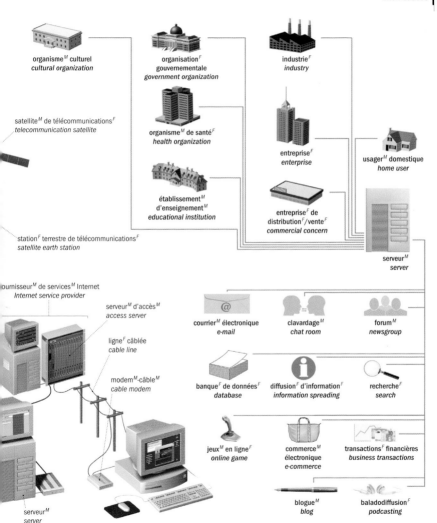

organisme^M culturel
cultural organization

organisation^F
gouvernementale
government organization

industrie^F
industry

satellite^M de télécommunications^F
telecommunication satellite

organisme^M de santé^F
health organization

entreprise^F
enterprise

usager^M domestique
home user

établissement^M
d'enseignement^M
educational institution

entreprise^F de
distribution^F/vente^F
commercial concern

station^F terrestre de télécommunications^F
satellite earth station

serveur^M
server

fournisseur^M de services^M Internet
Internet service provider

serveur^M d'accès^M
access server

courrier^M électronique
e-mail

clavardage^M
chat room

forum^M
newsgroup

ligne^F câblée
cable line

modem^M-câble^M
cable modem

banque^F de données^F
database

diffusion^F d'information^F
information spreading

recherche^F
search

jeux^M en ligne^F
online game

commerce^M
électronique
e-commerce

transactions^F financières
business transactions

blogue^M
blog

baladodiffusion^F
podcasting

serveur^M
server

COMMUNICATIONS ET BUREAUTIQUE

ordinateur^M portable
laptop computer

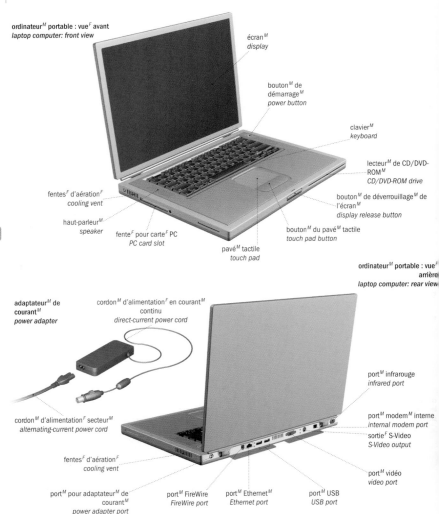

ordinateur^M portable : vue^F avant
laptop computer: front view

écran^M
display

bouton^M de démarrage^M
power button

clavier^M
keyboard

lecteur^M de CD/DVD-ROM^M
CD/DVD-ROM drive

bouton^M de déverrouillage^M de l'écran^M
display release button

bouton^M du pavé^M tactile
touch pad button

pavé^M tactile
touch pad

fente^F pour carte^F PC
PC card slot

haut-parleur^M
speaker

fentes^F d'aération^F
cooling vent

ordinateur^M portable : vue^F arrière
laptop computer: rear view

adaptateur^M de courant^M
power adapter

cordon^M d'alimentation^F en courant^M continu
direct-current power cord

port^M infrarouge
infrared port

port^M modem^M interne
internal modem port

sortie^F S-Video
S-Video output

port^M vidéo
video port

cordon^M d'alimentation^F secteur^M
alternating-current power cord

fentes^F d'aération^F
cooling vent

port^M pour adaptateur^M de courant^M
power adapter port

port^M FireWire
FireWire port

port^M Ethernet^M
Ethernet port

port^M USB
USB port

ordinateur^M de poche^F
handheld computer

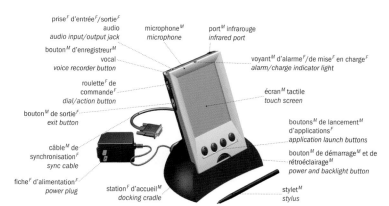

prise^F d'entrée^F/sortie^F audio
audio input/output jack

microphone^M
microphone

port^M infrarouge
infrared port

bouton^M d'enregistreur^M vocal
voice recorder button

voyant^M d'alarme^F/de mise^F en charge^F
alarm/charge indicator light

roulette^F de commande^F
dial/action button

écran^M tactile
touch screen

bouton^M de sortie^F
exit button

boutons^M de lancement^M d'applications^F
application launch buttons

câble^M de synchronisation^F
sync cable

bouton^M de démarrage^M et de rétroéclairage^M
power and backlight button

fiche^F d'alimentation^F
power plug

station^F d'accueil^M
docking cradle

stylet^M
stylus

articles^M de bureau^M
stationery

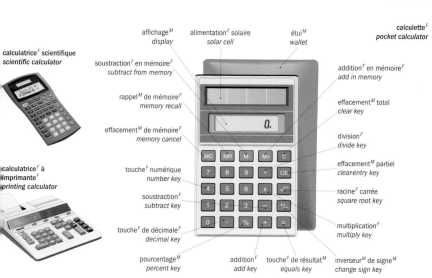

calculette^F
pocket calculator

affichage^M
display

alimentation^F solaire
solar cell

étui^M
wallet

calculatrice^F scientifique
scientific calculator

soustraction^F en mémoire^F
subtract from memory

addition^F en mémoire^F
add in memory

rappel^M de mémoire^F
memory recall

effacement^M total
clear key

effacement^M de mémoire^F
memory cancel

division^F
divide key

calculatrice^F à imprimante^F
printing calculator

touche^F numérique
number key

effacement^M partiel
clear-entry key

soustraction^F
subtract key

racine^F carrée
square root key

touche^F de décimale^F
decimal key

multiplication^F
multiply key

pourcentage^M
percent key

addition^F
add key

touche^F de résultat^M
equals key

inverseur^M de signe^M
change sign key

$$0.$$

MC MR M- M+ C
7 8 9 ÷ CE
4 5 6 X √
1 2 3 − +/-
0 · % + =

COMMUNICATIONS ET BUREAUTIQUE

articles^M de bureau^M

pour l'emploi^M du temps^M
for time management

bloc^M-éphéméride^F
calendar pad

calendrier^M-mémorandum^M
tear-off calendar

organiseur^M
organizer

écran^M
display

pavé^M alphabétique
alphabetical keypad

pavé^M numérique
numeric keypad

agenda^M
appointment book

feuillet^M adhésif
self-stick note

bloc^M-notes^F
memo pad

pour la correspondance^F
for correspondence

timbre^M caoutchouc^M
rubber stamp

numéroteur^M
numbering machine

timbre^M dateur
dater

tampon^M encreur
stamp pad

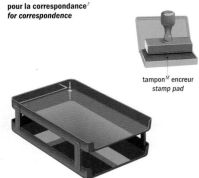

boîte^F à courrier^M
desk tray

fichier^M rotatif
rotary file

répertoire^M téléphonique
telephone index

enveloppe^F matelassée
padded envelope

patte^F autocollante
self-sealing flap

bulles^F d'air^M
air bubbles

doigtier^M
finger tip

coupe-papier^M
letter opener

pèse-lettres^M
letter scale

mouilleur^M
moistener

pour le classement^M
for filing

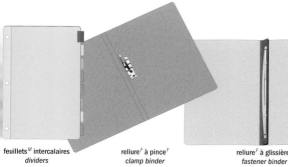

feuillets^M intercalaires
dividers

reliure^F à pince^F
clamp binder

reliure^F à glissière^F
fastener binder

reliure^F à ressort^M
spring binder

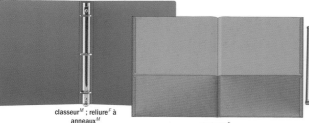

classeur^M ; reliure^F à
anneaux^M
ring binder

pochette^F
d'information^F
document folder

reliure^F à vis^F
post binder

articles^M de bureau^M

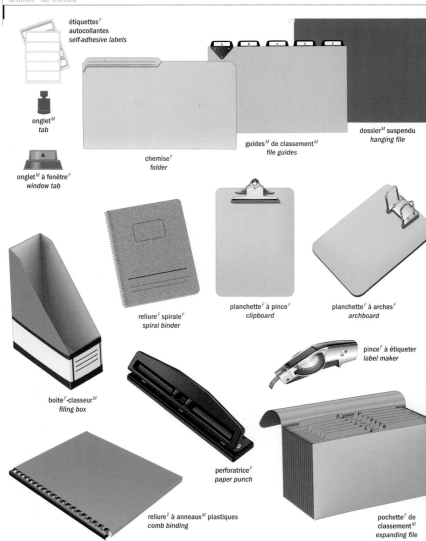

étiquettes^F
autocollantes
self-adhesive labels

onglet^M
tab

onglet^M à fenêtre^F
window tab

chemise^F
folder

guides^M de classement^M
file guides

dossier^M suspendu
hanging file

reliure^F spirale^F
spiral binder

planchette^F à pince^F
clipboard

planchette^F à arches^F
archboard

pince^F à étiqueter
label maker

boîte^F-classeur^M
filing box

perforatrice^F
paper punch

reliure^F à anneaux^M plastiques
comb binding

pochette^F de
classement^M
expanding file

articles^M divers
miscellaneous
articles

trombones^M
paper clips

punaises^F
thumb tacks

attaches^F parisiennes
paper fasteners

dévidoir^M pistolet^M
box sealing tape
dispenser

moyeu^M
hub

guide-bande^M
tape guide

vis^F de réglage^M de tension^F
tension adjusting screw

lame^F
cutting blade

taille-crayon^M
pencil sharpener

gomme^F
eraser

poignée^F
handle

pique-notes^M
bill-file

dégrafeuse^F
staple remover

dévidoir^M de ruban^M adhésif
tape dispenser

bâtonnet^M de colle^F
glue stick

agrafeuse^F
stapler

agrafes^F
staples

serre-livres^M
book ends

distributeur^M de
trombones^M
paper clip holder

aimant^M
magnet

taille-crayon^M
pencil sharpener

tableau^M d'affichage^M ;
babillard^M
bulletin board

tête^F de coupe^F
cutting head

corbeille^F à papier^M
waste basket

corbeille^F à papier^M
waste basket

surface^F d'affichage^M
posting surface

destructeur^M de documents^M ;
déchiqueteuse^F
paper shredder

COMMUNICATIONS ET BUREAUTIQUE

341

système^M routier
road system

coupe^F d'une route^F
cross section of a road

couche^F de surface^F
surface course

chaussée^F
roadway

fondation^F supérieure
base course

accotement^M
shoulder

fondation^F inférieure
subbase

ligne^F continue
solid line

berge^F
bank

structure^F
base

sol^M naturel
earth foundation

sous-fondation^F
subgrade

terrassement^M
embankment

talus^M
slope

infrastructure^F
bed

ligne^F discontinue
broken line

fossé^M
ditch

exemples^M d'échangeurs^M
examples of interchanges

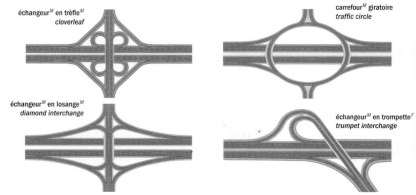

échangeur^M en trèfle^M
cloverleaf

carrefour^M giratoire
traffic circle

échangeur^M en losange^M
diamond interchange

échangeur^M en trompette^F
trumpet interchange

système^M routier

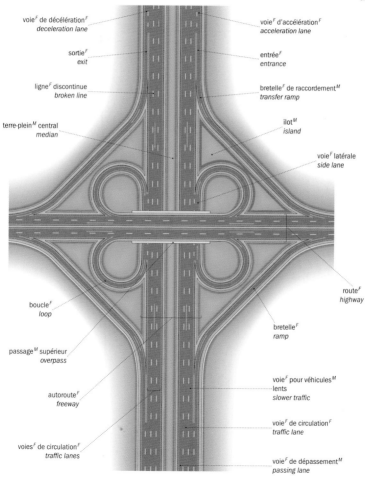

échangeur^M en trèfle^M
cloverleaf

voie^F de décélération^F
deceleration lane

voie^F d'accélération^F
acceleration lane

sortie^F
exit

entrée^F
entrance

ligne^F discontinue
broken line

bretelle^F de raccordement^M
transfer ramp

terre-plein^M central
median

îlot^M
island

voie^F latérale
side lane

boucle^F
loop

route^F
highway

passage^M supérieur
overpass

bretelle^F
ramp

autoroute^F
freeway

voie^F pour véhicules^M lents
slower traffic

voie^F de circulation^F
traffic lane

voies^F de circulation^F
traffic lanes

voie^F de dépassement^M
passing lane

TRANSPORT ET MACHINERIE

343

ponts^M fixes
fixed bridges

pont^M à poutre^F
beam bridge

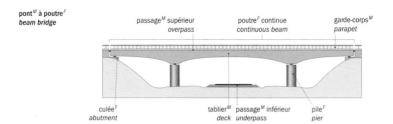

passage^M supérieur
overpass

poutre^F continue
continuous beam

garde-corps^M
parapet

culée^F
abutment

tablier^M
deck

passage^M inférieur
underpass

pile^F
pier

pont^M suspendu à câble^M porteur
suspension bridge

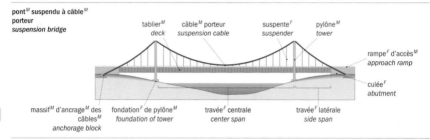

tablier^M
deck

câble^M porteur
suspension cable

suspente^F
suspender

pylône^M
tower

rampe^F d'accès^M
approach ramp

culée^F
abutment

massif^M d'ancrage^M des câbles^M
anchorage block

fondation^F de pylône^M
foundation of tower

travée^F centrale
center span

travée^F latérale
side span

pont^M cantilever
cantilever bridge

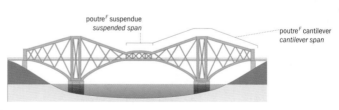

poutre^F suspendue
suspended span

poutre^F cantilever
cantilever span

ponts^M mobiles
movable bridges

pont^M tournant
swing bridge

plaque^F tournante
turntable

ponts^M mobiles

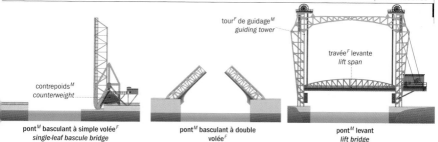

contrepoids^M
counterweight

tour^F de guidage^M
guiding tower

travée^F levante
lift span

pont^M basculant à simple volée^F
single-leaf bascule bridge

pont^M basculant à double
volée^F
double-leaf bascule bridge

pont^M levant
lift bridge

tunnel^M routier
road tunnel

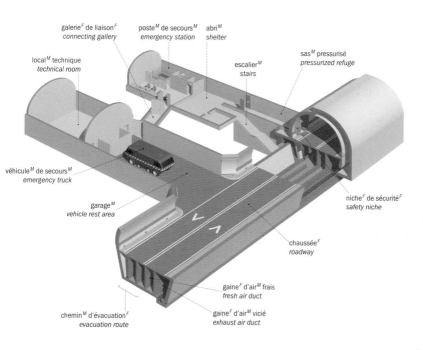

galerie^F de liaison^F
connecting gallery

poste^M de secours^M
emergency station

abri^M
shelter

local^M technique
technical room

escalier^M
stairs

sas^M pressurisé
pressurized refuge

véhicule^M de secours^M
emergency truck

garage^M
vehicle rest area

niche^F de sécurité^F
safety niche

chaussée^F
roadway

chemin^M d'évacuation^F
evacuation route

gaine^F d'air^M frais
fresh air duct

gaine^F d'air^M vicié
exhaust air duct

TRANSPORT ET MACHINERIE

station^F-service^M
service station

distributeur^M
d'essence^F
gasoline pump

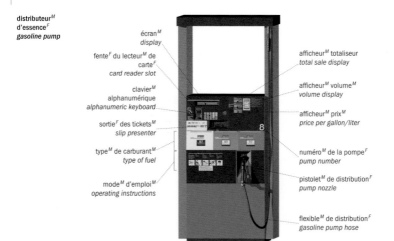

écran^M
display

fente^F du lecteur^M de carte^F
card reader slot

clavier^M alphanumérique
alphanumeric keyboard

sortie^F des tickets^M
slip presenter

type^M de carburant^M
type of fuel

mode^M d'emploi^M
operating instructions

afficheur^M totaliseur
total sale display

afficheur^M volume^M
volume display

afficheur^M prix^M
price per gallon/liter

numéro^M de la pompe^F
pump number

pistolet^M de distribution^F
pump nozzle

flexible^M de distribution^F
gasoline pump hose

station^F-service^M
service station

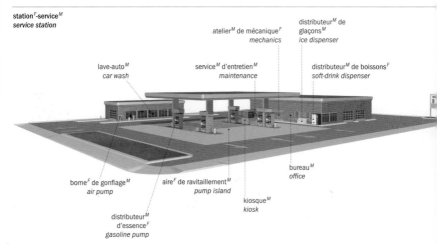

atelier^M de mécanique^F
mechanics

distributeur^M de glaçons^M
ice dispenser

lave-auto^M
car wash

service^M d'entretien^M
maintenance

distributeur^M de boissons^F
soft-drink dispenser

borne^F de gonflage^M
air pump

aire^F de ravitaillement^M
pump island

kiosque^M
kiosk

bureau^M
office

distributeur^M
d'essence^F
gasoline pump

automobile^F

automobile

**exemples^M de
carrosseries^F**
examples of bodies

voiture^F sport^M
sports car

voiture^F micro-
compacte
micro compact car

trois-portes^F
hatchback

coupé^M
two-door sedan

cabriolet^M ;
décapotable^F
convertible

berline^F
four-door sedan

break^M ; familiale^F
station wagon

fourgonnette^F
minivan

véhicule^M tout-terrain^M
sport-utility vehicle

camionnette^F
pickup truck

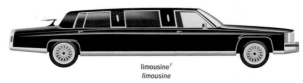

limousine^F
limousine

automobile^F

carrosserie^F
body

pare-brise^M
windshield

rétroviseur^M extérieur
outside mirror

essuie-glace^M
windshield wiper

auvent^M
cowl

gicleur^M de lave-glace^M
washer nozzle

capot^M
hood

calandre^F
grille

moulure^F de pare-chocs^M
bumper molding

phare^M
headlight

carénage^M avant
front fascia

aile^F
fender

montant^M latéral
center post

antenne^F
antenna

toit^M ouvrant
sliding sunroof

pavillon^M
roof

gouttière^F
drip molding

glace^F de custode^F
quarter window

coffre^M
trunk

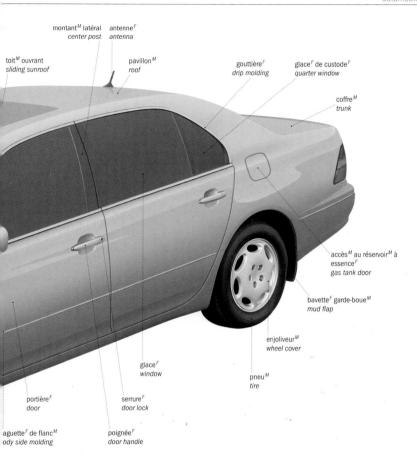

accès^M au réservoir^M à
essence^F
gas tank door

bavette^F garde-boue^M
mud flap

enjoliveur^M
wheel cover

glace^F
window

pneu^M
tire

portière^F
door

serrure^F
door lock

aguette^F de flanc^M
ody side molding

poignée^F
door handle

automobile^F

**principaux organes^M des systèmes^M
automobiles**
automobile systems: main parts

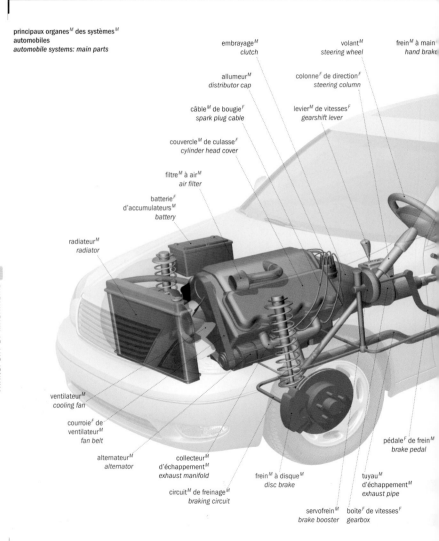

embrayage^M
clutch

volant^M
steering wheel

frein^M à main
hand brake

allumeur^M
distributor cap

colonne^F de direction^F
steering column

câble^M de bougie^F
spark plug cable

levier^M de vitesses^F
gearshift lever

couvercle^M de culasse^F
cylinder head cover

filtre^M à air^M
air filter

batterie^F
d'accumulateurs^M
battery

radiateur^M
radiator

ventilateur^M
cooling fan

courroie^F de
ventilateur^M
fan belt

alternateur^M
alternator

collecteur^M
d'échappement^M
exhaust manifold

frein^M à disque^M
disc brake

pédale^F de frein^M
brake pedal

tuyau^M
d'échappement^M
exhaust pipe

circuit^M de freinage^M
braking circuit

servofrein^M
brake booster

boîte^F de vitesses^F
gearbox

TRANSPORT ET MACHINERIE

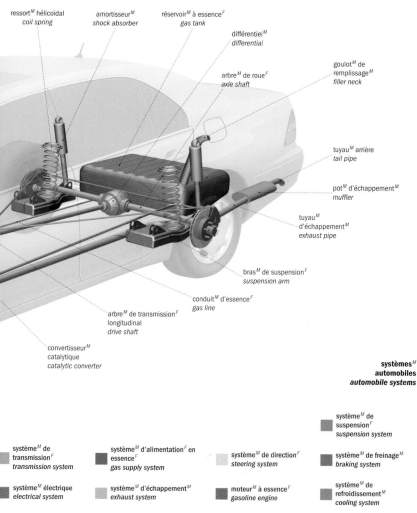

ressort^M hélicoïdal
coil spring

amortisseur^M
shock absorber

réservoir^M à essence^F
gas tank

différentiel^M
differential

arbre^M de roue^F
axle shaft

goulot^M de
remplissage^M
filler neck

tuyau^M arrière
tail pipe

pot^M d'échappement^M
muffler

tuyau^M
d'échappement^M
exhaust pipe

bras^M de suspension^F
suspension arm

conduit^M d'essence^F
gas line

arbre^M de transmission^F
longitudinal
drive shaft

convertisseur^M
catalytique
catalytic converter

**systèmes^M
automobiles**
automobile systems

système^M de
suspension^F
suspension system

système^M de
transmission^F
transmission system

système^M d'alimentation^F en
essence^F
gas supply system

système^M de direction^F
steering system

système^M de freinage^M
braking system

système^M électrique
electrical system

système^M d'échappement^M
exhaust system

moteur^M à essence^F
gasoline engine

système^M de
refroidissement^M
cooling system

TRANSPORT ET MACHINERIE

automobile^F

feux^M avant
headlights

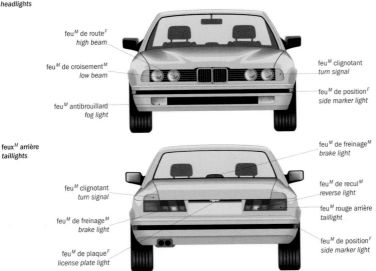

feu^M de route^F
high beam

feu^M de croisement^M
low beam

feu^M antibrouillard
fog light

feu^M clignotant
turn signal

feu^M de position^F
side marker light

feux^M arrière
taillights

feu^M de freinage^M
brake light

feu^M clignotant
turn signal

feu^M de recul^M
reverse light

feu^M de freinage^M
brake light

feu^M rouge arrière
taillight

feu^M de plaque^F
license plate light

feu^M de position^F
side marker light

portière^F
door

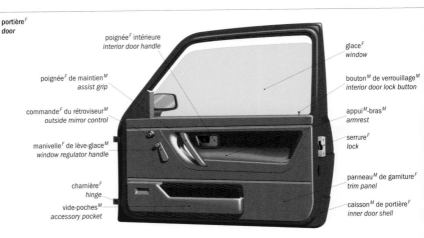

poignée^F intérieure
interior door handle

glace^F
window

poignée^F de maintien^M
assist grip

bouton^M de verrouillage^M
interior door lock button

commande^F du rétroviseur^M
outside mirror control

appui^M-bras^M
armrest

manivelle^F de lève-glace^M
window regulator handle

serrure^F
lock

charnière^F
hinge

panneau^M de garniture^F
trim panel

vide-poches^M
accessory pocket

caisson^M de portière^F
inner door shell

automobile^F

siège^M-baquet^M : vue^F de face^F
bucket seat: front view

siège^M-baquet^M : vue^F de profil^M
bucket seat: side view

baudrier^M
shoulder belt

rail^M de glissement^M
sliding rail

manette^F de glissement^M
sliding lever

appui^M-tête^F
headrest

dossier^M
backrest

siège^M
seat

commande^F de dossier^M
adjustment knob

ceinture^F de sécurité^F
seat belt

banquette^F arrière
rear seat

appui^M-bras^M
armrest

sangle^F
webbing

boucle^F
buckle

banquette^F
bench seat

automobile^F

tableau^M de bord^M
dashboard

rétroviseur^M
rearview mirror

miroir^M de courtoisie^F
vanity mirror

commande^F d'essuie-glace^M
wiper switch

ordinateur^M de bord^M
on-board computer

pare-soleil^M
sun visor

régulateur^M de vitesse^F
cruise control

boîte^F à gants^M
glove compartment

commutateur^M
d'allumage^M
ignition switch

bouche^F d'air^M
vent

avertisseur^M
horn

commande^F de chauffage^M
climate control

volant^M
steering wheel

système^M audio
audio system

pédale^F de débrayage^M
clutch pedal

levier^M de vitesse^F
gearshift lever

éclairage^M/clignotant^M
headlight/turn signal

levier^M de frein^M à main^F
parking brake lever

console^F centrale
center console

pédale^F de frein^M
brake pedal

pédale^F
d'accélérateur^M
gas pedal

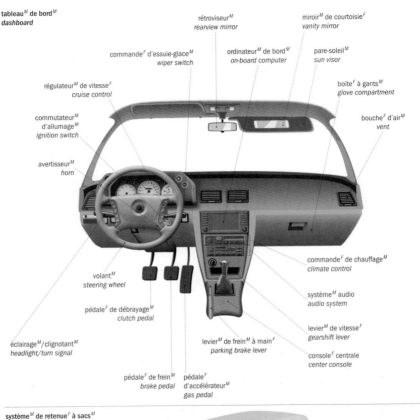

système^M de retenue^F à sacs^M
gonflables
air bag restraint system

sac^M gonflable
air bag

détecteur^M de sécurité^F
safing sensor

détecteur^M d'impact^M primaire
primary crash sensor

câble^M électrique
electrical cable

automobile^F

instruments^M de bord^M
instrument panel

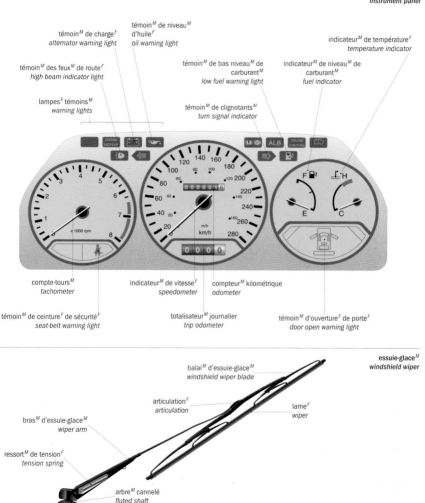

témoin^M de charge^F
alternator warning light

témoin^M de niveau^M
d'huile^F
oil warning light

témoin^M des feux^M de route^F
high beam indicator light

témoin^M de bas niveau^M de
carburant^M
low fuel warning light

lampes^F témoins^M
warning lights

témoin^M de clignotants^M
turn signal indicator

indicateur^M de température^F
temperature indicator

indicateur^M de niveau^M de
carburant^M
fuel indicator

compte-tours^M
tachometer

indicateur^M de vitesse^F
speedometer

compteur^M kilométrique
odometer

témoin^M de ceinture^F de sécurité^F
seat-belt warning light

totalisateur^M journalier
trip odometer

témoin^M d'ouverture^F de porte^F
door open warning light

essuie-glace^M
windshield wiper

balai^M d'essuie-glace^M
windshield wiper blade

articulation^F
articulation

lame^F
wiper

bras^M d'essuie-glace^M
wiper arm

ressort^M de tension^F
tension spring

arbre^M cannelé
fluted shaft

TRANSPORT ET MACHINERIE

automobile*F*

accessoires*M*
accessories

câbles*M* de
démarrage*M*
jumper cables

pince*F* noire
black clamp

tapis*M* de plancher*M*
floor mat

store*M* à enroulement*M*
automatique
roller shade

pince*F* rouge
red clamp

câble*M*
cable

ferrure*F* d'attelage*M*
ball mount

boule*F* d'attelage*M*
hitch ball

clé*F* en croix*F*
four-way lug wrench

balai*M* à neige*F* à
grattoir*M*
snow brush with scraper

porte-skis*M*
ski rack

porte-vélos*M*
bike carrier

cric*M*
jack

pare-soleil*M*
sun visor

manivelle*F*
handle

housse*F* pour
automobile*F*
car cover

siège*M* de sécurité*F* pour
enfant*M*
child safety seat

freins[M]
brakes

frein[M] à disque[M]
disc brake

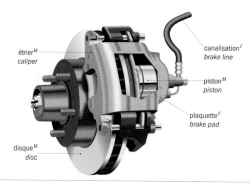

étrier[M]
caliper

canalisation[F]
brake line

piston[M]
piston

plaquette[F]
brake pad

disque[M]
disc

frein[M] à tambour[M]
drum brake

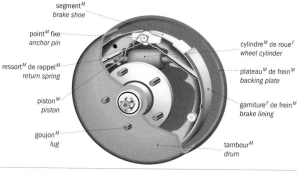

segment[M]
brake shoe

point[M] fixe
anchor pin

ressort[M] de rappel[M]
return spring

piston[M]
piston

goujon[M]
lug

cylindre[M] de roue[F]
wheel cylinder

plateau[M] de frein[M]
backing plate

garniture[F] de frein[M]
brake lining

tambour[M]
drum

système[M] de freinage[M] antiblocage
antilock braking system (ABS)

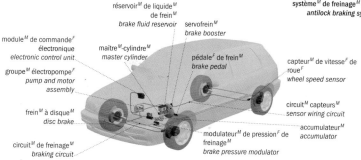

réservoir[M] de liquide[M]
de frein[M]
brake fluid reservoir

servofrein[M]
brake booster

module[M] de commande[F]
électronique
electronic control unit

maître[M]-cylindre[M]
master cylinder

pédale[F] de frein[M]
brake pedal

capteur[M] de vitesse[F] de
roue[F]
wheel speed sensor

groupe[M] électropompe[F]
*pump and motor
assembly*

frein[M] à disque[M]
disc brake

circuit[M] capteurs[M]
sensor wiring circuit

accumulateur[M]
accumulator

circuit[M] de freinage[M]
braking circuit

modulateur[M] de pression[F] de
freinage[M]
brake pressure modulator

pneu^M
tire

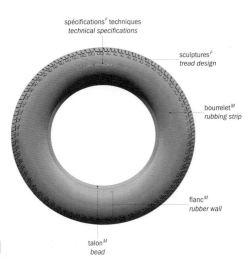

spécifications^F techniques
technical specifications

sculptures^F
tread design

bourrelet^M
rubbing strip

flanc^M
rubber wall

talon^M
bead

exemples^M de pneus^M
examples of tires

exemples^M de pneus^M
examples of tires

pneu^M de performance^F
performance tire

pneu^M toutes saisons^F
all-season tire

pneu^M à crampons^M
studded tire

pneu^M d'hiver^M
winter tire

pneu^M autoroutier
touring tire

radiateur^M
radiator

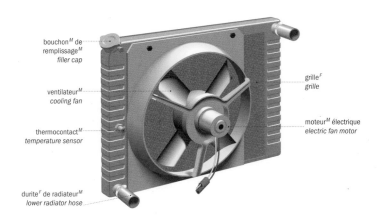

bouchon^M de
remplissage^M
filler cap

ventilateur^M
cooling fan

thermocontact^M
temperature sensor

durite^F de radiateur^M
lower radiator hose

grille^F
grille

moteur^M électrique
electric fan motor

bougie^F d'allumage^M
spark plug

cannelure^F
spline

écrou^M hexagonal
hex nut

culot^M
spark plug body

écartement^M des électrodes^F
spark plug gap

borne^F
spark plug terminal

électrode^F centrale
center electrode

isolateur^M
insulator

joint^M de bougie^F
spark plug gasket

électrode^F de masse^F
ground electrode

batterie^F d'accumulateurs^M
battery

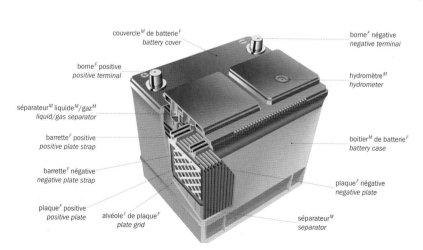

couvercle^M de batterie^F
battery cover

borne^F positive
positive terminal

séparateur^M liquide^M/gaz^M
liquid/gas separator

barrette^F positive
positive plate strap

barrette^F négative
negative plate strap

plaque^F positive
positive plate

alvéole^F de plaque^F
plate grid

borne^F négative
negative terminal

hydromètre^M
hydrometer

boîtier^M de batterie^F
battery case

plaque^F négative
negative plate

séparateur^M
separator

TRANSPORT ET MACHINERIE

moteur^M à essence^F

gasoline engine

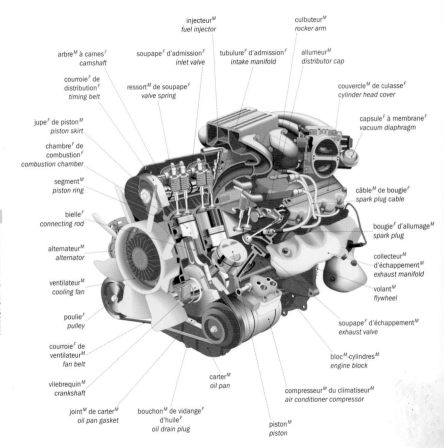

injecteur^M
fuel injector

culbuteur^M
rocker arm

arbre^M à cames^F
camshaft

soupape^F d'admission^F
inlet valve

tubulure^F d'admission^F
intake manifold

allumeur^M
distributor cap

courroie^F de
distribution^F
timing belt

ressort^M de soupape^F
valve spring

couvercle^M de culasse^F
cylinder head cover

jupe^F de piston^M
piston skirt

capsule^F à membrane^F
vacuum diaphragm

chambre^F de
combustion^F
combustion chamber

segment^M
piston ring

câble^M de bougie^F
spark plug cable

bielle^F
connecting rod

bougie^F d'allumage^M
spark plug

alternateur^M
alternator

collecteur^M
d'échappement^M
exhaust manifold

ventilateur^M
cooling fan

volant^M
flywheel

poulie^F
pulley

soupape^F d'échappement^M
exhaust valve

courroie^F de
ventilateur^M
fan belt

bloc^M-cylindres^M
engine block

vilebrequin^M
crankshaft

carter^M
oil pan

compresseur^M du climatiseur^M
air conditioner compressor

joint^M de carter^M
oil pan gasket

bouchon^M de vidange^F
d'huile^F
oil drain plug

piston^M
piston

caravane^F
caravan

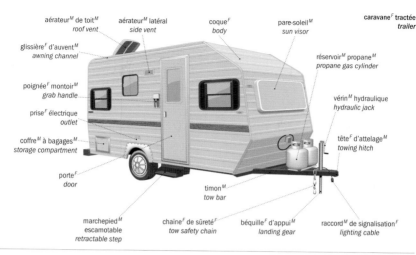

caravane^F tractée
trailer

aérateur^M de toit^M
roof vent

aérateur^M latéral
side vent

coque^F
body

pare-soleil^M
sun visor

glissière^F d'auvent^M
awning channel

réservoir^M propane^M
propane gas cylinder

poignée^F montoir^M
grab handle

vérin^M hydraulique
hydraulic jack

prise^F électrique
outlet

tête^F d'attelage^M
towing hitch

coffre^M à bagages^M
storage compartment

porte^F
door

timon^M
tow bar

marchepied^M escamotable
retractable step

chaîne^F de sûreté^F
tow safety chain

béquille^F d'appui^M
landing gear

raccord^M de signalisation^F
lighting cable

tente^F-caravane^F
tent trailer

toit^M
roof

auvent^M
canopy

lit^M
bunk

fenêtre^F
window

roue^F de secours^M
spare tire

coque^F
body

béquille^F d'appoint^M
stabilizer jack

porte^F moustiquaire^F
screen door

auto^F-caravane^F
motor home

climatiseur^M
air conditioner

porte-bagages^M
luggage rack

échelle^F
ladder

TRANSPORT ET MACHINERIE

361

autobus^M
bus

autobus^M scolaire
school bus

rétroviseur^M grand-angle^M
blind spot mirror

rétroviseur^M extérieur
outside mirror

feux^M intermittents
blinking lights

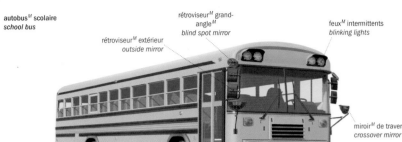

miroir^M de traversée^F avan
crossover mirror

bras^M d'éloignement^M
crossing arm

autobus^M
city bus

prise^F d'air^M
air intake

porte^F à deux vantaux^M
two-leaf door

indicateur^M de ligne^F
route sign

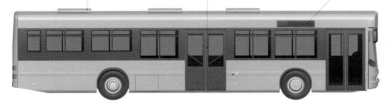

autocar^M
coach

prise^F d'air^M du moteur^M
engine air intake

porte^F d'entrée^F
entrance door

compartiment^M moteur^M
engine compartment

soute^F à bagages^M
baggage compartment

autobus^M à impériale^F
double-deck bus

impériale^F
upper deck

indicateur^M de ligne^F
route sign

minibus^M
minibus

porte^F de l'élévateur^M
lift door

rétroviseur^M grand-angle^M
blind spot mirror

rétroviseur^M
West Coast mirror

barre^F de maintien^M
handrail

lévateur^M pour fauteuils^M roulants
wheelchair lift

plate-forme^F
platform

porte^F d'entrée^F
entrance door

autobus^M articulé
articulated bus

section^F articulée
articulated joint

tronçon^M rigide arrière
rear rigid section

tronçon^M rigide avant
front rigid section

TRANSPORT ET MACHINERIE

camionnage^M
trucking

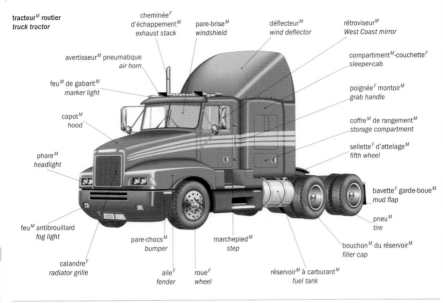

tracteur^M routier
truck tractor

cheminée^F d'échappement^M
exhaust stack

pare-brise^M
windshield

déflecteur^M
wind deflector

rétroviseur^M
West Coast mirror

avertisseur^M pneumatique
air horn

compartiment^M-couchette^F
sleeper-cab

feu^M de gabarit^M
marker light

poignée^F montoir^M
grab handle

capot^M
hood

coffre^M de rangement^M
storage compartment

sellette^F d'attelage^M
fifth wheel

phare^M
headlight

bavette^F garde-boue^M
mud flap

pneu^M
tire

feu^M antibrouillard
fog light

pare-chocs^M
bumper

marchepied^M
step

bouchon^M du réservoir^M
filler cap

calandre^F
radiator grille

aile^F
fender

roue^F
wheel

réservoir^M à carburant^M
fuel tank

exemples^M de camions^M
examples of trucks

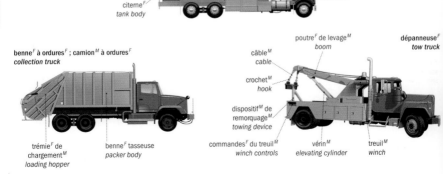

citerne^F
tank body

camion^M-citerne^F
tank truck

benne^F à ordures^F ; camion^M à ordures^F
collection truck

poutre^F de levage^M
boom

dépanneuse^F
tow truck

câble^M
cable

crochet^M
hook

dispositif^M de remorquage^M
towing device

trémie^F de chargement^M
loading hopper

benne^F tasseuse
packer body

commandes^F du treuil^M
winch controls

vérin^M
elevating cylinder

treuil^M
winch

camionnage^M

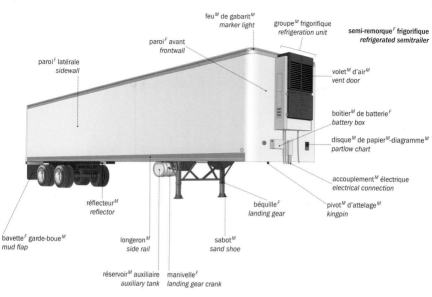

feu^M de gabarit^M
marker light

groupe^M frigorifique
refrigeration unit

semi-remorque^F frigorifique
refrigerated semitrailer

paroi^F avant
frontwall

paroi^F latérale
sidewall

volet^M d'air^M
vent door

boîtier^M de batterie^F
battery box

disque^M de papier^M-diagramme^M
partlow chart

accouplement^M électrique
electrical connection

réflecteur^M
reflector

béquille^F
landing gear

pivot^M d'attelage^M
kingpin

bavette^F garde-boue^M
mud flap

longeron^M
side rail

sabot^M
sand shoe

réservoir^M auxiliaire
auxiliary tank

manivelle^F
landing gear crank

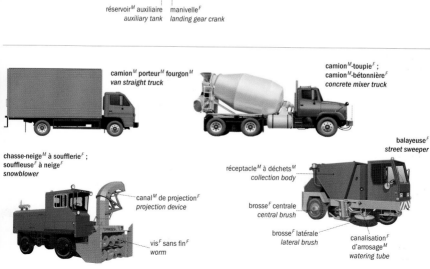

camion^M porteur^M fourgon^M
van straight truck

camion^M-toupie^F ;
camion^M-bétonnière^F
concrete mixer truck

balayeuse^F
street sweeper

chasse-neige^M à soufflerie^F ;
souffleuse^F à neige^F
snowblower

réceptacle^M à déchets^M
collection body

canal^M de projection^F
projection device

brosse^F centrale
central brush

vis^F sans fin^F
worm

brosse^F latérale
lateral brush

canalisation^F
d'arrosage^M
watering tube

TRANSPORT ET MACHINERIE

moto^F
motorcycle

TRANSPORT ET MACHINERIE

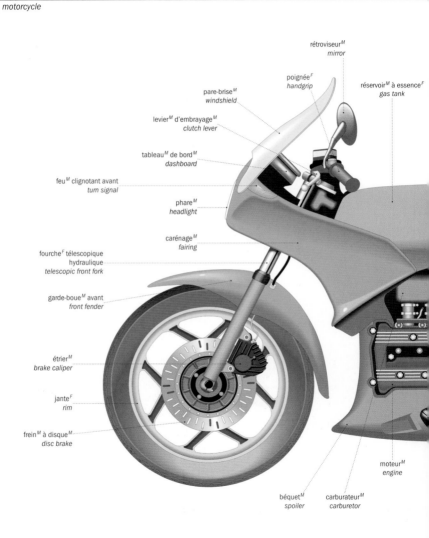

rétroviseur^M
mirror

poignée^F
handgrip

réservoir^M à essence^F
gas tank

pare-brise^M
windshield

levier^M d'embrayage^M
clutch lever

tableau^M de bord^M
dashboard

feu^M clignotant avant
turn signal

phare^M
headlight

carénage^M
fairing

fourche^F télescopique
hydraulique
telescopic front fork

garde-boue^M avant
front fender

étrier^M
brake caliper

jante^F
rim

frein^M à disque^M
disc brake

moteur^M
engine

béquet^M
spoiler

carburateur^M
carburetor

moto^F

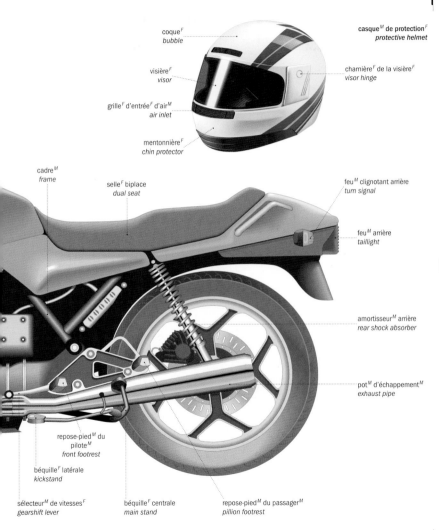

coque^F
bubble

casque^M de protection^F
protective helmet

visière^F
visor

charnière^F de la visière^F
visor hinge

grille^F d'entrée^F d'air^M
air inlet

mentonnière^F
chin protector

cadre^M
frame

selle^F biplace
dual seat

feu^M clignotant arrière
turn signal

feu^M arrière
taillight

amortisseur^M arrière
rear shock absorber

pot^M d'échappement^M
exhaust pipe

repose-pied^M du
pilote^M
front footrest

béquille^F latérale
kickstand

sélecteur^M de vitesses^F
gearshift lever

béquille^F centrale
main stand

repose-pied^M du passager^M
pillion footrest

moto^F

tableau^M de bord^M
motorcycle dashboard

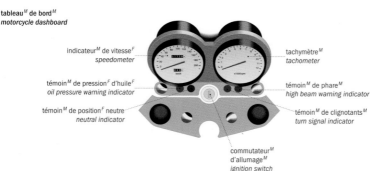

indicateur^M de vitesse^F
speedometer

témoin^M de pression^F d'huile^F
oil pressure warning indicator

témoin^M de position^F neutre
neutral indicator

tachymètre^M
tachometer

témoin^M de phare^M
high beam warning indicator

témoin^M de clignotants^M
turn signal indicator

commutateur^M
d'allumage^M
ignition switch

moto^F : vue^F en plongée^F
motorcycle: view from above

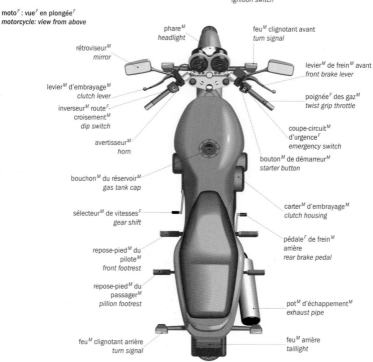

phare^M
headlight

rétroviseur^M
mirror

levier^M d'embrayage^M
clutch lever

inverseur^M route^F-
croisement^M
dip switch

avertisseur^M
horn

bouchon^M du réservoir^M
gas tank cap

sélecteur^M de vitesses^F
gear shift

repose-pied^M du
pilote^M
front footrest

repose-pied^M du
passager^M
pillion footrest

feu^M clignotant arrière
turn signal

feu^M clignotant avant
turn signal

levier^M de frein^M avant
front brake lever

poignée^F des gaz^M
twist grip throttle

coupe-circuit^M
d'urgence^F
emergency switch

bouton^M de démarreur^M
starter button

carter^M d'embrayage^M
clutch housing

pédale^F de frein^M
arrière
rear brake pedal

pot^M d'échappement^M
exhaust pipe

feu^M arrière
taillight

moto^F

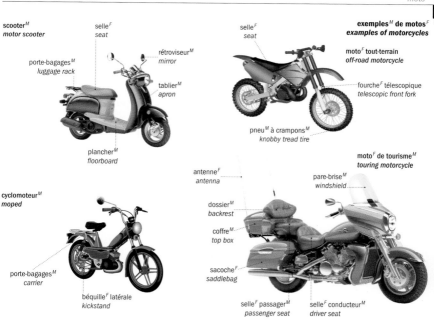

scooter^M
motor scooter

selle^F
seat

porte-bagages^M
luggage rack

rétroviseur^M
mirror

tablier^M
apron

plancher^M
floorboard

cyclomoteur^M
moped

porte-bagages^M
carrier

béquille^F latérale
kickstand

selle^F
seat

exemples^M de motos^F
examples of motorcycles

moto^F tout-terrain
off-road motorcycle

fourche^F télescopique
telescopic front fork

pneu^M à crampons^M
knobby tread tire

moto^F de tourisme^M
touring motorcycle

antenne^F
antenna

pare-brise^M
windshield

dossier^M
backrest

coffre^M
top box

sacoche^F
saddlebag

selle^F passager^M
passenger seat

selle^F conducteur^M
driver seat

quad^M

4 X 4 all-terrain vehicle

porte-bagages^M arrière
rear cargo rack

garde-boue^M arrière
rear fender

pot^M d'échappement^M
muffler

selle^F
seat

réservoir^M à essence^F
gas tank

poignée^F
handgrip

pare-chocs^M
bumper

amortisseur^M avant
front shock absorber

sélecteur^M de vitesses^F
gearshift lever

TRANSPORT ET MACHINERIE

bicyclette^F

bicycle

parties^F d'une
bicyclette^F
parts of a bicycle

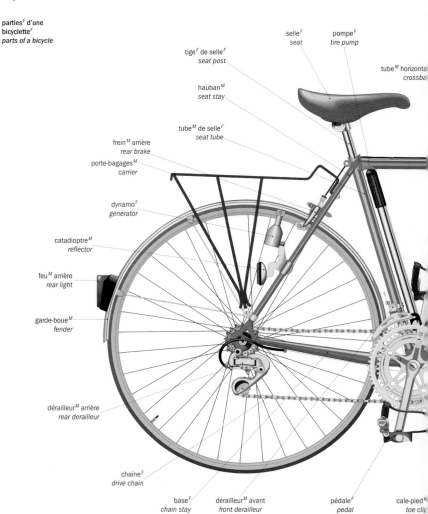

selle^F
seat

pompe^F
tire pump

tige^F de selle^F
seat post

tube^M horizontal
crossbar

hauban^M
seat stay

tube^M de selle^F
seat tube

frein^M arrière
rear brake

porte-bagages^M
carrier

dynamo^F
generator

catadioptre^M
reflector

feu^M arrière
rear light

garde-boue^M
fender

dérailleur^M arrière
rear derailleur

chaîne^F
drive chain

base^F
chain stay

dérailleur^M avant
front derailleur

pédale^F
pedal

cale-pied^M
toe clip

TRANSPORT ET MACHINERIE

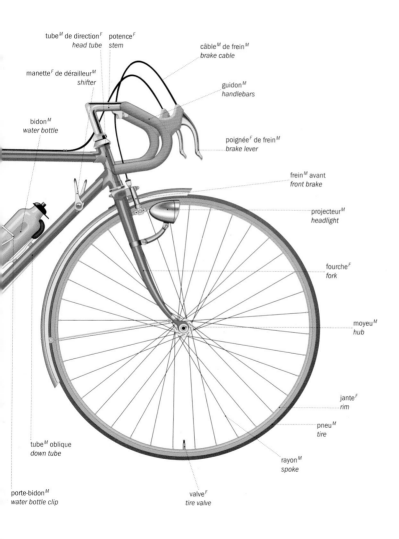

tube^M de direction^F
head tube

potence^F
stem

câble^M de frein^M
brake cable

manette^F de dérailleur^M
shifter

guidon^M
handlebars

bidon^M
water bottle

poignée^F de frein^M
brake lever

frein^M avant
front brake

projecteur^M
headlight

fourche^F
fork

moyeu^M
hub

jante^F
rim

pneu^M
tire

rayon^M
spoke

tube^M oblique
down tube

porte-bidon^M
water bottle clip

valve^F
tire valve

bicyclette^F

mécanisme^M de propulsion^F
power train

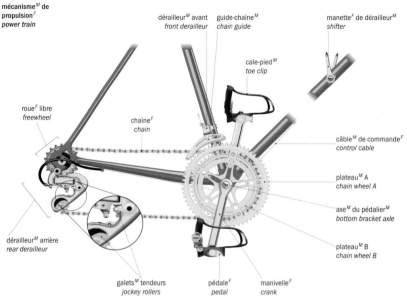

dérailleur^M avant
front derailleur

guide-chaîne^M
chain guide

manette^F de dérailleur^M
shifter

cale-pied^M
toe clip

roue^F libre
freewheel

chaîne^F
chain

câble^M de commande^F
control cable

plateau^M A
chain wheel A

axe^M du pédalier^M
bottom bracket axle

dérailleur^M arrière
rear derailleur

plateau^M B
chain wheel B

galets^M tendeurs
jockey rollers

pédale^F
pedal

manivelle^F
crank

accessoires^M
accessories

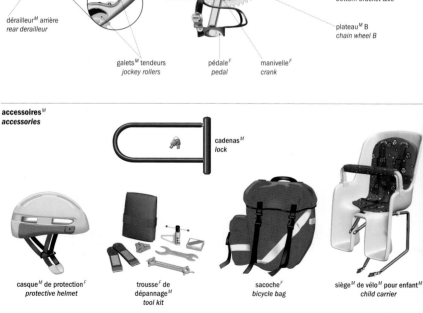

cadenas^M
lock

casque^M de protection^F
protective helmet

trousse^F de dépannage^M
tool kit

sacoche^F
bicycle bag

siège^M de vélo^M pour enfant^M
child carrier

tricycle^M d'enfant^M
child's tricycle

**exemples^M de
bicyclettes^F**
examples of bicycles

vélo^M cross^M
BMX bike

bicyclette^F hollandaise
Dutch bicycle

bicyclette^F tout-terrain
mountain bike

bicyclette^F de ville^F
city bicycle

bicyclette^F de course^F
road bicycle

bicyclette^F de
tourisme^M
touring bicycle

tandem^M
tandem bicycle

TRANSPORT ET MACHINERIE

gare^F de voyageurs^M
passenger station

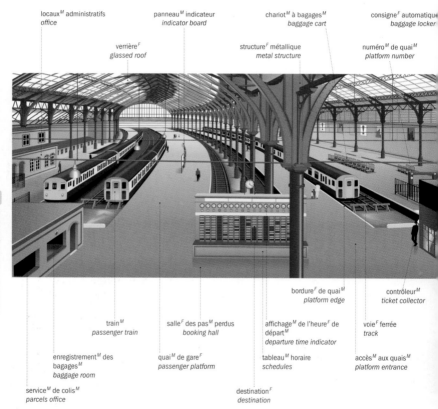

locaux^M administratifs
office

panneau^M indicateur
indicator board

chariot^M à bagages^M
baggage cart

consigne^F automatique
baggage locker

verrière^F
glassed roof

structure^F métallique
metal structure

numéro^M de quai^M
platform number

bordure^F de quai^M
platform edge

contrôleur^M
ticket collector

train^M
passenger train

salle^F des pas^M perdus
booking hall

affichage^M de l'heure^F de
départ^M
departure time indicator

voie^F ferrée
track

enregistrement^M des
bagages^M
baggage room

quai^M de gare^F
passenger platform

tableau^M horaire
schedules

accès^M aux quais^M
platform entrance

service^M de colis^M
parcels office

destination^F
destination

gare^F
railroad station

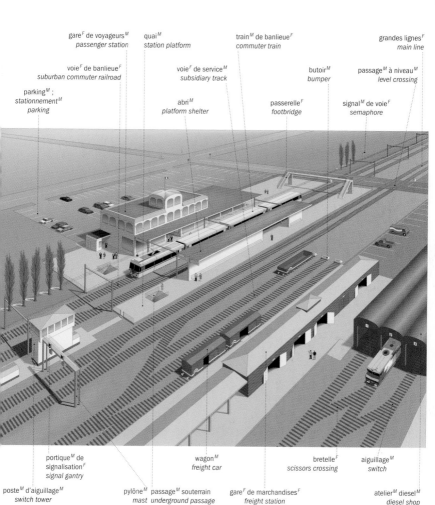

gare^F de voyageurs^M
passenger station

quai^M
station platform

train^M de banlieue^F
commuter train

grandes lignes^F
main line

voie^F de banlieue^F
suburban commuter railroad

voie^F de service^M
subsidiary track

butoir^M
bumper

passage^M à niveau^M
level crossing

parking^M ;
stationnement^M
parking

abri^M
platform shelter

passerelle^F
footbridge

signal^M de voie^F
semaphore

TRANSPORT ET MACHINERIE

portique^M de
signalisation^F
signal gantry

wagon^M
freight car

bretelle^F
scissors crossing

aiguillage^M
switch

poste^M d'aiguillage^M
switch tower

pylône^M passage^M souterrain
mast underground passage

gare^F de marchandises^F
freight station

atelier^M diesel^M
diesel shop

375

train^M à grande vitesse^F (T.G.V.)
high-speed train

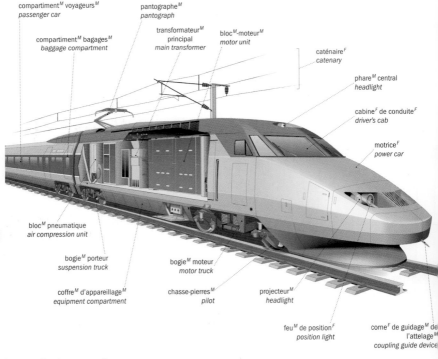

compartiment^M voyageurs^M
passenger car

compartiment^M bagages^M
baggage compartment

pantographe^M
pantograph

transformateur^M
principal
main transformer

bloc^M-moteur^M
motor unit

caténaire^F
catenary

phare^M central
headlight

cabine^F de conduite^F
driver's cab

motrice^F
power car

bloc^M pneumatique
air compression unit

bogie^M porteur
suspension truck

bogie^M moteur
motor truck

coffre^M d'appareillage^M
equipment compartment

chasse-pierres^M
pilot

projecteur^M
headlight

feu^M de position^F
position light

corne^F de guidage^M de
l'attelage^M
coupling guide device

types^M de voitures^F
types of passenger cars

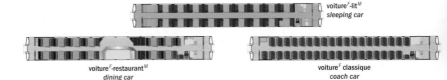

voiture^F-lit^M
sleeping car

voiture^F-restaurant^M
dining car

voiture^F classique
coach car

locomotive^F diesel-électrique
diesel-electric locomotive

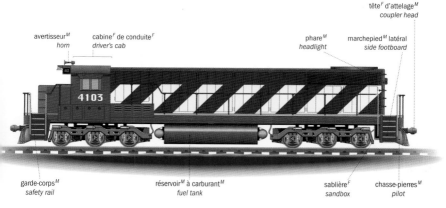

tête^F d'attelage^M
coupler head

avertisseur^M
horn

cabine^F de conduite^F
driver's cab

phare^M
headlight

marchepied^M latéral
side footboard

garde-corps^M
safety rail

réservoir^M à carburant^M
fuel tank

sablière^F
sandbox

chasse-pierres^M
pilot

exemples^M de wagons^M
examples of freight cars

wagon^M réfrigérant
refrigerator car

wagon^M intermodal
intermodal car

wagon^M de queue^F
caboose

wagon^M plat
flat car

wagon^M-citerne^F
tank car

wagon^M à bestiaux^M
livestock car

wagon^M porte-conteneurs^M
container car

wagon^M porte-automobiles^M
automobile car

TRANSPORT ET MACHINERIE

chemin^M de fer^M métropolitain
subway

station^F de métro^M
subway station

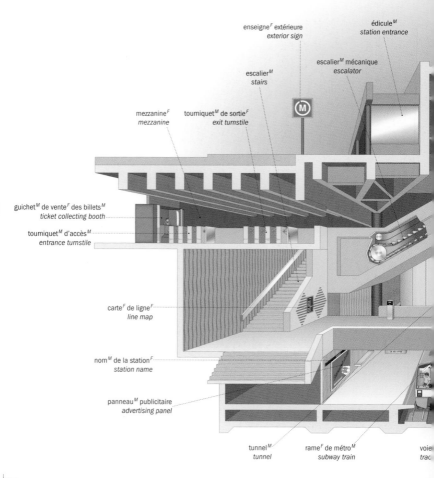

enseigne^F extérieure
exterior sign

édicule^M
station entrance

escalier^M mécanique
escalator

escalier^M
stairs

mezzanine^F
mezzanine

tourniquet^M de sortie^F
exit turnstile

guichet^M de vente^F des billets^M
ticket collecting booth

tourniquet^M d'accès^M
entrance turnstile

carte^F de ligne^F
line map

nom^M de la station^F
station name

panneau^M publicitaire
advertising panel

tunnel^M
tunnel

rame^F de métro^M
subway train

voie
trac

TRANSPORT ET MACHINERIE

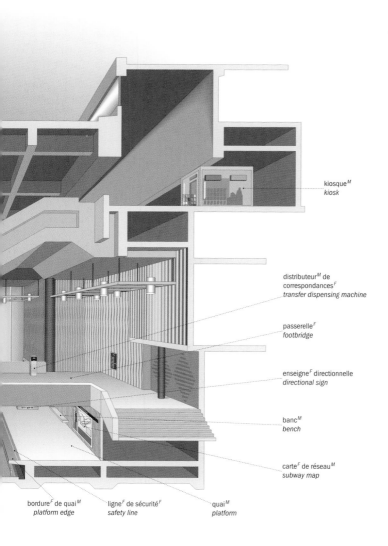

kiosque^M
kiosk

distributeur^M de correspondances^F
transfer dispensing machine

passerelle^F
footbridge

enseigne^F directionnelle
directional sign

banc^M
bench

carte^F de réseau^M
subway map

bordure^F de quai^M
platform edge

ligne^F de sécurité^F
safety line

quai^M
platform

chemin^M de fer^M métropolitain

voiture^F
passenger car

poste^M de
communication^F
communication set

frein^M d'urgence^F
emergency brake

porte^F latérale
side door

grille^F d'aération^F
ventilator

poignée^F
side handrail

éclairage^M
light

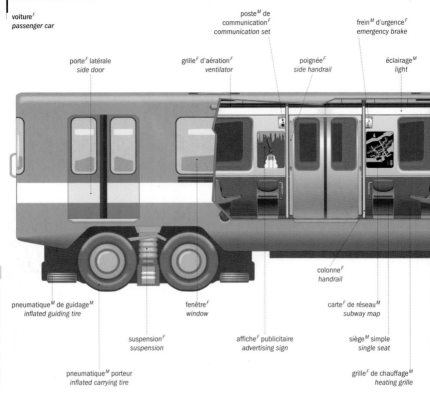

pneumatique^M de guidage^M
inflated guiding tire

fenêtre^F
window

carte^F de réseau^M
subway map

colonne^F
handrail

suspension^F
suspension

affiche^F publicitaire
advertising sign

siège^M simple
single seat

pneumatique^M porteur
inflated carrying tire

grille^F de chauffage^M
heating grille

siège^M double
double seat

rame^F de métro^M
subway train

motrice^F
motor car

remorque^F
trailer car

motrice^F
motor car

port^M maritime
harbor

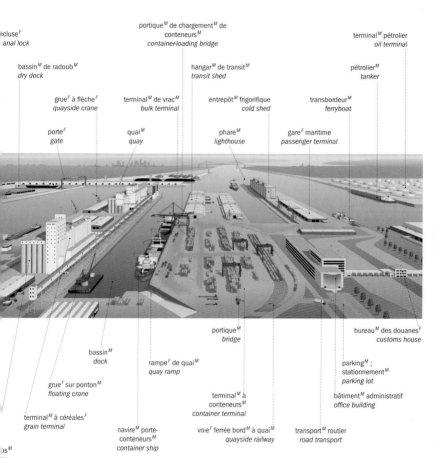

cluse^F
anal lock

bassin^M de radoub^M
dry dock

grue^F à flèche^F
quayside crane

porte^F
gate

terminal^M de vrac^M
bulk terminal

quai^M
quay

portique^M de chargement^M de conteneurs^M
container-loading bridge

hangar^M de transit^M
transit shed

entrepôt^M frigorifique
cold shed

phare^M
lighthouse

terminal^M pétrolier
oil terminal

pétrolier^M
tanker

transbordeur^M
ferryboat

gare^F maritime
passenger terminal

bassin^M
dock

rampe^F de quai^M
quay ramp

portique^M
bridge

bureau^M des douanes^F
customs house

grue^F sur ponton^M
floating crane

parking^M ;
stationnement^M
parking lot

terminal^M à céréales^F
grain terminal

terminal^M à conteneurs^M
container terminal

bâtiment^M administratif
office building

navire^M porte-conteneurs^M
container ship

voie^F ferrée bord^M à quai^M
quayside railway

transport^M routier
road transport

)s^M
)s

TRANSPORT ET MACHINERIE

exemples^M de bateaux^M et d'embarcations^F
examples of boats and ships

navire^M de forage^M
drill ship

tour^F de forage^M
derrick

vraquier^M
bulk carrier

navire^M porte-
conteneurs^M
container ship

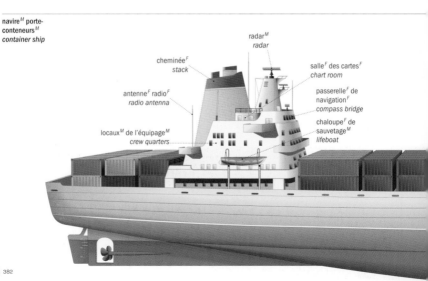

radar^M
radar

cheminée^F
stack

salle^F des cartes^F
chart room

antenne^F radio^F
radio antenna

passerelle^F de
navigation^F
compass bridge

locaux^M de l'équipage^M
crew quarters

chaloupe^F de
sauvetage^M
lifeboat

TRANSPORT ET MACHINERIE

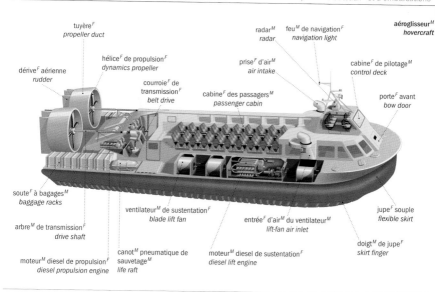

aéroglisseur^M
hovercraft

tuyère^F
propeller duct

hélice^F de propulsion^F
dynamics propeller

dérive^F aérienne
rudder

courroie^F de
transmission^F
belt drive

radar^M
radar

feu^M de navigation^F
navigation light

prise^F d'air^M
air intake

cabine^F de pilotage^M
control deck

cabine^F des passagers^M
passenger cabin

porte^F avant
bow door

soute^F à bagages^M
baggage racks

ventilateur^M de sustentation^F
blade lift fan

entrée^F d'air^M du ventilateur^M
lift-fan air inlet

jupe^F souple
flexible skirt

arbre^M de transmission^F
drive shaft

doigt^M de jupe^F
skirt finger

moteur^M diesel de propulsion^F
diesel propulsion engine

canot^M pneumatique de
sauvetage^M
life raft

moteur^M diesel de sustentation^F
diesel lift engine

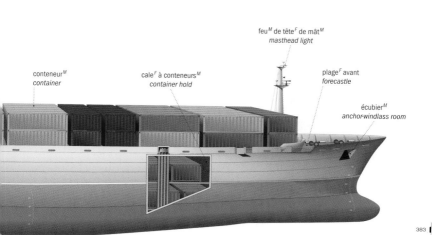

conteneur^M
container

cale^F à conteneurs^M
container hold

feu^M de tête^F de mât^M
masthead light

plage^F avant
forecastle

écubier^M
anchor-windlass room

exemples^M de bateaux^M et d'embarcations^F

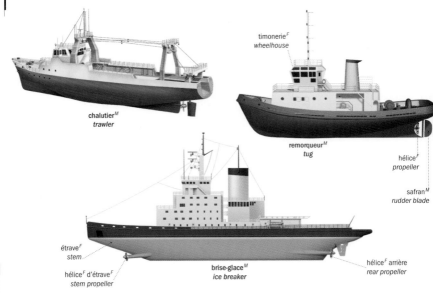

chalutier^M
trawler

timonerie^F
wheelhouse

remorqueur^M
tug

hélice^F
propeller

safran^M
rudder blade

étrave^F
stem

hélice^F d'étrave^F
stem propeller

brise-glace^M
ice breaker

hélice^F arrière
rear propeller

pétrolier^M
tanker

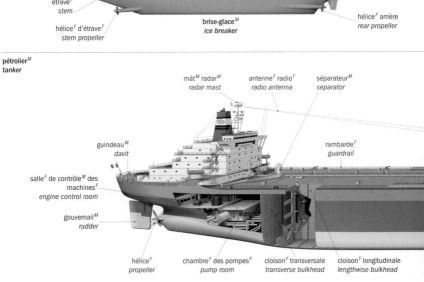

mât^M radar^M
radar mast

antenne^F radio^F
radio antenna

séparateur^M
separator

rambarde^F
guardrail

guindeau^M
davit

salle^F de contrôle^M des
machines^F
engine control room

gouvernail^M
rudder

hélice^F
propeller

chambre^F des pompes^F
pump room

cloison^F transversale
transverse bulkhead

cloison^F longitudinale
lengthwise bulkhead

TRANSPORT ET MACHINERIE

exemples^M de bateaux^M et d'embarcations^F

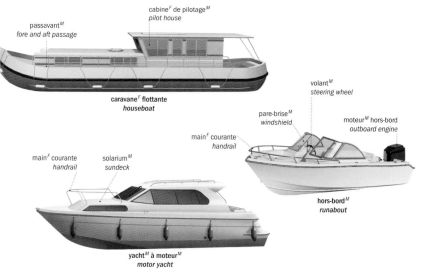

cabine^F de pilotage^M
pilot house

passavant^M
fore and aft passage

caravane^F flottante
houseboat

volant^M
steering wheel

pare-brise^M
windshield

moteur^M hors-bord
outboard engine

main^F courante
handrail

hors-bord^M
runabout

main^F courante
handrail

solarium^M
sundeck

yacht^M à moteur^M
motor yacht

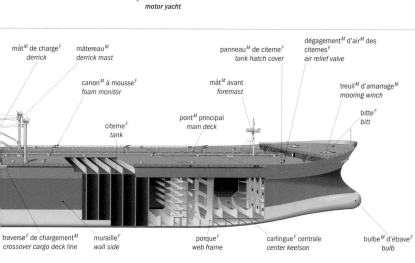

mât^M de charge^F
derrick

mâtereau^M
derrick mast

canon^M à mousse^F
foam monitor

citerne^F
tank

panneau^M de citerne^F
tank hatch cover

mât^M avant
foremast

pont^M principal
main deck

dégagement^M d'air^M des
citernes^F
air relief valve

treuil^M d'amarrage^M
mooring winch

bitte^F
bitt

traverse^F de chargement^M
crossover cargo deck line

muraille^F
wall side

porque^F
web frame

carlingue^F centrale
center keelson

bulbe^M d'étrave^F
bulb

exemples^M de bateaux^M et d'embarcations^F

transbordeur^M
ferry boat

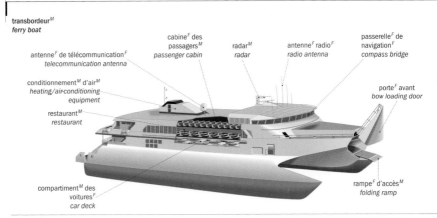

cabine^F des
passagers^M
passenger cabin

radar^M
radar

antenne^F radio^F
radio antenna

passerelle^F de
navigation^F
compass bridge

antenne^F de télécommunication^F
telecommunication antenna

conditionnement^M d'air^M
*heating/air-conditioning
equipment*

porte^F avant
bow loading door

restaurant^M
restaurant

compartiment^M des
voitures^F
car deck

rampe^F d'accès^M
folding ramp

paquebot^M
passenger liner

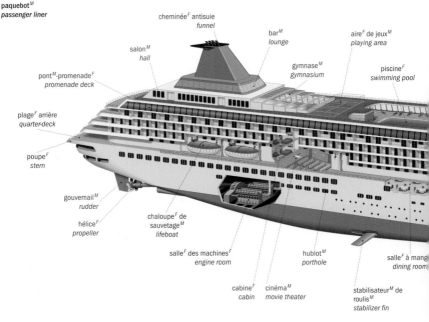

cheminée^F antisuie
funnel

bar^M
lounge

aire^F de jeux^M
playing area

salon^M
hall

gymnase^M
gymnasium

piscine^F
swimming pool

pont^M-promenade^F
promenade deck

plage^F arrière
quarter-deck

poupe^F
stern

gouvernail^M
rudder

hélice^F
propeller

chaloupe^F de
sauvetage^M
lifeboat

salle^F des machines^F
engine room

hublot^M
porthole

salle^F à mang
dining room

cabine^F
cabin

cinéma^M
movie theater

stabilisateur^M de
roulis^M
stabilizer fin

exemples^M de bateaux^M et d'embarcations^F

hydroptère^M
hydrofoil boat

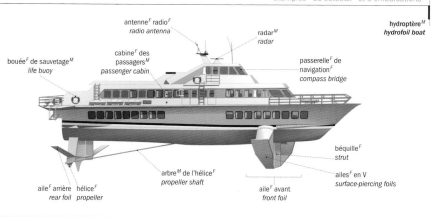

antenne^F radio^F
radio antenna

radar^M
radar

cabine^F des
passagers^M
passenger cabin

passerelle^F de
navigation^F
compass bridge

bouée^F de sauvetage^M
life buoy

béquille^F
strut

arbre^M de l'hélice^F
propeller shaft

ailes^F en V
surface-piercing foils

aile^F arrière   hélice^F
rear foil   propeller

aile^F avant
front foil

antenne^F de télécommunication^F
telecommunication antenna

antenne^F radio^F
radio antenna

pont^M bain^M de soleil^M
sundeck

radar^M
radar

terrasse^F extérieure
open-air terrace

passerelle^F de navigation^F
compass bridge

plage^F avant
forecastle

bâbord^M
port hand

proue^F
bow

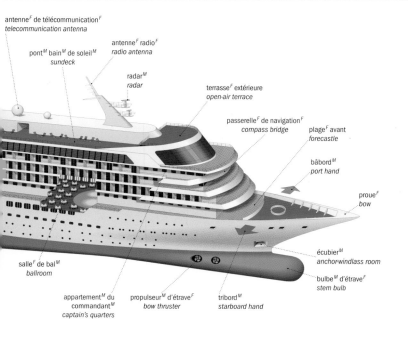

salle^F de bal^M
ballroom

appartement^M du
commandant^M
captain's quarters

propulseur^M d'étrave^F
bow thruster

tribord^M
starboard hand

écubier^M
anchor-windlass room

bulbe^M d'étrave^F
stem bulb

aéroport^M
airport

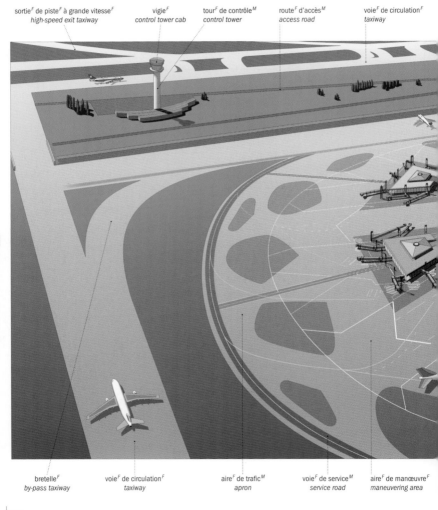

sortie^F de piste^F à grande vitesse^F
high-speed exit taxiway

vigie^F
control tower cab

tour^F de contrôle^M
control tower

route^F d'accès^M
access road

voie^F de circulation^F
taxiway

bretelle^F
by-pass taxiway

voie^F de circulation^F
taxiway

aire^F de trafic^M
apron

voie^F de service^M
service road

aire^F de manœuvre^F
maneuvering area

aérogare^F de
passagers^M
passenger terminal

hangar^M
maintenance hangar

aire^F de
stationnement^M
parking area

passerelle^F
télescopique
telescopic corridor

aire^F de service^M
service area

quai^M d'embarquement^M
boarding walkway

marques^F de
circulation^F
taxiway line

aérogare^F satellite^M
radial passenger loading area

aéroport^M

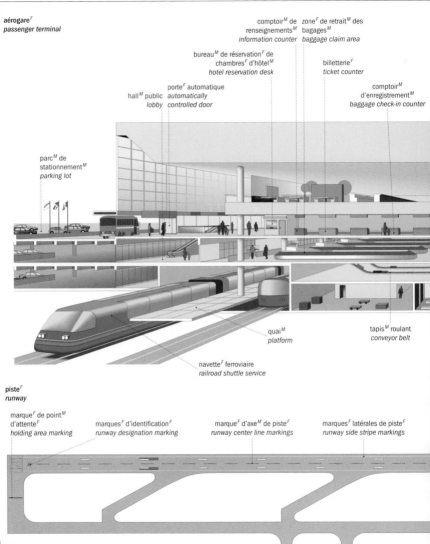

aérogare^F
passenger terminal

comptoir^M de
renseignements^M
information counter

zone^F de retrait^M des
bagages^M
baggage claim area

bureau^M de réservation^F de
chambres^F d'hôtel^M
hotel reservation desk

billetterie^F
ticket counter

porte^F automatique
*automatically
controlled door*

hall^M public
lobby

comptoir^M
d'enregistrement^M
baggage check-in counter

parc^M de
stationnement^M
parking lot

quai^M
platform

tapis^M roulant
conveyor belt

navette^F ferroviaire
railroad shuttle service

piste^F
runway

marque^F de point^M
d'attente^F
holding area marking

marques^F d'identification^F
runway designation marking

marque^F d'axe^M de piste^F
runway center line markings

marques^F latérales de piste^F
runway side stripe markings

TRANSPORT ET MACHINERIE

contrôle^M de sécurité^F
security check

terrasse^F
observation deck

contrôle^M des
passeports^M
passport control

boutique^F hors taxe^F
duty-free shop

tableau^M d'affichage^M des vols^M
flight information board

salle^F d'embarquement^M
boarding room

expédition^F du fret^M
freight expedition

transbordeur^M
passenger transfer vehicle

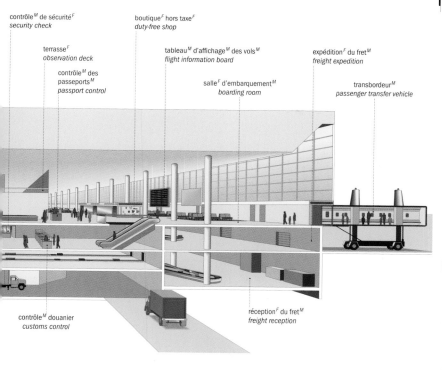

contrôle^M douanier
customs control

réception^F du fret^M
freight reception

sortie^F de piste^F
exit taxiway

marque^F d'aire^F de prise^F de contact^M
runway touchdown zone marking

marques^F de seuil^M de piste^F
runway threshold markings

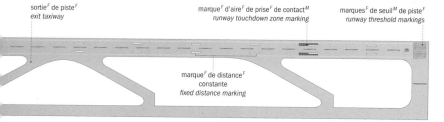

marque^F de distance^F
constante
fixed distance marking

TRANSPORT ET MACHINERIE

avion^M long-courrier^M
long-range jet

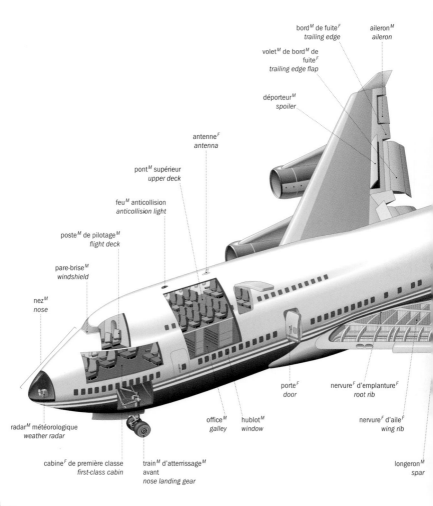

bord^M de fuite^F
trailing edge

aileron^M
aileron

volet^M de bord^M de
fuite^F
trailing edge flap

déporteur^M
spoiler

antenne^F
antenna

pont^M supérieur
upper deck

feu^M anticollision
anticollision light

poste^M de pilotage^M
flight deck

pare-brise^M
windshield

nez^M
nose

porte^F
door

nervure^F d'emplanture^F
root rib

nervure^F d'aile^F
wing rib

radar^M météorologique
weather radar

office^M
galley

hublot^M
window

cabine^F de première classe
first-class cabin

train^M d'atterrissage^M
avant
nose landing gear

longeron^M
spar

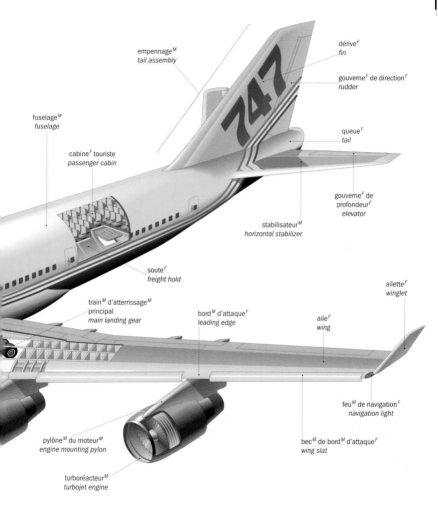

empennage^M
tail assembly

dérive^F
fin

gouverne^F de direction^F
rudder

fuselage^M
fuselage

cabine^F touriste
passenger cabin

queue^F
tail

gouverne^F de
profondeur^F
elevator

stabilisateur^M
horizontal stabilizer

soute^F
freight hold

ailette^F
winglet

train^M d'atterrissage^M
principal
main landing gear

bord^M d'attaque^F
leading edge

aile^F
wing

feu^M de navigation^F
navigation light

pylône^M du moteur^M
engine mounting pylon

bec^M de bord^M d'attaque^F
wing slat

turboréacteur^M
turbojet engine

exemples^M d'avions^M

examples of airplanes

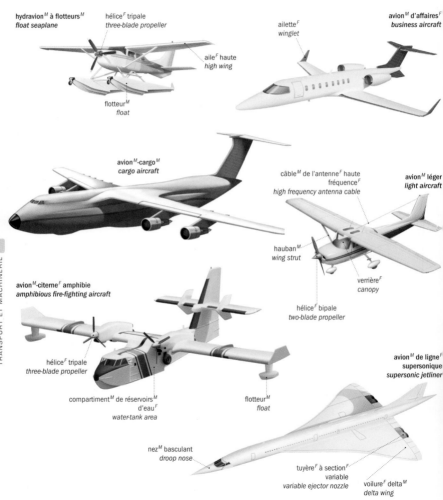

hydravion^M à flotteurs^M
float seaplane

hélice^F tripale
three-blade propeller

aile^F haute
high wing

flotteur^M
float

ailette^F
winglet

avion^M d'affaires^F
business aircraft

avion^M-cargo^M
cargo aircraft

câble^M de l'antenne^F haute
fréquence^F
high frequency antenna cable

avion^M léger
light aircraft

hauban^M
wing strut

verrière^F
canopy

avion^M-citerne^F amphibie
amphibious fire-fighting aircraft

hélice^F bipale
two-blade propeller

hélice^F tripale
three-blade propeller

compartiment^M de réservoirs^M
d'eau^F
water-tank area

flotteur^M
float

avion^M de ligne^F
supersonique
supersonic jetliner

nez^M basculant
droop nose

tuyère^F à section^F
variable
variable ejector nozzle

voilure^F delta^M
delta wing

mouvements^M de l'avion^M
movements of an airplane

tangage^M
pitch

lacet^M
yaw

roulis^M
roll

hélicoptère^M
helicopter

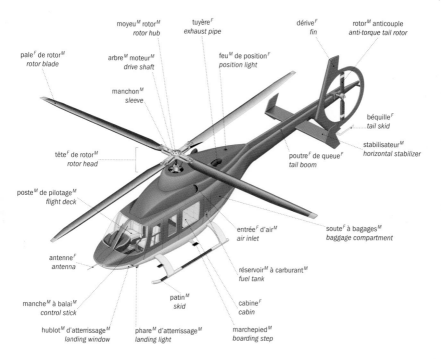

moyeu^M rotor^M
rotor hub

tuyère^F
exhaust pipe

dérive^F
fin

rotor^M anticouple
anti-torque tail rotor

pale^F de rotor^M
rotor blade

arbre^M moteur^M
drive shaft

feu^M de position^F
position light

manchon^M
sleeve

béquille^F
tail skid

stabilisateur^M
horizontal stabilizer

tête^F de rotor^M
rotor head

poutre^F de queue^F
tail boom

poste^M de pilotage^M
flight deck

entrée^F d'air^M
air inlet

soute^F à bagages^M
baggage compartment

antenne^F
antenna

réservoir^M à carburant^M
fuel tank

manche^M à balai^M
control stick

patin^M
skid

cabine^F
cabin

hublot^M d'atterrissage^M
landing window

phare^M d'atterrissage^M
landing light

marchepied^M
boarding step

TRANSPORT ET MACHINERIE

manutention^F

material handling

chariot^M élévateur
forklift truck

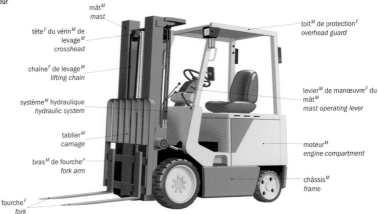

mât^M
mast

tête^F du vérin^M de
levage^M
crosshead

chaîne^F de levage^M
lifting chain

système^M hydraulique
hydraulic system

tablier^M
carriage

bras^M de fourche^F
fork arm

fourche^F
fork

toit^M de protection^F
overhead guard

levier^M de manœuvre^F du
mât^M
mast operating lever

moteur^M
engine compartment

châssis^M
frame

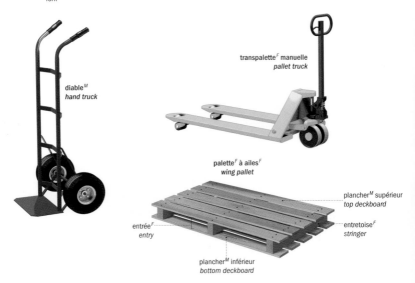

diable^M
hand truck

transpalette^F manuelle
pallet truck

palette^F à ailes^F
wing pallet

plancher^M supérieur
top deckboard

entrée^F
entry

entretoise^F
stringer

plancher^M inférieur
bottom deckboard

grues^F et portique^M
cranes

grue^F à tour^F
tower crane

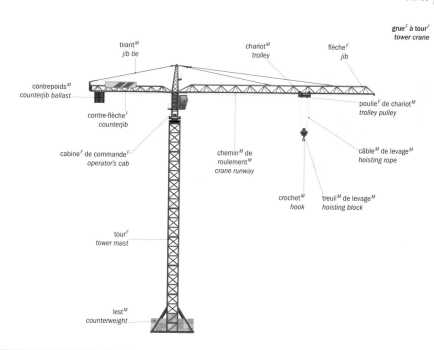

tirant^M
jib tie

chariot^M
trolley

flèche^F
jib

contrepoids^M
counterjib ballast

contre-flèche^F
counterjib

poulie^F de chariot^M
trolley pulley

cabine^F de commande^F
operator's cab

chemin^M de
roulement^M
crane runway

câble^M de levage^M
hoisting rope

crochet^M
hook

treuil^M de levage^M
hoisting block

tour^F
tower mast

lest^M
counterweight

grue^F sur porteur^M
truck crane

flèche^F télescopique
telescopic boom

vérin^M de dressage^M
elevating cylinder

cabine^F de commande^F
operator's cab

stabilisateur^M
outrigger

bouteur^M
bulldozer

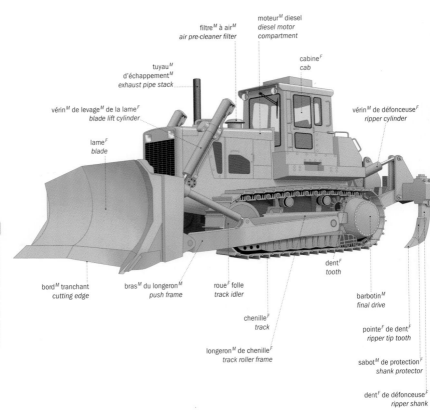

filtre^M à air^M
air pre-cleaner filter

moteur^M diesel
*diesel motor
compartment*

cabine^F
cab

tuyau^M
d'échappement^M
exhaust pipe stack

vérin^M de levage^M de la lame^F
blade lift cylinder

vérin^M de défonceuse^F
ripper cylinder

lame^F
blade

bord^M tranchant
cutting edge

bras^M du longeron^M
push frame

roue^F folle
track idler

dent^F
tooth

barbotin^M
final drive

chenille^F
track

pointe^F de dent^F
ripper tip tooth

longeron^M de chenille^F
track roller frame

sabot^M de protection^F
shank protector

dent^F de défonceuse^F
ripper shank

tracteur^M à chenilles^F
crawler tractor

lame^F
blade

défonceuse^F
ripper

chargeuse*^F*-pelleteuse*^F*
wheel loader

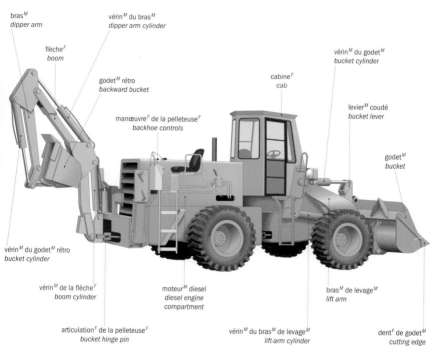

bras*^M*
dipper arm

vérin*^M* du bras*^M*
dipper arm cylinder

flèche*^F*
boom

vérin*^M* du godet*^M*
bucket cylinder

godet*^M* rétro
backward bucket

cabine*^F*
cab

manœuvre*^F* de la pelleteuse*^F*
backhoe controls

levier*^M* coudé
bucket lever

godet*^M*
bucket

vérin*^M* du godet*^M* rétro
bucket cylinder

vérin*^M* de la flèche*^F*
boom cylinder

moteur*^M* diesel
*diesel engine
compartment*

bras*^M* de levage*^M*
lift arm

articulation*^F* de la pelleteuse*^F*
bucket hinge pin

vérin*^M* du bras*^M* de levage*^M*
lift-arm cylinder

dent*^F* de godet*^M*
cutting edge

TRANSPORT ET MACHINERIE

chargeuse*^F* frontale
front-end loader

tracteur*^M*
wheel tractor

pelleteuse*^F*
backhoe

décapeuse^F

scraper

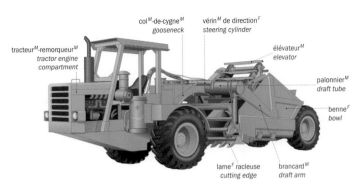

col^M-de-cygne^M
gooseneck

vérin^M de direction^F
steering cylinder

tracteur^M-remorqueur^M
*tractor engine
compartment*

élévateur^M
elevator

palonnier^M
draft tube

benne^F
bowl

lame^F racleuse
cutting edge

brancard^M
draft arm

pelle^F hydraulique

hydraulic shovel

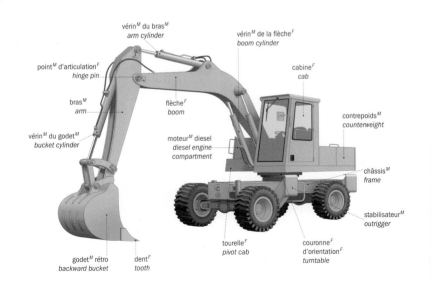

vérin^M du bras^M
arm cylinder

vérin^M de la flèche^F
boom cylinder

point^M d'articulation^F
hinge pin

cabine^F
cab

bras^M
arm

flèche^F
boom

contrepoids^M
counterweight

vérin^M du godet^M
bucket cylinder

moteur^M diesel
*diesel engine
compartment*

châssis^M
frame

stabilisateur^M
outrigger

godet^M rétro
backward bucket

dent^F
tooth

tourelle^F
pivot cab

couronne^F
d'orientation^F
turntable

TRANSPORT ET MACHINERIE

niveleuse^F
grader

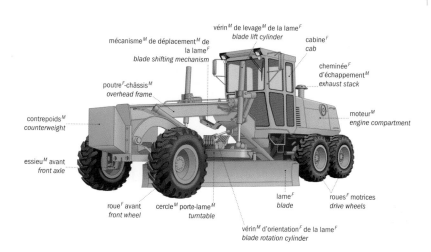

vérin^M de levage^M de la lame^F
blade lift cylinder

cabine^F
cab

mécanisme^M de déplacement^M de
la lame^F
blade shifting mechanism

cheminée^F
d'échappement^M
exhaust stack

poutre^F-châssis^M
overhead frame

moteur^M
engine compartment

contrepoids^M
counterweight

essieu^M avant
front axle

roue^F avant
front wheel

cercle^M porte-lame^M
turntable

lame^F
blade

roues^F motrices
drive wheels

vérin^M d'orientation^F de la lame^F
blade rotation cylinder

camion^M-benne^F
dump truck

auvent^M
canopy

nervure^F
rib

cabine^F
cab

benne^F basculante
dump body

moteur^M diesel
*diesel engine
compartment*

échelle^F
ladder

châssis^M
frame

TRANSPORT ET MACHINERIE

production^F d'électricité^F par énergie^F géothermique
production of electricity from geothermal energy

turbine^F
turbine

alternateur^M
generator

condenseur^M
condenser

transport^M de l'électricité^F à haute tension^F
high-tension electricity transmission

vapeur^F
steam

séparateur^M
separator

élévation^F de la tension^F
voltage increase

mélange^M eau^F-vapeur^F
water-steam mix

toit^M imperméable
upper confining bed

champ^M géothermique
geothermal field

tour^F de refroidissement^M
cooling tower

eau^F
water

substratum^M imperméable
lower confining bed

puits^M de production^F
production well

aquifère^M captif
confined aquifer

puits^M d'injection^F
injection well

réservoir^M magmatique
magma chamber

énergie^F thermique
thermal energy

ÉNERGIES

production^F d'électricité^F par énergie^F thermique
production of electricity from thermal energy

broyeur^M
crusher

cheminée^F
stack

tour^F de refroidissement^M
cooling tower

parc^M à charbon^M
coal storage yard

transport^M de l'électricité^F à haute tension^F
high-tension electricity transmission

abaissement^M de la tension^F
voltage decrease

convoyeur^M
conveyor

sauterelle^F
belt loader

pulvérisateur^M
pulverizer

générateur^M de vapeur^F
steam generator

centrale^F thermique au charbon^M
coal-fired thermal power plant

condenseur^M
condenser

groupe^M turbo-alternateur^M
turbo-alternator unit

élévation^F de la tension^F
voltage increase

transport^M vers les usages
transmission to consumers

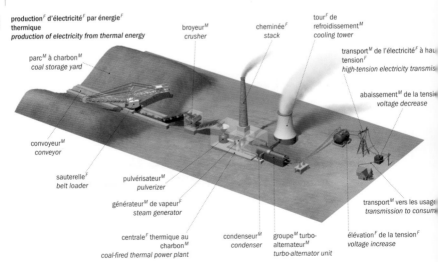

pétrole^M

oil

prospection^F terrestre
surface prospecting

enregistrement^M
sismographique
seismographic recording

onde^F de choc^M
shock wave

gisement^M de pétrole^M
petroleum trap

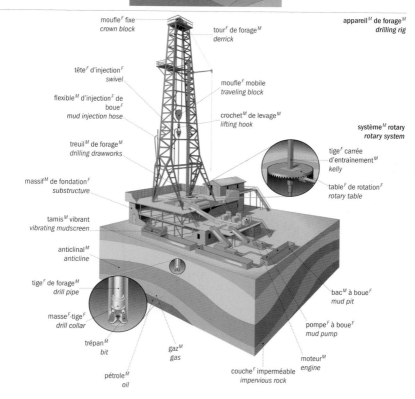

moufle^F fixe
crown block

tour^F de forage^M
derrick

appareil^M de forage^M
drilling rig

tête^F d'injection^F
swivel

moufle^F mobile
traveling block

flexible^M d'injection^F de
boue^F
mud injection hose

crochet^M de levage^M
lifting hook

système^M rotary
rotary system

treuil^M de forage^M
drilling drawworks

tige^F carrée
d'entraînement^M
kelly

massif^M de fondation^F
substructure

table^F de rotation^F
rotary table

tamis^M vibrant
vibrating mudscreen

anticlinal^M
anticline

tige^F de forage^M
drill pipe

bac^M à boue^F
mud pit

masse^F-tige^F
drill collar

pompe^F à boue^F
mud pump

trépan^M
bit

gaz^M
gas

moteur^M
engine

pétrole^M
oil

couche^F imperméable
impervious rock

ÉNERGIES

pétrole[M]

réservoir[M] à toit[M] flottant
floating-roof tank

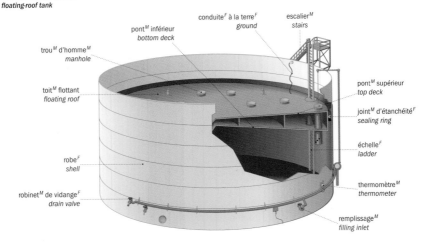

conduite[F] à la terre[F]
ground

escalier[M]
stairs

pont[M] inférieur
bottom deck

trou[M] d'homme[M]
manhole

pont[M] supérieur
top deck

toit[M] flottant
floating roof

joint[M] d'étanchéité[F]
sealing ring

échelle[F]
ladder

robe[F]
shell

thermomètre[M]
thermometer

robinet[M] de vidange[F]
drain valve

remplissage[M]
filling inlet

réseau[M] d'oléoducs[M]
crude-oil pipeline

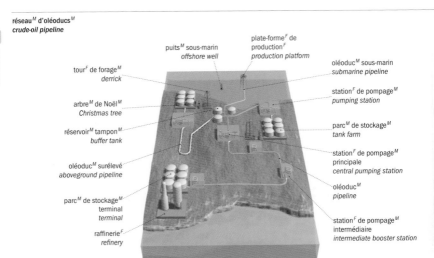

puits[M] sous-marin
offshore well

plate-forme[F] de production[F]
production platform

tour[F] de forage[M]
derrick

oléoduc[M] sous-marin
submarine pipeline

arbre[M] de Noël[M]
Christmas tree

station[F] de pompage[M]
pumping station

réservoir[M] tampon[M]
buffer tank

parc[M] de stockage[M]
tank farm

oléoduc[M] surélevé
aboveground pipeline

station[F] de pompage[M]
principale
central pumping station

oléoduc[M]
pipeline

parc[M] de stockage[M]
terminal
terminal

raffinerie[F]
refinery

station[F] de pompage[M]
intermédiaire
intermediate booster station

pétrole ^{M}

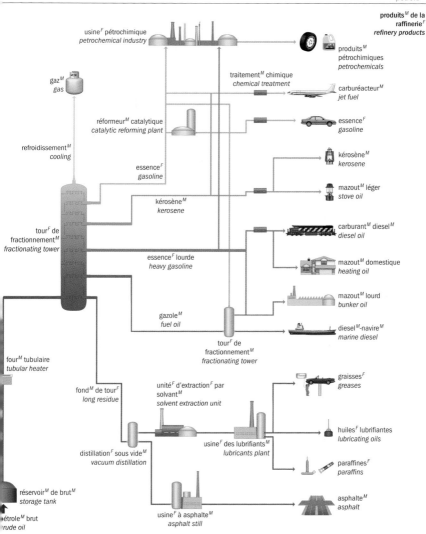

produits ^{M} de la
raffinerie ^{F}
refinery products

usine ^{F} pétrochimique
petrochemical industry

produits ^{M}
pétrochimiques
petrochemicals

gaz ^{M}
gas

traitement ^{M} chimique
chemical treatment

carburéacteur ^{M}
jet fuel

réformeur ^{M} catalytique
catalytic reforming plant

essence ^{F}
gasoline

refroidissement ^{M}
cooling

kérosène ^{M}
kerosene

essence ^{F}
gasoline

mazout ^{M} léger
stove oil

tour ^{F} de
fractionnement ^{M}
fractionating tower

kérosène ^{M}
kerosene

carburant ^{M} diesel ^{M}
diesel oil

essence ^{F} lourde
heavy gasoline

mazout ^{M} domestique
heating oil

mazout ^{M} lourd
bunker oil

gazole ^{M}
fuel oil

diesel ^{M}-navire ^{M}
marine diesel

tour ^{F} de
fractionnement ^{M}
fractionating tower

four ^{M} tubulaire
tubular heater

graisses ^{F}
greases

fond ^{M} de tour ^{F}
long residue

unité ^{F} d'extraction ^{F} par
solvant ^{M}
solvent extraction unit

huiles ^{F} lubrifiantes
lubricating oils

distillation ^{F} sous vide ^{M}
vacuum distillation

usine ^{F} des lubrifiants ^{M}
lubricants plant

paraffines ^{F}
paraffins

réservoir ^{M} de brut ^{M}
storage tank

asphalte ^{M}
asphalt

pétrole ^{M} brut
crude oil

usine ^{F} à asphalte ^{M}
asphalt still

complexe^M hydroélectrique
hydroelectric complex

seuil^M de l'évacuateur^M
crest of spillway

vanne^F
spillway gate

crête^F
top of dam

réservoir^M
reservoir

bief^M d'amont^M
headbay

évacuateur^M
spillway

conduite^F forcée
penstock

portique^M
gantry crane

ÉNERGIES

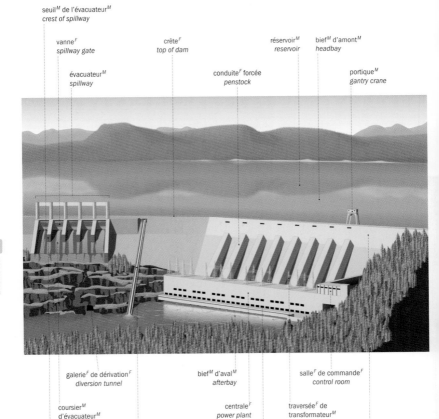

galerie^F de dérivation^F
diversion tunnel

bief^M d'aval^M
afterbay

salle^F de commande^F
control room

coursier^M
d'évacuateur^M
spillway chute

centrale^F
power plant

traversée^F de
transformateur^M
bushing

mur^M bajoyer^M
training wall

passe^F à billes^F
log chute

salle^F des machines^F
machine hall

barrage^M
dam

coupe^F d'une centrale^F hydroélectrique
cross section of a hydroelectric power plant

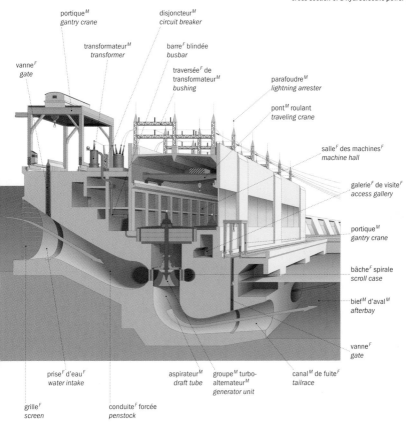

portique^M
gantry crane

disjoncteur^M
circuit breaker

transformateur^M
transformer

barre^F blindée
busbar

vanne^F
gate

traversée^F de
transformateur^M
bushing

parafoudre^M
lightning arrester

pont^M roulant
traveling crane

salle^F des machines^F
machine hall

galerie^F de visite^F
access gallery

portique^M
gantry crane

bâche^F spirale
scroll case

bief^M d'aval^M
afterbay

vanne^F
gate

prise^F d'eau^F
water intake

aspirateur^M
draft tube

groupe^M turbo-
alternateur^M
generator unit

canal^M de fuite^F
tailrace

grille^F
screen

conduite^F forcée
penstock

éservoir^M
eservoir

ÉNERGIES

production^F d'électricité^F par énergie^F nucléaire

production of electricity from nuclear energy

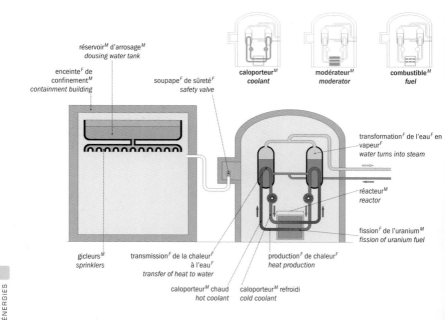

réservoir^M d'arrosage^M
dousing water tank

enceinte^F de confinement^M
containment building

soupape^F de sûreté^F
safety valve

caloporteur^M
coolant

modérateur^M
moderator

combustible^M
fuel

transformation^F de l'eau^F en vapeur^F
water turns into steam

réacteur^M
reactor

fission^F de l'uranium^M
fission of uranium fuel

gicleurs^M
sprinklers

transmission^F de la chaleur^F à l'eau^F
transfer of heat to water

production^F de chaleur^F
heat production

caloporteur^M chaud
hot coolant

caloporteur^M refroidi
cold coolant

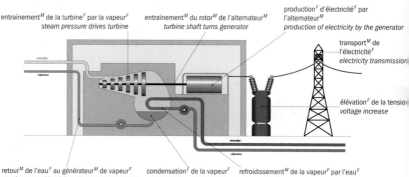

entraînement^M de la turbine^F par la vapeur^F
steam pressure drives turbine

entraînement^M du rotor^M de l'alternateur^M
turbine shaft turns generator

production^F d'électricité^F par l'alternateur^M
production of electricity by the generator

transport^M de l'électricité^F
electricity transmission

élévation^F de la tension^F
voltage increase

retour^M de l'eau^F au générateur^M de vapeur^F
water is pumped back into the steam generator

condensation^F de la vapeur^F
condensation of steam into water

refroidissement^M de la vapeur^F par l'eau^F
water cools the used steam

ÉNERGIES

grappe^F de combustible^M
fuel bundle

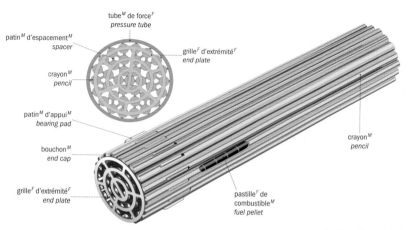

tube^M de force^F
pressure tube

patin^M d'espacement^M
spacer

grille^F d'extrémité^F
end plate

crayon^M
pencil

patin^M d'appui^M
bearing pad

bouchon^M
end cap

grille^F d'extrémité^F
end plate

crayon^M
pencil

pastille^F de
combustible^M
fuel pellet

réacteur^M nucléaire
nuclear reactor

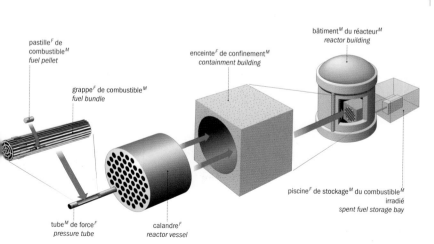

pastille^F de
combustible^M
fuel pellet

grappe^F de combustible^M
fuel bundle

enceinte^F de confinement^M
containment building

bâtiment^M du réacteur^M
reactor building

tube^M de force^F
pressure tube

calandre^F
reactor vessel

piscine^F de stockage^M du combustible^M
irradié
spent fuel storage bay

ÉNERGIES

photopile^F

solar cell

rayonnement^M solaire
solar radiation

couche^F antireflet
antireflection coating

grille^F métallique
conductrice
metallic contact grid

région^F négative
negative region

contact^M négatif
negative contact

jonction^F positif^M/négatif^M
positive/negative junction

région^F positive
positive region

contact^M positif
positive contact

capteur^M solaire plan

flat-plate solar collector

rayonnement^M solaire
solar radiation

sortie^F du caloporteur^M
coolant outlet

vitrage^M
glass

coffre^M
frame

tube^M de circulation^F
flow tube

plaque^F absorbante
absorbing plate

entrée^F du caloporteur^M
coolant inlet

isolant^M
insulation

ÉNERGIES

circuit^M de photopiles^F
solar-cell system

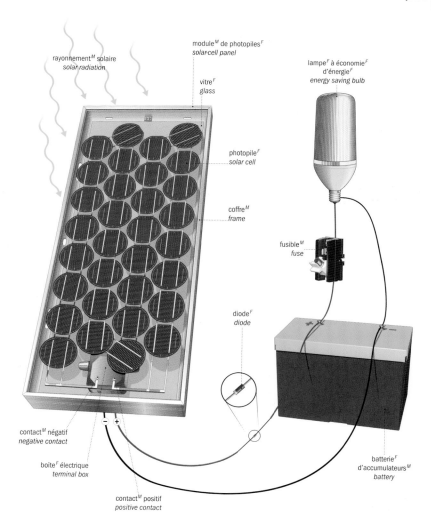

rayonnement^M solaire
solar radiation

module^M de photopiles^F
solar-cell panel

vitre^F
glass

lampe^F à économie^F
d'énergie^F
energy saving bulb

photopile^F
solar cell

coffre^M
frame

fusible^M
fuse

diode^F
diode

contact^M négatif
negative contact

boîte^F électrique
terminal box

contact^M positif
positive contact

batterie^F
d'accumulateurs^M
battery

ÉNERGIES

moulin^M à vent^M
windmill

moulin^M tour^F
tower mill

calotte^F
cap

bras^M
stock

aile^F
sail

gouvernail^M
fantail

arbre^M
windshaft

cotret^M
hemlath

voile^F
sail cloth

latte^F
sailbar

étage^M
floor

galerie^F
gallery

tour^F
tower

cadre^M
frame

moulin^M pivot^M
post mill

rotor^M
rotor

queue^F
tail pole

pivot^M
post

escalier^M
steps

éoliennes^F et production^F d'électricité^F
wind turbines and electricity production

éolienne^F à axe^M vertical
vertical-axis wind turbine

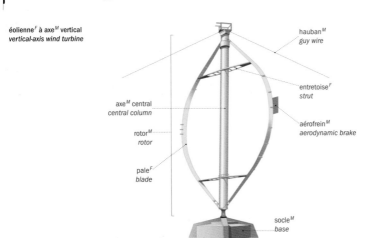

hauban^M
guy wire

entretoise^F
strut

axe^M central
central column

aérofrein^M
aerodynamic brake

rotor^M
rotor

pale^F
blade

socle^M
base

ÉNERGIES

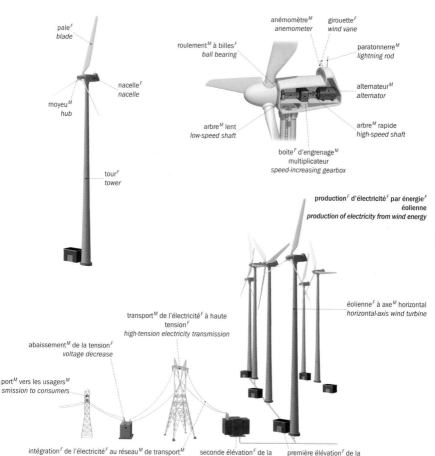

éolienne^F à axe^M horizontal
horizontal-axis wind turbine

coupe^F de la nacelle^F
nacelle cross-section

pale^F
blade

nacelle^F
nacelle

moyeu^M
hub

tour^F
tower

anémomètre^M
anemometer

girouette^F
wind vane

roulement^M à billes^F
ball bearing

paratonnerre^M
lightning rod

alternateur^M
alternator

arbre^M lent
low-speed shaft

arbre^M rapide
high-speed shaft

boîte^F d'engrenage^M
multiplicateur
speed-increasing gearbox

production^F d'électricité^F par énergie^F
éolienne
production of electricity from wind energy

éolienne^F à axe^M horizontal
horizontal-axis wind turbine

transport^M de l'électricité^F à haute
tension^F
high-tension electricity transmission

abaissement^M de la tension^F
voltage decrease

port^M vers les usagers^M
smission to consumers

intégration^F de l'électricité^F au réseau^M de transport^M
energy integration to the transmission network

seconde élévation^F de la
tension^F
second voltage increase

première élévation^F de la
tension^F
first voltage increase

ENERGIES

matière^F
matter

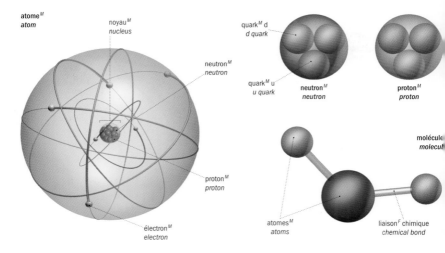

atome^M
atom

noyau^M
nucleus

quark^M d
d quark

quark^M u
u quark

neutron^M
neutron

proton^M
proton

neutron^M
neutron

proton^M
proton

électron^M
electron

molécule
molecul

atomes^M
atoms

liaison^F chimique
chemical bond

états^M de la matière^F
states of matter

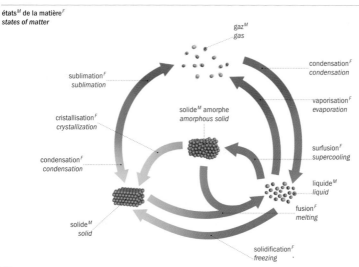

gaz^M
gas

sublimation^F
sublimation

condensation^F
condensation

vaporisation^F
evaporation

cristallisation^F
crystallization

solide^M amorphe
amorphous solid

condensation^F
condensation

surfusion^F
supercooling

liquide^M
liquid

solide^M
solid

fusion^F
melting

solidification^F
freezing

matière^F

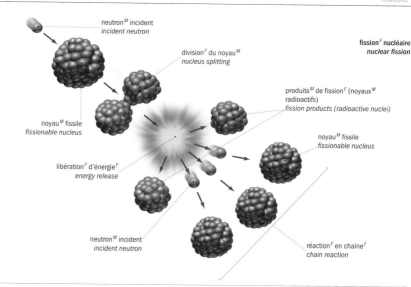

fission^F nucléaire
nuclear fission

neutron^M incident
incident neutron

division^F du noyau^M
nucleus splitting

produits^M de fission^F (noyaux^M
radioactifs)
fission products (radioactive nuclei)

noyau^M fissile
fissionable nucleus

noyau^M fissile
fissionable nucleus

libération^F d'énergie^F
energy release

neutron^M incident
incident neutron

réaction^F en chaîne^F
chain reaction

transfert^M de la chaleur^F
heat transfer

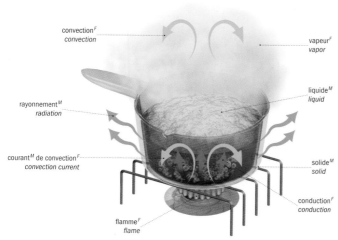

convection^F
convection

vapeur^F
vapor

rayonnement^M
radiation

liquide^M
liquid

courant^M de convection^F
convection current

solide^M
solid

conduction^F
conduction

flamme^F
flame

SCIENCE

magnétisme^M
magnetism

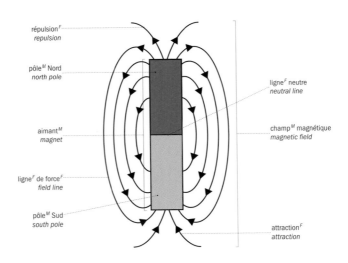

répulsion^F
repulsion

pôle^M Nord
north pole

aimant^M
magnet

ligne^F de force^F
field line

pôle^M Sud
south pole

ligne^F neutre
neutral line

champ^M magnétique
magnetic field

attraction^F
attraction

circuit^M électrique en parallèle^F
parallel electrical circuit

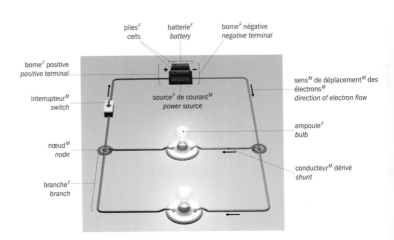

piles^F
cells

batterie^F
battery

borne^F négative
negative terminal

borne^F positive
positive terminal

interrupteur^M
switch

source^F de courant^M
power source

nœud^M
node

branche^F
branch

sens^M de déplacement^M des
électrons^M
direction of electron flow

ampoule^F
bulb

conducteur^M dérivé
shunt

SCIENCE

piles^F sèches
dry cells

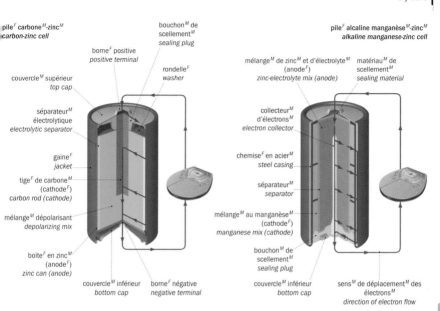

pile^F carbone^M-zinc^M
carbon-zinc cell

borne^F positive
positive terminal

bouchon^M de
scellement^M
sealing plug

rondelle^F
washer

couvercle^M supérieur
top cap

séparateur^M
électrolytique
electrolytic separator

gaine^F
jacket

tige^F de carbone^M
(cathode^F)
carbon rod (cathode)

mélange^M dépolarisant
depolarizing mix

boite^F en zinc^M
(anode^F)
zinc can (anode)

couvercle^M inférieur
bottom cap

borne^F négative
negative terminal

pile^F alcaline manganèse^M-zinc^M
alkaline manganese-zinc cell

mélange^M de zinc^M et d'électrolyte^M
(anode^F)
zinc-electrolyte mix (anode)

matériau^M de
scellement^M
sealing material

collecteur^M
d'électrons^M
electron collector

chemise^F en acier^M
steel casing

séparateur^M
separator

mélange^M au manganèse^M
(cathode^F)
manganese mix (cathode)

bouchon^M de
scellement^M
sealing plug

couvercle^M inférieur
bottom cap

sens^M de déplacement^M des
électrons^M
direction of electron flow

électronique^F
electronics

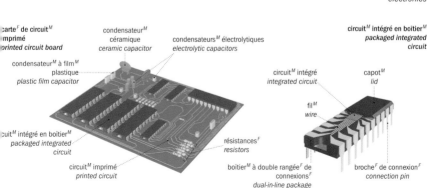

carte^F de circuit^M
imprimé
printed circuit board

condensateur^M
céramique
ceramic capacitor

condensateurs^M électrolytiques
electrolytic capacitors

condensateur^M à film^M
plastique
plastic film capacitor

circuit^M intégré en boîtier^M
packaged integrated circuit

circuit^M imprimé
printed circuit

résistances^F
resistors

boîtier^M à double rangée^F de
connexions^F
dual-in-line package

circuit^M intégré en boîtier^M
packaged integrated circuit

circuit^M intégré
integrated circuit

capot^M
lid

fil^M
wire

broche^F de connexion^F
connection pin

SCIENCE

417

spectre ^{M} électromagnétique
electromagnetic spectrum

micro-ondes ^{F}
microwaves

rayonnement ^{M}
ultraviolet
ultraviolet radiation

ondes ^{F} radio
radio waves

rayonnement ^{M}
infrarouge
infrared radiation

rayons ^{M} X
X-rays

rayons ^{M} gamma
gamma rays

lumière ^{F} visible
visible light

onde ^{F}
wave

déplacement ^{M}
displacement

longueur ^{F} d'onde ^{F}
wavelength

crête ^{F}
crest

amplitude ^{F}
amplitude

propagation ^{F}
propagation

position ^{F} d'équilibre ^{M}
mean position

creux ^{M}
trough

synthèse ^{F} des couleurs ^{F}
color synthesis

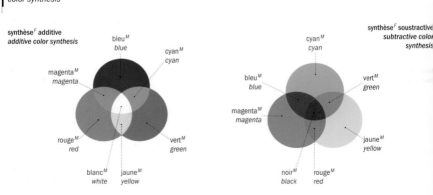

synthèse ^{F} additive
additive color synthesis

bleu ^{M}
blue

cyan ^{M}
cyan

magenta ^{M}
magenta

rouge ^{M}
red

vert ^{M}
green

blanc ^{M}
white

jaune ^{M}
yellow

synthèse ^{F} soustractive
subtractive color
synthesis

cyan ^{M}
cyan

bleu ^{M}
blue

vert ^{M}
green

magenta ^{M}
magenta

jaune ^{M}
yellow

noir ^{M}
black

rouge ^{M}
red

SCIENCE

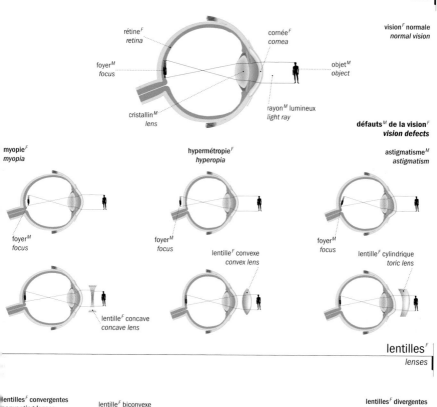

vision^F
vision

vision^F normale
normal vision

rétine^F
retina

cornée^F
cornea

foyer^M
focus

objet^M
object

cristallin^M
lens

rayon^M lumineux
light ray

défauts^M de la vision^F
vision defects

myopie^F
myopia

hypermétropie^F
hyperopia

astigmatisme^M
astigmatism

foyer^M
focus

foyer^M
focus

foyer^M
focus

lentille^F convexe
convex lens

lentille^F cylindrique
toric lens

lentille^F concave
concave lens

lentilles^F
lenses

lentilles^F convergentes
converging lenses

lentille^F biconvexe
biconvex lens

ménisque^M convergent
positive meniscus

lentille^F convexe
convex lens

lentille^F plan^M-convexe
plano-convex lens

lentilles^F divergentes
diverging lenses

lentille^F plan^M-concave
plano-concave lens

lentille^F concave
concave lens

lentille^F biconcave
biconcave lens

ménisque^M divergent
negative meniscus

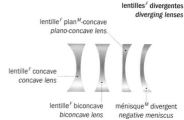

SCIENCE

laser^M à rubis^M pulsé
pulsed ruby laser

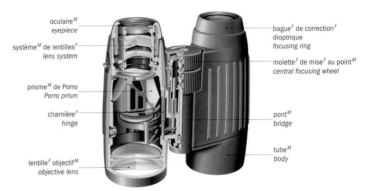

photon^M
photon

manchon^M refroidisseur
cooling cylinder

cylindre^M réflecteur
reflecting cylinder

faisceau^M laser^M
laser beam

miroir^M à réflexion^F partielle
partially reflecting mirror

tube^M à éclairs^M
flash tube

miroir^M à réflexion
totale
fully reflecting mirror

cylindre^M de rubis^M
ruby cylinder

jumelles^F à prismes^M
prism binoculars

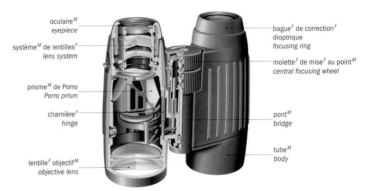

oculaire^M
eyepiece

système^M de lentilles^F
lens system

prisme^M de Porro
Porro prism

charnière^F
hinge

lentille^F objectif^M
objective lens

bague^F de correction^F
dioptrique
focusing ring

molette^F de mise^F au point^M
central focusing wheel

pont^M
bridge

tube^M
body

SCIENCE

lunette^F de visée^F
telescopic sight

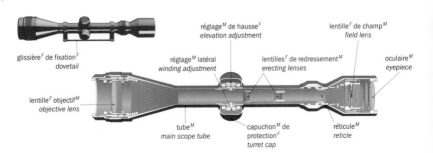

glissière^F de fixation^F
dovetail

réglage^M de hausse^F
elevation adjustment

lentille^F de champ^M
field lens

réglage^M latéral
winding adjustment

lentilles^F de redressement^M
erecting lenses

oculaire^M
eyepiece

lentille^F objectif^M
objective lens

tube^M
main scope tube

capuchon^M de
protection^F
turret cap

réticule^M
reticle

loupe^F et microscopes^M

magnifying glass and microscopes

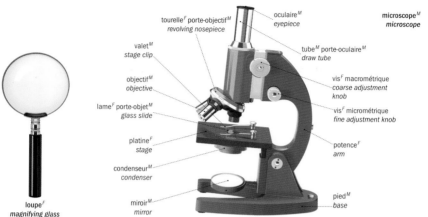

microscope^M
microscope

tourelle^F porte-objectif^M
revolving nosepiece

oculaire^M
eyepiece

tube^M porte-oculaire^M
draw tube

valet^M
stage clip

vis^F macrométrique
coarse adjustment knob

objectif^M
objective

lame^F porte-objet^M
glass slide

vis^F micrométrique
fine adjustment knob

platine^F
stage

potence^F
arm

condenseur^M
condenser

miroir^M
mirror

pied^M
base

loupe^F
magnifying glass

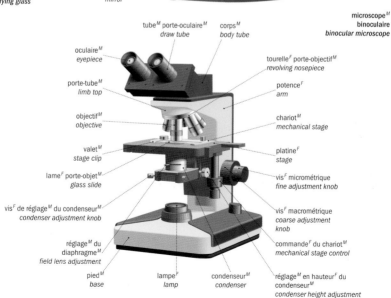

microscope^M binoculaire
binocular microscope

tube^M porte-oculaire^M
draw tube

corps^M
body tube

oculaire^M
eyepiece

tourelle^F porte-objectif^M
revolving nosepiece

porte-tube^M
limb top

potence^F
arm

objectif^M
objective

chariot^M
mechanical stage

valet^M
stage clip

platine^F
stage

lame^F porte-objet^M
glass slide

vis^F micrométrique
fine adjustment knob

vis^F de réglage^M du condenseur^M
condenser adjustment knob

vis^F macrométrique
coarse adjustment knob

réglage^M du diaphragme^M
field lens adjustment

commande^F du chariot^M
mechanical stage control

pied^M
base

lampe^F
lamp

condenseur^M
condenser

réglage^M en hauteur^F du condenseur^M
condenser height adjustment

421

mesure^F de la masse^F
measure of weight

balance^F à fléau^M
beam balance

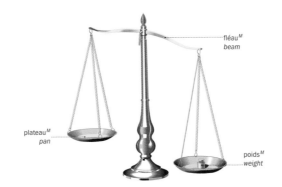

fléau^M
beam

plateau^M
pan

poids^M
weight

balance^F romaine
steelyard

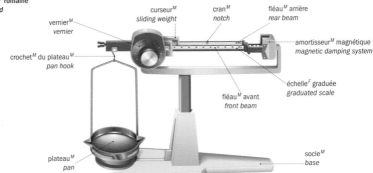

curseur^M
sliding weight

cran^M
notch

fléau^M arrière
rear beam

vernier^M
vernier

amortisseur^M magnétique
magnetic damping system

crochet^M du plateau^M
pan hook

échelle^F graduée
graduated scale

fléau^M avant
front beam

plateau^M
pan

socle^M
base

balance^F de Roberval
Roberval's balance

aiguille^F
pointer

cadran^M
dial

poids^M
weight

plateau^M
pan

fléau^M
beam

socle^M
base

SCIENCE

mesure^F de la masse^F

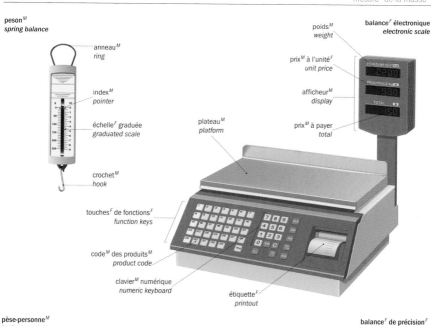

peson^M
spring balance

anneau^M
ring

index^M
pointer

échelle^F graduée
graduated scale

crochet^M
hook

balance^F électronique
electronic scale

poids^M
weight

prix^M à l'unité^F
unit price

afficheur^M
display

prix^M à payer
total

plateau^M
platform

touches^F de fonctions^F
function keys

code^M des produits^M
product code

clavier^M numérique
numeric keyboard

étiquette^F
printout

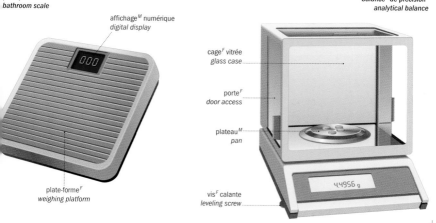

pèse-personne^M
bathroom scale

affichage^M numérique
digital display

plate-forme^F
weighing platform

balance^F de précision^F
analytical balance

cage^F vitrée
glass case

porte^F
door access

plateau^M
pan

vis^F calante
leveling screw

SCIENCE

mesure^F de la température^F
measure of temperature

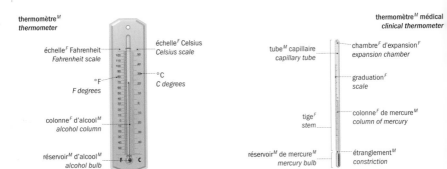

thermomètre^M
thermometer

échelle^F Fahrenheit
Fahrenheit scale

échelle^F Celsius
Celsius scale

°F^F
F degrees

°C
C degrees

colonne^F d'alcool^M
alcohol column

réservoir^M d'alcool^M
alcohol bulb

thermomètre^M médical
clinical thermometer

tube^M capillaire
capillary tube

chambre^F d'expansion^F
expansion chamber

graduation^F
scale

tige^F
stem

colonne^F de mercure^M
column of mercury

réservoir^M de mercure^M
mercury bulb

étranglement^M
constriction

mesure^F du temps^M
measure of time

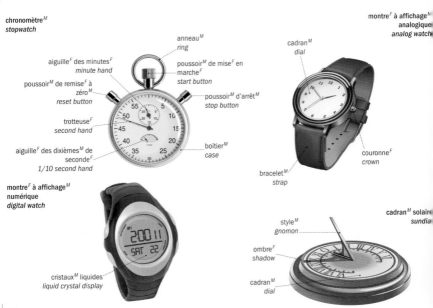

chronomètre^M
stopwatch

anneau^M
ring

aiguille^F des minutes^F
minute hand

poussoir^M de mise^F en marche^F
start button

poussoir^M de remise^F à zéro^M
reset button

poussoir^M d'arrêt^M
stop button

trotteuse^F
second hand

aiguille^F des dixièmes^M de seconde^F
1/10 second hand

boîtier^M
case

montre^F à affichage^M analogique
analog watch

cadran^M
dial

couronne^F
crown

bracelet^M
strap

montre^F à affichage^M numérique
digital watch

cristaux^M liquides
liquid crystal display

cadran^M solaire
sundial

style^M
gnomon

ombre^F
shadow

cadran^M
dial

SCIENCE

mesure^F de la longueur^F
measure of length

règle^F graduée
ruler

graduation^F
scale

mesure^F de l'épaisseur^F
measure of thickness

pied^M à coulisse^F à vernier^M
vernier caliper

vis^F de blocage^M
clamping screws

bloc^M de pression^F
clamping block

graduation^F de la règle^F
main scale

vernier^M
vernier

graduation^F du vernier^M
vernier scale

molette^F d'ajustage^M
fine adjustment wheel

règle^F
ruler

bec^M fixe
fixed jaw

bec^M mobile
sliding jaw

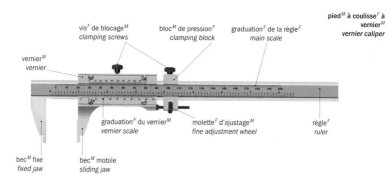

micromètre^M palmer^M
micrometer caliper

touche^F fixe
anvil

touche^F mobile
spindle

vis^F micrométrique
finely threaded screw

bouton^M à friction^F
ratchet knob

bague^F de blocage^M
lock nut

tambour^M
thimble

corps^M
frame

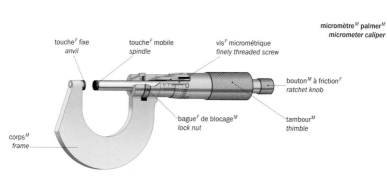

système^M international d'unités^F
international system of units

mesure^F de la fréquence^F
measurement of frequency

Hz
hertz^M
hertz

mesure^F de la différence^F de potentiel^M électrique
measurement of electric potential difference

V
volt^M
volt

mesure^F de la charge^F électrique
measurement of electric charge

C
coulomb^M
coulomb

mesure^F de l'énerg
measurement of ene

J
joule^M
joule

mesure^F de la puissance^F
measurement of power

W
watt^M
watt

mesure^F de la force^F
measurement of force

N
newton^M
newton

mesure^F de la résistance^F électrique
measurement of electric resistance

Ω
ohm^M
ohm

mesure^F du courant^M électri
measurement of electric cur

A
ampère^M
ampere

mesure^F de la longueur^F
measurement of length

m
mètre^M
meter

mesure^F de la masse^F
measurement of mass

kg
kilogramme^M
kilogram

mesure^F de la température^F Celsius
measurement of Celsius temperature

°C
degré^M Celsius
degree Celsius

mesure^F de la température^F thermodynamique
measurement of thermodynamic temp

K
kelvin^M
kelvin

mesure^F de la quantité^F de matière^F
measurement of amount of substance

mol
mole^F
mole

mesure^F de la radioactivité^F
measurement of radioactivity

Bq
becquerel^M
becquerel

mesure^F de la pression^F
measurement of pressure

Pa
pascal^M
pascal

mesure^F de l'intensité^F lumine
measurement of luminous intensity

cd
candela^F
candela

biologie^F
biology

mâle^M
male

femelle^F
female

facteur^M rhésus positif
blood factor positive

Rh-

facteur^M rhésus négatif
blood factor negative

mort^F
death

★

naissance^F
birth

mathématiques^F
mathematics

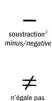

−
soustraction^F
minus/negative

+
addition^F
plus/positive

X
multiplication^F
multiplied by

÷
division^F
divided by

=
égale
equals

≠
n'égale pas
is not equal to

égale à peu près
is approximately equal to

équivaut à
is equivalent to

≡
est identique à
is identical with

≢
n'est pas identique à
is not identical with

±
plus ou moins
plus or minus

≤
égal ou plus petit que
is less than or equal to

>
plus grand que
is greater than

≥
égal ou plus grand que
is greater than or equal to

<
plus petit que
is less than

∅
ensemble^M vide
empty set

∪
réunion^F
union of two sets

∩
intersection^F
intersection of two sets

⊂
inclusion^F
is included in/is a subset of

%
pourcentage^M
percent

∈
appartenance^F
is an element of

∉
non-appartenance^F
is not an element of

Σ
sommation^F
sum

√
racine^F carrée de
square root of

½
fraction^F
fraction

∞
infini^M
infinity

∫
intégrale^F
integral

!
factorielle^F
factorial

SCIENCE

chiffres^M romains
Roman numerals

I
un^M
one

V
cinq^M
five

X
dix^M
ten

L
cinquante^M
fifty

C
cent^M
one hundred

D
cinq cents^M
five hundred

M
mille^M
one thousand

géométrie[F]

geometry

○	'	''	π	⊥
degré[M]	minute[F]	seconde[F]	pi[M]	perpendiculaire[F]
degree	*minute*	*second*	*pi*	*perpendicular*

‖	⧣	∟	⦦	∠
parallèle	non-parallèle	angle[M] droit	angle[M] obtus	angle[M] aigu
is parallel to	*is not parallel to*	*right angle*	*obtuse angle*	*acute angle*

formes[F] géométriques

geometrical shapes

exemples[M] d'angles[M]
examples of angles

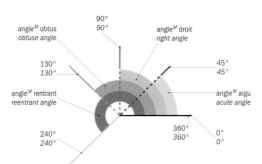

angle[M] obtus
obtuse angle

90°
90°

angle[M] droit
right angle

130°
130°

45°
45°

angle[M] rentrant
reentrant angle

angle[M] aigu
acute angle

240°
240°

360°
360°

0°
0°

surfaces[F]
plane surfaces

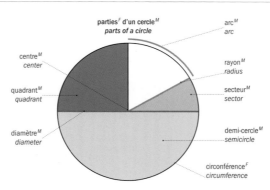

parties[F] d'un cercle[M]
parts of a circle

arc[M]
arc

centre[M]
center

rayon[M]
radius

quadrant[M]
quadrant

secteur[M]
sector

diamètre[M]
diameter

demi-cercle[M]
semicircle

circonférence[F]
circumference

formes^F géométriques

polygones^M
polygons

triangle^M
triangle

carré^M
square

rectangle^M
rectangle

losange^M
rhombus

trapèze^M
trapezoid

parallélogramme^M
parallelogram

quadrilatère^M
quadrilateral

pentagone^M régulier
regular pentagon

hexagone^M régulier
regular hexagon

heptagone^M régulier
regular heptagon

octogone^M régulier
regular octagon

ennéagone^M régulier
regular nonagon

décagone^M régulier
regular decagon

hendécagone^M régulier
regular hendecagon

dodécagone^M régulier
regular dodecagon

volumes^M
solids

hélice^F
helix

tore^M
torus

hémisphère^M
hemisphere

sphère^F
sphere

cube^M
cube

cône^M
cone

pyramide^F
pyramid

cylindre^M
cylinder

parallélépipède^M
parallelepiped

octaèdre^M régulier
regular octahedron

agglomération[F]

agglomeration

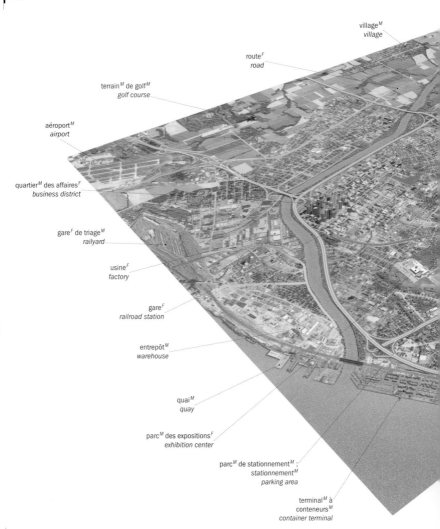

village[M]
village

route[F]
road

terrain[M] de golf[M]
golf course

aéroport[M]
airport

quartier[M] des affaires[F]
business district

gare[F] de triage[M]
railyard

usine[F]
factory

gare[F]
railroad station

entrepôt[M]
warehouse

quai[M]
quay

parc[M] des expositions[F]
exhibition center

parc[M] de stationnement[M] ;
stationnement[M]
parking area

terminal[M] à
conteneurs[M]
container terminal

SOCIÉTÉ

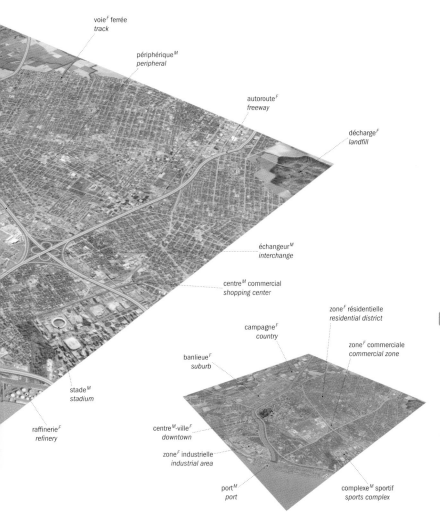

voie^F ferrée
track

périphérique^M
peripheral

autoroute^F
freeway

décharge^F
landfill

échangeur^M
interchange

centre^M commercial
shopping center

zone^F résidentielle
residential district

campagne^F
country

zone^F commerciale
commercial zone

banlieue^F
suburb

stade^M
stadium

raffinerie^F
refinery

centre^M-ville^F
downtown

zone^F industrielle
industrial area

port^M
port

complexe^M sportif
sports complex

centre^M-ville^F
downtown

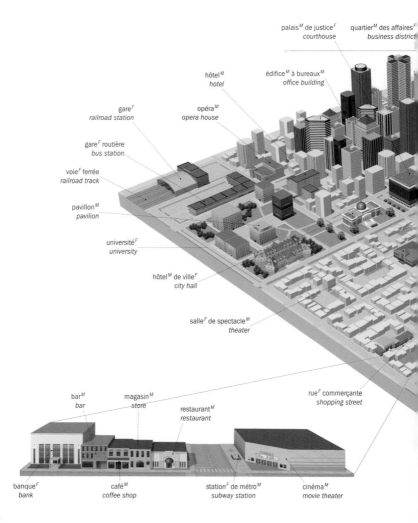

palais^M de justice^F
courthouse

quartier^M des affaires^F
business district

hôtel^M
hotel

édifice^M à bureaux^M
office building

gare^F
railroad station

opéra^M
opera house

gare^F routière
bus station

voie^F ferrée
railroad track

pavillon^M
pavilion

université^F
university

hôtel^M de ville^F
city hall

salle^F de spectacle^M
theater

rue^F commerçante
shopping street

bar^M
bar

magasin^M
store

restaurant^M
restaurant

banque^F
bank

café^M
coffee shop

station^F de métro^M
subway station

cinéma^M
movie theater

SOCIÉTÉ

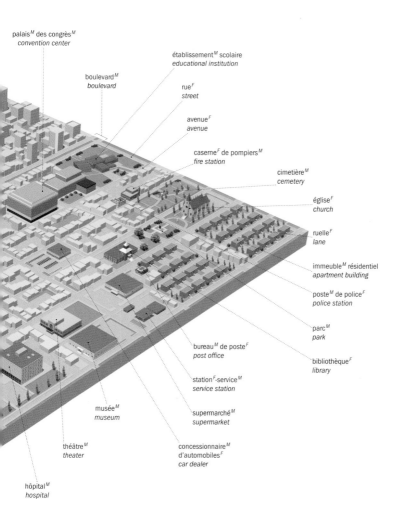

palais^M des congrès^M
convention center

établissement^M scolaire
educational institution

boulevard^M
boulevard

rue^F
street

avenue^F
avenue

caserne^F de pompiers^M
fire station

cimetière^M
cemetery

église^F
church

ruelle^F
lane

immeuble^M résidentiel
apartment building

poste^M de police^F
police station

parc^M
park

bureau^M de poste^F
post office

bibliothèque^F
library

station^F-service^M
service station

musée^M
museum

supermarché^M
supermarket

théâtre^M
theater

concessionnaire^M
d'automobiles^F
car dealer

hôpital^M
hospital

SOCIÉTÉ

coupe^F d'une rue^F

cross section of a street

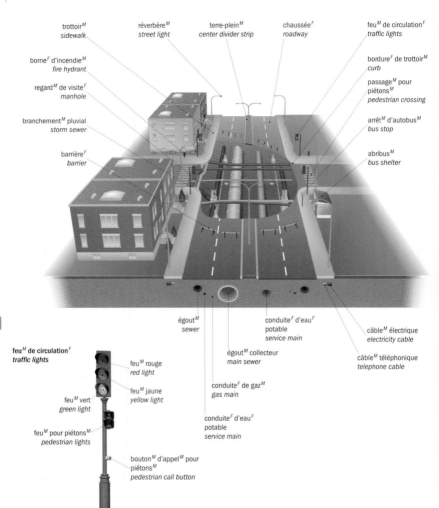

trottoir^M
sidewalk

réverbère^M
street light

terre-plein^M
center divider strip

chaussée^F
roadway

feu^M de circulation^F
traffic lights

borne^F d'incendie^M
fire hydrant

regard^M de visite^F
manhole

branchement^M pluvial
storm sewer

barrière^F
barrier

bordure^F de trottoir^M
curb

passage^M pour
piétons^M
pedestrian crossing

arrêt^M d'autobus^M
bus stop

abribus^M
bus shelter

égout^M
sewer

conduite^F d'eau^F
potable
service main

câble^M électrique
electricity cable

égout^M collecteur
main sewer

câble^M téléphonique
telephone cable

SOCIÉTÉ

feu^M de circulation^F
traffic lights

feu^M rouge
red light

feu^M jaune
yellow light

feu^M vert
green light

conduite^F de gaz^M
gas main

feu^M pour piétons^M
pedestrian lights

conduite^F d'eau^F
potable
service main

bouton^M d'appel^M pour
piétons^M
pedestrian call button

édifice^M à bureaux^M
office building

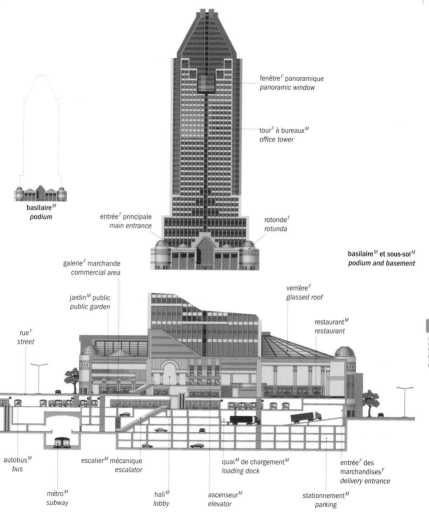

fenêtre^F panoramique
panoramic window

tour^F à bureaux^M
office tower

basilaire^M
podium

entrée^F principale
main entrance

rotonde^F
rotunda

basilaire^M et sous-sol^M
podium and basement

galerie^F marchande
commercial area

jardin^M public
public garden

verrière^F
glassed roof

restaurant^M
restaurant

rue^F
street

autobus^M
bus

escalier^M mécanique
escalator

quai^M de chargement^M
loading dock

entrée^F des
marchandises^F
delivery entrance

métro^M
subway

hall^M
lobby

ascenseur^M
elevator

stationnement^M
parking

SOCIÉTÉ

centre^M commercial
shopping center

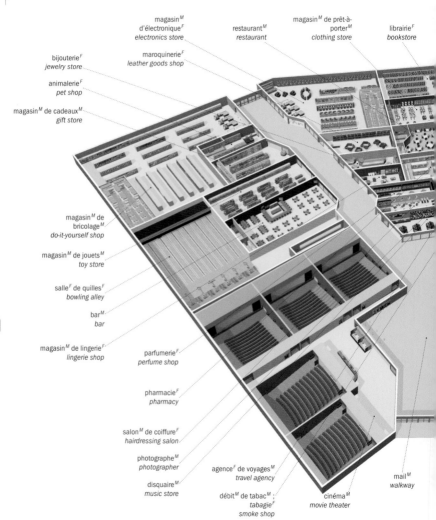

magasin^M
d'électronique^F
electronics store

restaurant^M
restaurant

magasin^M de prêt-à-
porter^M
clothing store

librairie^F
bookstore

bijouterie^F
jewelry store

maroquinerie^F
leather goods shop

animalerie^F
pet shop

magasin^M de cadeaux^M
gift store

magasin^M de
bricolage^M
do-it-yourself shop

magasin^M de jouets^M
toy store

salle^F de quilles^F
bowling alley

bar^M
bar

magasin^M de lingerie^F
lingerie shop

parfumerie^F
perfume shop

pharmacie^F
pharmacy

salon^M de coiffure^F
hairdressing salon

photographe^M
photographer

disquaire^M
music store

agence^F de voyages^M
travel agency

débit^M de tabac^M
tabagie^F
smoke shop

cinéma^M
movie theater

mail^M
walkway

SOCIÉTÉ

centre^M commercial

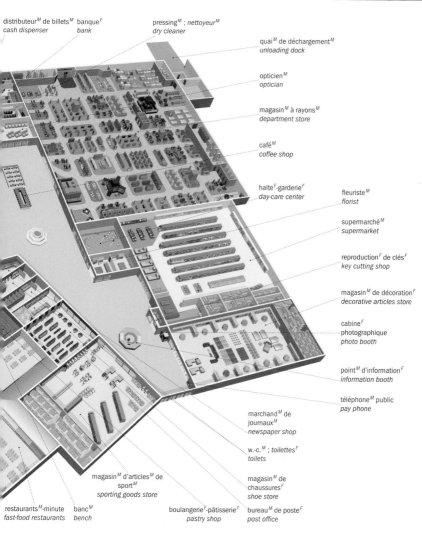

distributeur^M de billets^M
cash dispenser

banque^F
bank

pressing^M ; nettoyeur^M
dry cleaner

quai^M de déchargement^M
unloading dock

opticien^M
optician

magasin^M à rayons^M
department store

café^M
coffee shop

halte^F-garderie^F
day-care center

fleuriste^M
florist

supermarché^M
supermarket

reproduction^F de clés^F
key cutting shop

magasin^M de décoration^F
decorative articles store

cabine^F
photographique
photo booth

point^M d'information^F
information booth

téléphone^M public
pay phone

marchand^M de
journaux^M
newspaper shop

w.-c.^M ; toilettes^F
toilets

magasin^M de
chaussures^F
shoe store

magasin^M d'articles^M de
sport^M
sporting goods store

restaurants^M-minute
fast-food restaurants

banc^M
bench

boulangerie^F-pâtisserie^F
pastry shop

bureau^M de poste^F
post office

SOCIÉTÉ

restaurant^M
restaurant

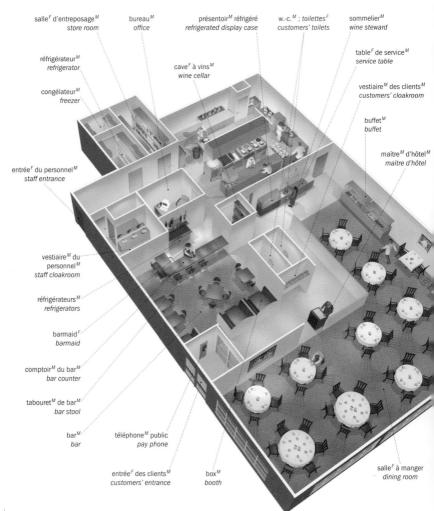

salle^F d'entreposage^M
store room

bureau^M
office

présentoir^M réfrigéré
refrigerated display case

w.-c.^M ; toilettes^F
customers' toilets

sommelier^M
wine steward

réfrigérateur^M
refrigerator

cave^F à vins^M
wine cellar

table^F de service^M
service table

congélateur^M
freezer

vestiaire^M des clients^M
customers' cloakroom

buffet^M
buffet

entrée^F du personnel^M
staff entrance

maître^M d'hôtel^M
maître d'hôtel

vestiaire^M du personnel^M
staff cloakroom

réfrigérateurs^M
refrigerators

barmaid^F
barmaid

comptoir^M du bar^M
bar counter

tabouret^M de bar^M
bar stool

bar^M
bar

téléphone^M public
pay phone

entrée^F des clients^M
customers' entrance

box^M
booth

salle^F à manger
dining room

SOCIÉTÉ

hôtel^M
hotel

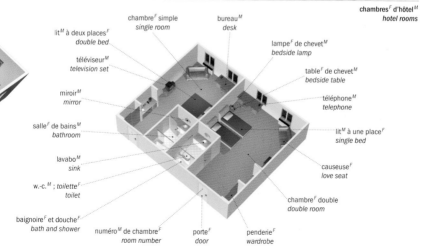

niveau^M de la réception^F
reception level

w.-c. ^M hommes^M ; toilettes^F hommes^M
gentlemen's toilet

écran^M
screen

salle^F de réunion^F
meeting room

salle^F à manger
dining room

cuisine^F
kitchen

w.-c. ^M femmes^F ; toilettes^F femmes^F
ladies' toilet

réserves^F alimentaires
food reserves

bar^M-salon^M
cocktail lounge

local^M d'entretien^M
janitor's closet

bureau^M
office

quai^M de déchargement^M
unloading dock

escalier^M
stairs

buanderie^F
laundry

ascenseur^M
elevator

lingerie^F
linen room

salon^M d'attente^F
lounge

hall^M
hall

vestibule^M
lobby

réception^F
front desk

chambres^F d'hôtel^M
hotel rooms

chambre^F simple
single room

bureau^M
desk

lit^M à deux places^F
double bed

lampe^F de chevet^M
bedside lamp

téléviseur^M
television set

table^F de chevet^M
bedside table

miroir^M
mirror

téléphone^M
telephone

salle^F de bains^M
bathroom

lit^M à une place^F
single bed

lavabo^M
sink

causeuse^F
love seat

w.-c. ^M ; toilette^F
toilet

chambre^F double
double room

baignoire^F et douche^F
bath and shower

numéro^M de chambre^F
room number

porte^F
door

penderie^F
wardrobe

SOCIÉTÉ

tribunal ^{M}
court

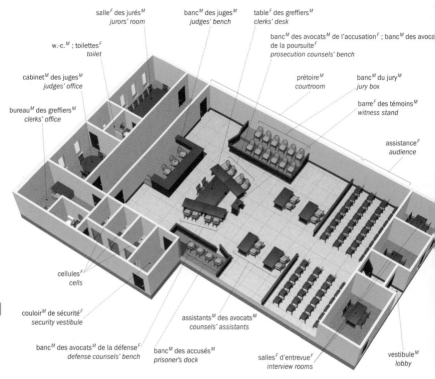

salle ^{F} des jurés ^{M}
jurors' room

banc ^{M} des juges ^{M}
judges' bench

table ^{F} des greffiers ^{M}
clerks' desk

banc ^{M} des avocats ^{M} de l'accusation ^{F} ; banc ^{M} des avoca
de la poursuite ^{F}
prosecution counsels' bench

w.-c. ^{M} ; toilettes ^{F}
toilet

cabinet ^{M} des juges ^{M}
judges' office

prétoire ^{M}
courtroom

banc ^{M} du jury ^{M}
jury box

bureau ^{M} des greffiers ^{M}
clerks' office

barre ^{F} des témoins ^{M}
witness stand

assistance ^{F}
audience

cellules ^{F}
cells

couloir ^{M} de sécurité ^{F}
security vestibule

assistants ^{M} des avocats ^{M}
counsels' assistants

banc ^{M} des avocats ^{M} de la défense ^{F}
defense counsels' bench

banc ^{M} des accusés ^{M}
prisoner's dock

salles ^{F} d'entrevue ^{F}
interview rooms

vestibule ^{M}
lobby

SOCIÉTÉ

exemples ^{M} d'unités ^{F} monétaires
examples of currency abbreviations

cent ^{M}
cent

euro ^{M}
euro

peso ^{M}
peso

livre ^{F}
pound

dollar ^{M}
dollar

roupie ^{F}
rupee

nouveau shekel ^{M}
new shekel

yen ^{M}
yen

monnaie^F et modes^M de paiement^M

money and modes of payment

pièce^F : avers^M
coin: obverse

millésime^M
date

tranche^F
edge

pièce^F : revers^M
coin: reverse

drapeau^M de l'Union^F européenne
flag of the European Union

couronne^F
outer ring

valeur^F
denomination

initiales^F de la banque^F émettrice
initials of the issuing bank

fil^M de sécurité^F
security thread

billet^M de banque^F : recto^M
banknote: front

bande^F métallisée holographique
hologram foil strip

signature^F officielle
official signature

filigrane^M
watermark

encre^F à couleur^F changeante
color shifting ink

effigie^F
portrait

numéro^M de série^F
serial number

billet^M de banque^F : verso^M
banknote: back

numéro^M de série^F
serial number

devise^F
motto

valeur^F
denomination

nom^M de la monnaie^F
name of the currency

bande^F magnétique
magnetic stripe

signature^F du titulaire^M
cardholder's signature

carte^F de crédit^M
credit card

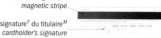

numéro^M de carte^F
card number

nom^M du titulaire^M
cardholder's name

date^F d'expiration^F
expiration date

chèques^M
checks

chèque^M de voyage^M
traveler's check

banque^F

bank

distributeur^M de billets^M
cash dispenser

bureau^M de formation^F professionnelle
professional training office

aire^F d'attente^F
waiting area

services^M d'assurance^F
insurance services

présentoir^M de brochures^F
brochure rack

reprographie^F
photocopier

services^M financiers
financial services

comptoir^M de renseignements^M
information desk

salle^F de conférences^F
conference room

guichet^M automatique bancaire
automatic teller machine (ATM)

accueil^M
reception desk

touches^F d'opérations^F
operation keys

fente^F de dépôt^M
deposit slot

services^M de crédit^M
loan services

écran^M
display

salle^F de réunion^F
meeting room

fente^F du lecteur^M de carte^F
card reader slot

fente^F de relevé^M d'opération^F
transaction record slot

clavier^M alphanumérique
alphanumeric keyboard

grille^F de sécurité^F
security grille

sortie^F des billets^M
bill presenter

fente^F de mise^F à jour^M du livret^M bancaire
passbook update slot

vestibule
lobt

SOCIÉTÉ

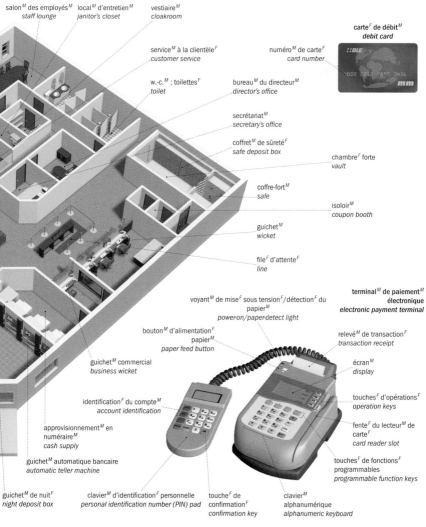

salon^M des employés^M
staff lounge

local^M d'entretien^M
janitor's closet

vestiaire^M
cloakroom

carte^F de débit^M
debit card

::BLE

0000 0018 2659 3451

mm

service^M à la clientèle^F
customer service

numéro^M de carte^F
card number

w.-c.^{M} ; toilettes^F
toilet

bureau^M du directeur^M
director's office

secrétariat^M
secretary's office

coffret^M de sûreté^F
safe deposit box

chambre^F forte
vault

coffre-fort^M
safe

isoloir^M
coupon booth

guichet^M
wicket

file^F d'attente^F
line

terminal^M de paiement^M
électronique
electronic payment terminal

voyant^M de mise^F sous tension^F/détection^F du
papier^M
power-on/paper-detect light

bouton^M d'alimentation^F
papier^M
paper feed button

relevé^M de transaction^F
transaction receipt

écran^M
display

guichet^M commercial
business wicket

touches^F d'opérations^F
operation keys

identification^F du compte^M
account identification

fente^F du lecteur^M de
carte^F
card reader slot

approvisionnement^M en
numéraire^M
cash supply

guichet^M automatique bancaire
automatic teller machine

touches^F de fonctions^F
programmables
programmable function keys

guichet^M de nuit^F
night deposit box

clavier^M d'identification^F personnelle
personal identification number (PIN) pad

touche^F de
confirmation^F
confirmation key

clavier^M
alphanumérique
alphanumeric keyboard

école^F

school

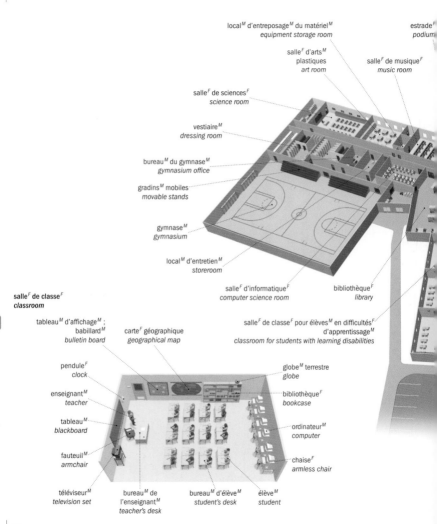

local^M d'entreposage^M du matériel^M
equipment storage room

estrade^F
podium

salle^F d'arts^M plastiques
art room

salle^F de musique^F
music room

salle^F de sciences^F
science room

vestiaire^M
dressing room

bureau^M du gymnase^M
gymnasium office

gradins^M mobiles
movable stands

gymnase^M
gymnasium

local^M d'entretien^M
storeroom

salle^F d'informatique^F
computer science room

bibliothèque^F
library

salle^F de classe^F
classroom

tableau^M d'affichage^M ;
babillard^M
bulletin board

carte^F géographique
geographical map

salle^F de classe^F pour élèves^M en difficultés^F d'apprentissage^M
classroom for students with learning disabilities

pendule^F
clock

globe^M terrestre
globe

enseignant^M
teacher

bibliothèque^F
bookcase

tableau^M
blackboard

ordinateur^M
computer

fauteuil^M
armchair

chaise^F
armless chair

téléviseur^M
television set

bureau^M de l'enseignant^M
teacher's desk

bureau^M d'élève^M
student's desk

élève^M
student

SOCIÉTÉ

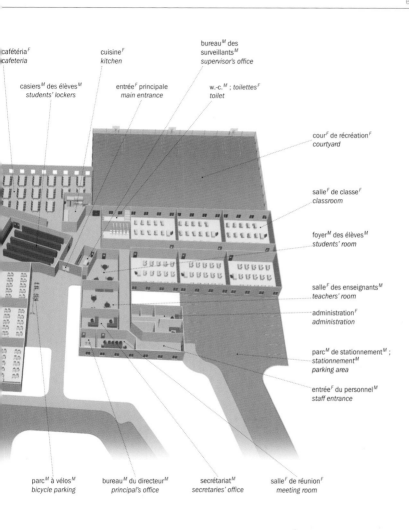

cafétéria^F
cafeteria

cuisine^F
kitchen

bureau^M des
surveillants^M
supervisor's office

casiers^M des élèves^M
students' lockers

entrée^F principale
main entrance

w.-c.^M ; toilettes^F
toilet

cour^F de récréation^F
courtyard

salle^F de classe^F
classroom

foyer^M des élèves^M
students' room

salle^F des enseignants^M
teachers' room

administration^F
administration

parc^M de stationnement^M ;
stationnement^M
parking area

entrée^F du personnel^M
staff entrance

parc^M à vélos^M
bicycle parking

bureau^M du directeur^M
principal's office

secrétariat^M
secretaries' office

salle^F de réunion^F
meeting room

SOCIÉTÉ

église^F

church

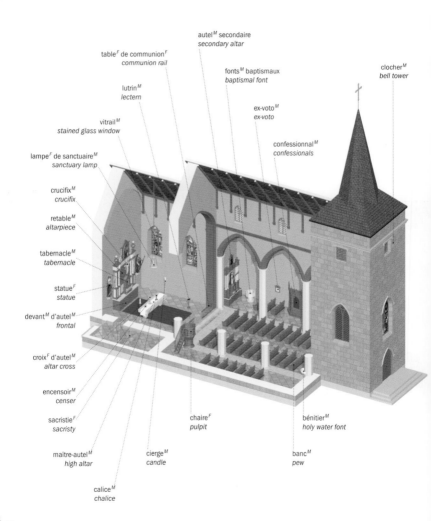

autel^M secondaire
secondary altar

table^F de communion^F
communion rail

fonts^M baptismaux
baptismal font

clocher^M
bell tower

lutrin^M
lectern

ex-voto^M
ex-voto

vitrail^M
stained glass window

confessionnal^M
confessionals

lampe^F de sanctuaire^M
sanctuary lamp

crucifix^M
crucifix

retable^M
altarpiece

tabernacle^M
tabernacle

statue^F
statue

devant^M d'autel^M
frontal

croix^F d'autel^M
altar cross

encensoir^M
censer

sacristie^F
sacristy

chaire^F
pulpit

bénitier^M
holy water font

maître-autel^M
high altar

cierge^M
candle

banc^M
pew

calice^M
chalice

SOCIÉTÉ

synagogue^F
synagogue

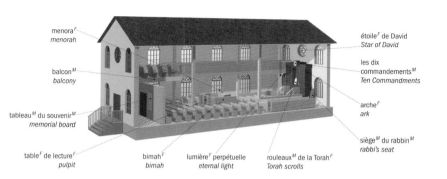

menora^F
menorah

balcon^M
balcony

tableau^M du souvenir^M
memorial board

table^F de lecture^F
pulpit

bimah^F
bimah

lumière^F perpétuelle
eternal light

rouleaux^M de la Torah^F
Torah scrolls

étoile^F de David
Star of David

les dix commandements^M
Ten Commandments

arche^F
ark

siège^M du rabbin^M
rabbi's seat

mosquée^F
mosque

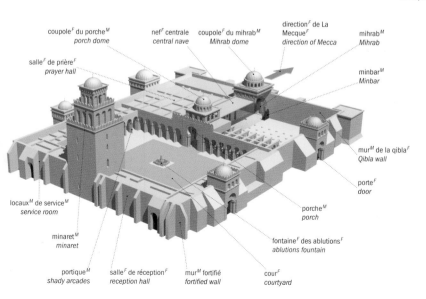

coupole^F du porche^M
porch dome

nef^F centrale
central nave

coupole^F du mihrab^M
Mihrab dome

direction^F de La Mecque^F
direction of Mecca

mihrab^M
Mihrab

salle^F de prière^F
prayer hall

minbar^M
Minbar

mur^M de la qibla^F
Qibla wall

porte^F
door

locaux^M de service^M
service room

porche^M
porch

minaret^M
minaret

portique^M
shady arcades

salle^F de réception^F
reception hall

mur^M fortifié
fortified wall

fontaine^F des ablutions^F
ablutions fountain

cour^F
courtyard

SOCIÉTÉ

drapeaux^M

flags

Amériques^F
Americas

1

Canada^M
Canada

2

États-Unis^M d'Amérique^F
United States of America

3

Mexique^M
Mexico

4

Honduras^M
Honduras

5

Guatemala^M
Guatemala

6

Belize^M
Belize

7

El Salvador^M
El Salvador

8

Nicaragua^M
Nicaragua

9

Costa Rica^M
Costa Rica

10

Panama^M
Panama

11

Colombie^F
Colombia

12

Venezuela^M
Venezuela

13

Guyana^F
Guyana

14

Suriname^M
Suriname

15

Équateur^M
Ecuador

16

Pérou^M
Peru

17

Brésil^M
Brazil

18

Bolivie^F
Bolivia

19

Paraguay^M
Paraguay

20

Chili^M
Chile

21

Argentine^F
Argentina

22

Uruguay^M
Uruguay

Antilles^F
Caribbean Islands

23

Bahamas^F
Bahamas

24

Cuba^F
Cuba

25

Jamaïque^F
Jamaica

26

Haïti^M
Haiti

SOCIÉTÉ

drapeaux^M

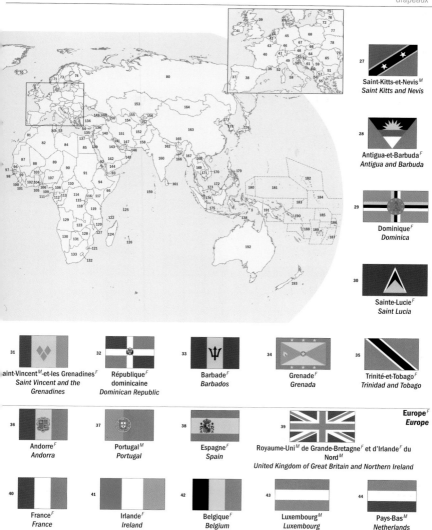

27 Saint-Kitts-et-Nevis^M
Saint Kitts and Nevis

28 Antigua-et-Barbuda^F
Antigua and Barbuda

29 Dominique^F
Dominica

30 Sainte-Lucie^F
Saint Lucia

31 Saint-Vincent^M-et-les Grenadines^F
Saint Vincent and the Grenadines

32 République^F dominicaine
Dominican Republic

33 Barbade^F
Barbados

34 Grenade^F
Grenada

35 Trinité-et-Tobago^F
Trinidad and Tobago

Europe^F
Europe

36 Andorre^F
Andorra

37 Portugal^M
Portugal

38 Espagne^F
Spain

39 Royaume-Uni^M de Grande-Bretagne^F et d'Irlande^F du Nord^M
United Kingdom of Great Britain and Northern Ireland

40 France^F
France

41 Irlande^F
Ireland

42 Belgique^F
Belgium

43 Luxembourg^M
Luxembourg

44 Pays-Bas^M
Netherlands

SOCIÉTÉ

drapeaux^M

Allemagne^F
Germany

Liechtenstein^M
Liechtenstein

Suisse^F
Switzerland

Autriche^F
Austria

Italie^F
Italy

Saint-Marin^M
San Marino

Bulgarie^F
Bulgaria

Monaco^M
Monaco

Malte^F
Malta

Chypre^F
Cyprus

Grèce^F
Greece

Albanie^F
Albania

Ex-République^F **yougoslave de Macédoine**^F
The Former Yugoslav Republic of Macedonia

État^M **de la cité**^F **du Vatican**^M
Vatican City State

Serbie^F
Serbia

Monténégro^M
Montenegro

Bosnie-Herzégovine^F
Bosnia and Herzegovina

Croatie^F
Croatia

Slovénie^F
Slovenia

Hongrie^F
Hungary

Roumanie^F
Romania

Slovaquie^F
Slovakia

République^F **tchèque**
Czech Republic

Pologne^F
Poland

Danemark^M
Denmark

Islande^F
Iceland

Norvège^F
Norway

Lituanie^F
Lithuania

Suède^F
Sweden

Finlande^F
Finland

Estonie^F
Estonia

Lettonie^F
Latvia

Bélarus^M
Belarus

Ukraine^F
Ukraine

République^F **de Moldova**^F
Republic of Moldova

Fédération^F **de Russie**^F
Russian Federation

SOCIÉTÉ

drapeaux^M

Afrique^F
Africa

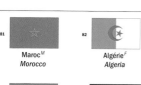

81
Maroc^M
Morocco

82
Algérie^F
Algeria

83
Tunisie^F
Tunisia

84
Jamahiriya^F arabe
libyenne
Libyan Arab Jamahiriya

85
Égypte^F
Egypt

86
Cap-Vert^M
Cape Verde

87
Mauritanie^F
Mauritania

88
Mali^M
Mali

89
Niger^M
Niger

90
Tchad^M
Chad

91
Soudan^M
Sudan

92
Érythrée^F
Eritrea

93
Djibouti^M
Djibouti

94
Éthiopie^F
Ethiopia

95
Somalie^F
Somalia

96
Sénégal^M
Senegal

97
Gambie^F
Gambia

98
Guinée-Bissau^F
Guinea-Bissau

99
Guinée^F
Guinea

100
Sierra Leone^F
Sierra Leone

101
Liberia^M
Liberia

102
Côte d'Ivoire^F
Côte d'Ivoire

103
Burkina Faso^M
Burkina Faso

104
Ghana^M
Ghana

105
Togo^M
Togo

106
Bénin^M
Benin

107
Nigeria^M
Nigeria

108
Cameroun^M
Cameroon

109
Guinée^F équatoriale
Equatorial Guinea

110
République^F centrafricaine
Central African Republic

111
São Tomé-et-Príncipe^M
Sao Tome and Principe

112
Gabon^M
Gabon

113
Congo^M
Congo

114
République^F démocratique du
Congo^M
Democratic Republic of the Congo

115
Rwanda^M
Rwanda

116
Ouganda^M
Uganda

117
Kenya^M
Kenya

118
Burundi^M
Burundi

119
République^F-Unie de
Tanzanie^F
United Republic of Tanzania

SOCIÉTÉ

drapeaux^M

120 Mozambique^M
Mozambique

121 Swaziland^M
Swaziland

122 Comores^F
Comoros

123 Zambie^F
Zambia

124 Madagascar^F
Madagascar

125 Seychelles^F
Seychelles

126 Maurice^F
Mauritius

127 Malawi^M
Malawi

128 Zimbabwe^M
Zimbabwe

129 Angola^M
Angola

130 Namibie^F
Namibia

131 Botswana^M
Botswana

132 Lesotho^M
Lesotho

133 Afrique^F du Sud^M
South Africa

Asie^F
Asia

134 Turquie^F
Turkey

135 Liban^M
Lebanon

136 République^F arabe
syrienne
Syrian Arab Republic

137 Israël^M
Israel

138 Timor^M oriental
East Timor

139 Jordanie^F
Jordan

140 Iraq^M
Iraq

141 Koweït^M
Kuwait

142 Arabie^F saoudite
Saudi Arabia

143 Bahreïn^M
Bahrain

144 Yémen^M
Yemen

145 Oman^M
Oman

146 Émirats^M arabes unis
United Arab Emirates

147 Qatar^M
Qatar

148 Géorgie^F
Georgia

149 Arménie^F
Armenia

150 Azerbaïdjan^M
Azerbaijan

151 Iran^M
Iran

152 Afghanistan^M
Afghanistan

153 Kazakhstan^M
Kazakhstan

154 Turkménistan^M
Turkmenistan

155 Ouzbékistan^M
Uzbekistan

156 Kirghizistan^M
Kyrgyzstan

157 Tadjikistan^M
Tajikistan

158 Pakistan^M
Pakistan

SOCIÉTÉ

drapeaux^M

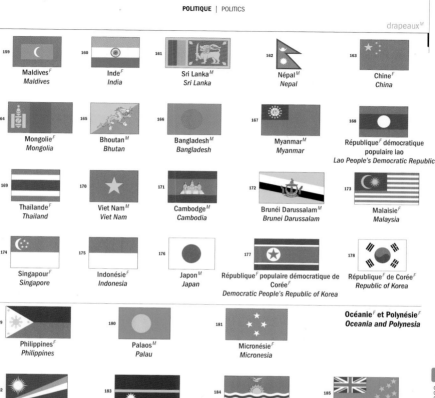

159 Maldives^F
Maldives

160 Inde^F
India

161 Sri Lanka^M
Sri Lanka

162 Népal^M
Nepal

163 Chine^F
China

164 Mongolie^F
Mongolia

165 Bhoutan^M
Bhutan

166 Bangladesh^M
Bangladesh

167 Myanmar^M
Myanmar

168 République^F démocratique populaire lao
Lao People's Democratic Republic

169 Thaïlande^F
Thailand

170 Viet Nam^M
Viet Nam

171 Cambodge^M
Cambodia

172 Brunéi Darussalam^M
Brunei Darussalam

173 Malaisie^F
Malaysia

174 Singapour^F
Singapore

175 Indonésie^F
Indonesia

176 Japon^M
Japan

177 République^F populaire démocratique de Corée^F
Democratic People's Republic of Korea

178 République^F de Corée^F
Republic of Korea

179 Philippines^F
Philippines

180 Palaos^M
Palau

181 Micronésie^F
Micronesia

Océanie^F et Polynésie^F
Oceania and Polynesia

182 Îles^F Marshall
Marshall Islands

183 Nauru^F
Nauru

184 Kiribati^F
Kiribati

185 Tuvalu^M
Tuvalu

186 Samoa^F
Samoa

187 Tonga^F
Tonga

188 Vanuatu^M
Vanuatu

189 Fidji^F
Fiji

190 Îles^F Salomon
Solomon Islands

191 Papouasie-Nouvelle-Guinée^F
Papua New Guinea

192 Australie^F
Australia

193 Nouvelle-Zélande^F
New Zealand

SOCIÉTÉ

prévention^F des incendies^M

fire prevention

matériel^M de lutte^F contre les incendies^M
fire-fighting material

pompier^M
firefighter

détecteur^M de fumée^F
smoke detector

base^F
base

casque^M
helmet

bouteille^F d'air^M comprimé
compressed-air cylinder

couvercle^M
cover

masque^M complet
full face mask

bouton^M d'essai^M
test button

appareil^M de protection^F respiratoire
self-contained breathing apparatus

témoin^M lumineux
indicator light

tube^M d'alimentation^F en air^M
air-supply tube

extincteur^M
portable fire extinguisher

gâchette^F
trigger

robinet^M de réglage^M de débit^M
pressure demand regulator

goupille^F
pin

tuyau^M
hose

avertisseur^M de détresse^F
mandown alarm

tenue^F d'intervention^F
turnouts

réservoir^M
tank

gaffe^F
pike pole

hache^F
hatchet

tuyau^M de refoulement^M
fire hose

borne^F d'incendie^M
fire hydrant

botte^F de caoutchouc^M
rubber boot

SOCIÉTÉ

**camions^M
d'incendie^M
*fire trucks***

fourgon^M-pompe^F
pumper

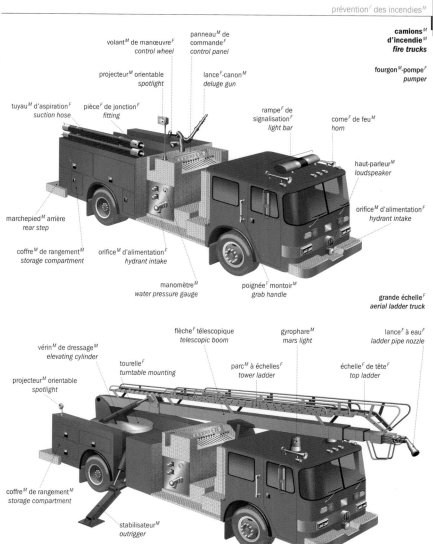

volant^M de manœuvre^F
control wheel

panneau^M de
commande^F
control panel

projecteur^M orientable
spotlight

lance^F-canon^M
deluge gun

tuyau^M d'aspiration^F
suction hose

pièce^F de jonction^F
fitting

rampe^F de
signalisation^F
light bar

corne^F de feu^M
horn

haut-parleur^M
loudspeaker

orifice^M d'alimentation^F
hydrant intake

marchepied^M arrière
rear step

coffre^M de rangement^M
storage compartment

orifice^M d'alimentation^F
hydrant intake

manomètre^M
water pressure gauge

poignée^F montoir^M
grab handle

grande échelle^F
aerial ladder truck

flèche^F télescopique
telescopic boom

gyrophare^M
mars light

lance^F à eau^F
ladder pipe nozzle

vérin^M de dressage^M
elevating cylinder

tourelle^F
turntable mounting

parc^M à échelles^F
tower ladder

échelle^F de tête^F
top ladder

projecteur^M orientable
spotlight

coffre^M de rangement^M
storage compartment

stabilisateur^M
outrigger

SOCIÉTÉ

prévention^F de la criminalité^F
crime prevention

agent^M de police^F
police officer

casquette^F
cap

insigne^M
badge

patte^F d'épaule^F
shoulder strap

insigne^M de grade^M
rank insignia

insigne^M d'identité^F
identification badge

uniforme^M
uniform

ceinturon^M de service^M
duty belt

microphone^M
microphone

étui^M pour gants^M de latex^M
latex glove case

étui^M à menottes^F
handcuff case

pistolet^M
pistol

vaporisateur^M de poivre^M
pepper spray

étui^M à munitions^F
ammunition pouch

talkie-walkie^M
walkie-talkie

étui^M à pistolet^M
holster

porte-matraque^M
baton holder

matraque^F télescopique
expandable baton

lampe^F-torche^F
flashlight

SOCIÉTÉ

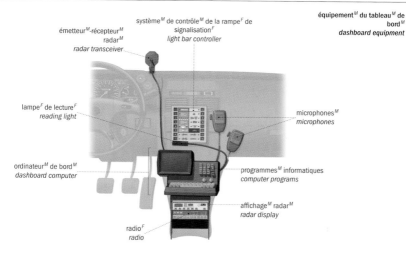

émetteur^M-récepteur^M radar^M
radar transceiver

système^M de contrôle^M de la rampe^F de signalisation^F
light bar controller

équipement^M du tableau^M de bord^M
dashboard equipment

lampe^F de lecture^F
reading light

microphones^M
microphones

ordinateur^M de bord^M
dashboard computer

programmes^M informatiques
computer programs

affichage^M radar^M
radar display

radio^F
radio

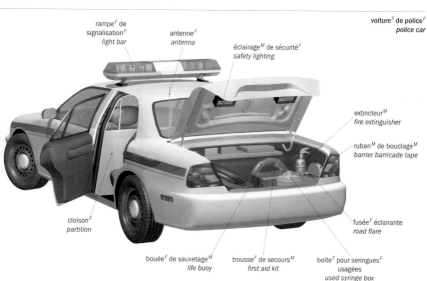

rampe^F de signalisation^F
light bar

antenne^F
antenna

éclairage^M de sécurité^F
safety lighting

voiture^F de police^F
police car

extincteur^M
fire extinguisher

ruban^M de bouclage^M
barrier barricade tape

cloison^F
partition

fusée^F éclairante
road flare

bouée^F de sauvetage^M
life buoy

trousse^F de secours^M
first aid kit

boîte^F pour seringues^F usagées
used syringe box

SOCIÉTÉ

protection^F de l'ouïe^F
ear protection

serre-tête^M antibruit
safety earmuffs

serre-tête^M
headband

protège-tympan^M
earplugs

coussinet^M en mousse^F
foam cushion

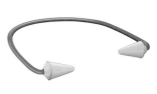

protection^F des yeux^M
eye protection

lunettes^F de sécurité^F
safety glasses

lunettes^F de protection
safety goggles

protection^F de la tête^F
head protection

casque^M de sécurité^F
safety cap

nervure^F
rib

visière^F
peak

sangle^F
d'amortissement^M
suspension band

tour^M de tête^F
headband

sangle^F de nuque^F
neck strap

SOCIÉTÉ

protection^F des voies^F respiratoires
respiratory system protection

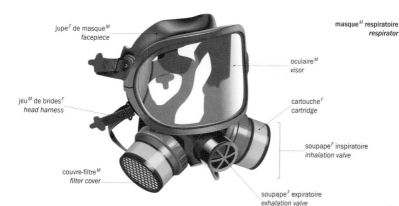

masque^M respiratoire
respirator

jupe^F de masque^M
facepiece

oculaire^M
visor

jeu^M de brides^F
head harness

cartouche^F
cartridge

soupape^F inspiratoire
inhalation valve

couvre-filtre^M
filter cover

soupape^F expiratoire
exhalation valve

masque^M bucco-nasal
half-mask respirator

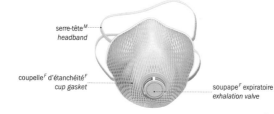

serre-tête^M
headband

coupelle^F d'étanchéité^F
cup gasket

soupape^F expiratoire
exhalation valve

protection^F des pieds^M
foot protection

brodequin^M de
sécurité^F
safety boot

protège-orteils^M
toe guard

embout^M de protection^F
reinforced toe

SOCIÉTÉ

matériel^M de secours^M

first aid equipment

stéthoscope^M
stethoscope

tube^M en Y^M
Y-tube

récepteur^M de son^M
sound receiver

lame^F-ressort^M
branch clip

embout^M auriculaire
earpiece

tube^M flexible
flexible tube

branche^F
branch

seringue^F
syringe

biseau^M
bevel

aiguille^F
needle

pavillon^M
needle hub

embout^M Luer Lock
Luer-Lock tip

corps^M de pompe^F
hollow barrel

protecteur^M d'embout^M
tip protector

bouchon^M
rubber bulb

anneau^M de retenue^F
finger flange

graduation^F
scale

poussoir^M
thumb rest

piston^M
plunger

gant^M en latex^M
latex glove

seringue^F pour lavage^M de cavités^F
syringe for irrigation

civière^F
cot

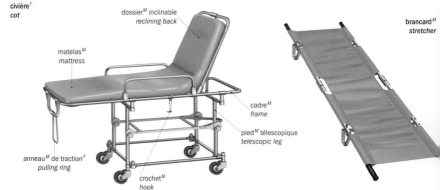

dossier^M inclinable
reclining back

brancard^M
stretcher

matelas^M
mattress

cadre^M
frame

pied^M télescopique
telescopic leg

anneau^M de traction^F
pulling ring

crochet^M
hook

trousse^F de secours^M
first aid kit

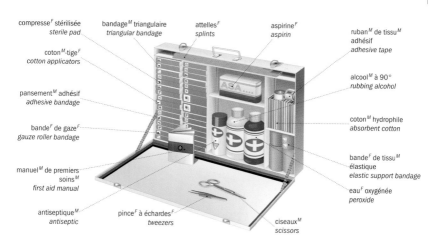

compresse^F stérilisée
sterile pad

coton^M-tige^F
cotton applicators

pansement^M adhésif
adhesive bandage

bande^F de gaze^F
gauze roller bandage

manuel^M de premiers
soins^M
first aid manual

antiseptique^M
antiseptic

bandage^M triangulaire
triangular bandage

attelles^F
splints

aspirine^F
aspirin

pince^F à échardes^F
tweezers

ciseaux^M
scissors

ruban^M de tissu^M
adhésif
adhesive tape

alcool^M à 90°
rubbing alcohol

coton^M hydrophile
absorbent cotton

bande^F de tissu^M
élastique
elastic support bandage

eau^F oxygénée
peroxide

thermomètres^M médicaux
clinical thermometers

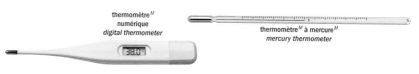

thermomètre^M
numérique
digital thermometer

thermomètre^M à mercure^M
mercury thermometer

tensiomètre^M
blood pressure monitor

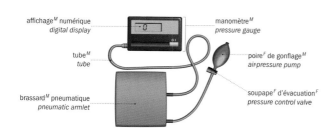

affichage^M numérique
digital display

tube^M
tube

brassard^M pneumatique
pneumatic armlet

manomètre^M
pressure gauge

poire^F de gonflage^M
air pressure pump

soupape^F d'évacuation^F
pressure control valve

SOCIÉTÉ

hôpital^M

hospital

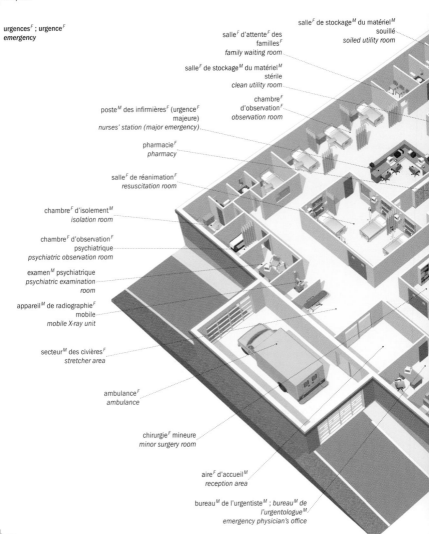

urgences^F; urgence^F
emergency

salle^F de stockage^M du matériel^M
souillé
soiled utility room

salle^F d'attente^F des
familles^F
family waiting room

salle^F de stockage^M du matériel^M
stérile
clean utility room

poste^M des infirmières^F (urgence^F
majeure)
nurses' station (major emergency)

chambre^F
d'observation^F
observation room

pharmacie^F
pharmacy

salle^F de réanimation^F
resuscitation room

chambre^F d'isolement^M
isolation room

chambre^F d'observation^F
psychiatrique
psychiatric observation room

examen^M psychiatrique
psychiatric examination
room

appareil^M de radiographie^F
mobile
mobile X-ray unit

secteur^M des civières^F
stretcher area

ambulance^F
ambulance

chirurgie^F mineure
minor surgery room

aire^F d'accueil^M
reception area

bureau^M de l'urgentiste^M ; bureau^M de
l'urgentologue^M
emergency physician's office

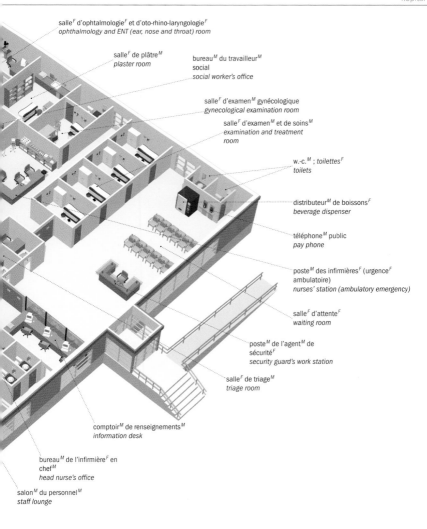

salle^F d'ophtalmologie^F et d'oto-rhino-laryngologie^F
ophthalmology and ENT (ear, nose and throat) room

salle^F de plâtre^M
plaster room

bureau^M du travailleur^M
social
social worker's office

salle^F d'examen^M gynécologique
gynecological examination room

salle^F d'examen^M et de soins^M
*examination and treatment
room*

w.-c. ^M ; toilettes^F
toilets

distributeur^M de boissons^F
beverage dispenser

téléphone^M public
pay phone

poste^M des infirmières^F (urgence^F
ambulatoire)
nurses' station (ambulatory emergency)

salle^F d'attente^F
waiting room

poste^M de l'agent^M de
sécurité^F
security guard's work station

salle^F de triage^M
triage room

comptoir^M de renseignements^M
information desk

bureau^M de l'infirmière^F en
chef^M
head nurse's office

salon^M du personnel^M
staff lounge

SOCIÉTÉ

SOCIÉTÉ

chambre^F d'hôpital^M
patient room

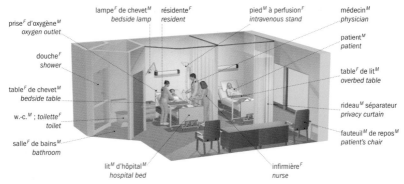

lampe^F de chevet^M
bedside lamp

résidente^F
resident

pied^M à perfusion^F
intravenous stand

médecin^M
physician

prise^F d'oxygène^M
oxygen outlet

patient^M
patient

douche^F
shower

table^F de lit^M
overbed table

table^F de chevet^M
bedside table

rideau^M séparateur
privacy curtain

w.-c.^M ; toilette^F
toilet

fauteuil^M de repos^M
patient's chair

salle^F de bains^M
bathroom

lit^M d'hôpital^M
hospital bed

infirmière^F
nurse

bloc^M opératoire
operating suite

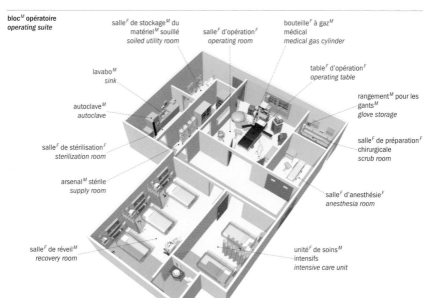

salle^F de stockage^M du
matériel^M souillé
soiled utility room

salle^F d'opération^F
operating room

bouteille^F à gaz^M
médical
medical gas cylinder

lavabo^M
sink

table^F d'opération^F
operating table

autoclave^M
autoclave

rangement^M pour les
gants^M
glove storage

salle^F de stérilisation^F
sterilization room

salle^F de préparation^F
chirurgicale
scrub room

arsenal^M stérile
supply room

salle^F d'anesthésie^F
anesthesia room

salle^F de réveil^M
recovery room

unité^F de soins^M
intensifs
intensive care unit

hôpital^M

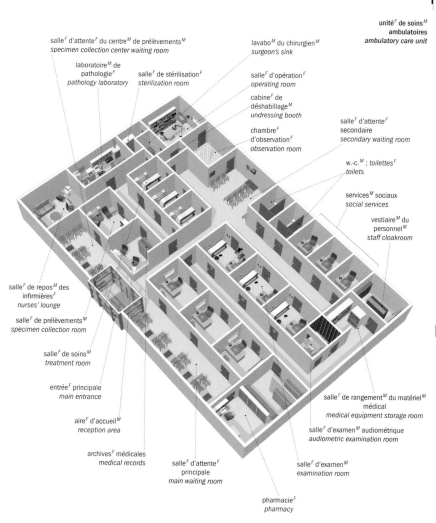

unité^F de soins^M ambulatoires
ambulatory care unit

salle^F d'attente^F du centre^M de prélèvements^M
specimen collection center waiting room

laboratoire^M de pathologie^F
pathology laboratory

salle^F de stérilisation^F
sterilization room

lavabo^M du chirurgien^M
surgeon's sink

salle^F d'opération^F
operating room

cabine^F de déshabillage^M
undressing booth

chambre^F d'observation^F
observation room

salle^F d'attente^F secondaire
secondary waiting room

w.-c.^M ; toilettes^F
toilets

services^M sociaux
social services

vestiaire^M du personnel^M
staff cloakroom

salle^F de repos^M des infirmières^F
nurses' lounge

salle^F de prélèvements^M
specimen collection room

salle^F de soins^M
treatment room

entrée^F principale
main entrance

aire^F d'accueil^M
reception area

archives^F médicales
medical records

salle^F d'attente^F principale
main waiting room

pharmacie^F
pharmacy

salle^F de rangement^M du matériel^M médical
medical equipment storage room

salle^F d'examen^M audiométrique
audiometric examination room

salle^F d'examen^M
examination room

aides^F à la marche^F
walking aids

béquille^F d'avant-bras^M
forearm crutch

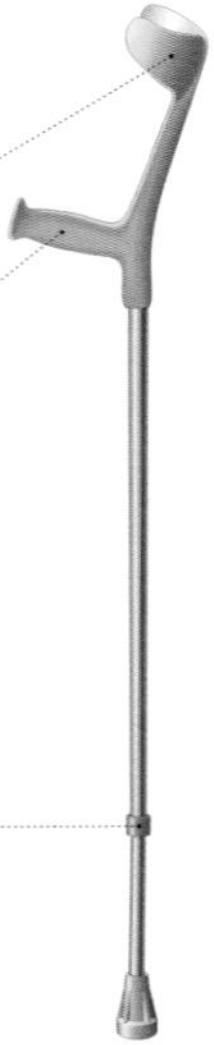

embrasse^F
forearm support

poignée^F
handgrip

réglage^M
adjuster

béquille^F commune
underarm crutch

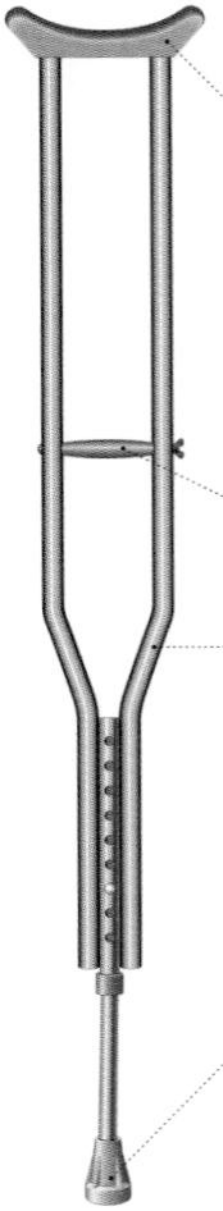

crosse^F
underarm rest

traverse^F
crosspiece

montant^M
upright

embout^M de
caoutchouc^M
rubber tip

canne^F en T^M
English cane

déambulateur^M
walker

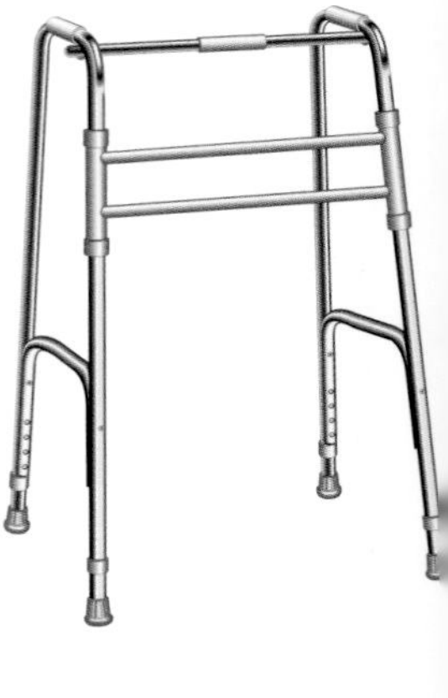

canne^F avec
quadripode^M
quad cane

canne^F avec poignée^F
orthopédique
ortho-cane

canne^F en C^M
walking stick

fauteuil^M roulant

wheelchair

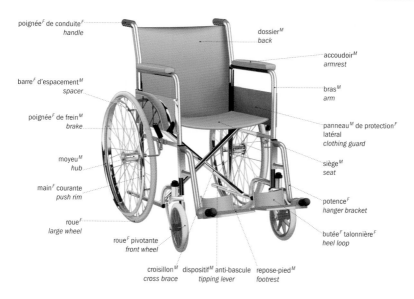

poignée^F de conduite^F
handle

dossier^M
back

accoudoir^M
armrest

barre^F d'espacement^M
spacer

bras^M
arm

poignée^F de frein^M
brake

panneau^M de protection^F
latéral
clothing guard

moyeu^M
hub

siège^M
seat

main^F courante
push rim

potence^F
hanger bracket

roue^F
large wheel

butée^F talonnière^F
heel loop

roue^F pivotante
front wheel

croisillon^M
cross brace

dispositif^M anti-bascule
tipping lever

repose-pied^M
footrest

formes^F pharmaceutiques des médicaments^M

forms of medications

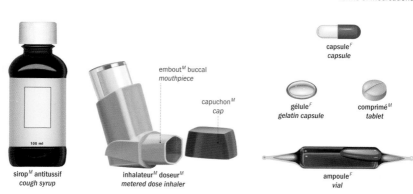

sirop^M antitussif
cough syrup

embout^M buccal
mouthpiece

capuchon^M
cap

inhalateur^M doseur^M
metered dose inhaler

capsule^F
capsule

gélule^F
gelatin capsule

comprimé^M
tablet

ampoule^F
vial

SOCIÉTÉ

dés^M et dominos^M
dice and dominoes

dé^M régulier
ordinary die

dé^M à poker^M
poker die

dominos
dominoe

double^M
doublet

double-six^M
double-six

blanc^M
blank

point^M
pip

double-blanc^M
double-blank

cartes^F
cards

symboles^M
symbols

cœur^M
heart

carreau^M
diamond

trèfle^M
club

pique^M
spade

Joker^M
joker

As^M
ace

Roi^M
king

Dame^F
queen

Valet^M
jack

combinaisons^F au
poker^M
standard poker hands

carte^F isolée
high card

paire^F
one pair

double paire^F
two pairs

brelan^M
three-of-a-kind

séquence^F
straight

couleur^F
flush

main^F pleine
full house

carré^M
four-of-a-kind

quinte^F
straight flush

quinte^F royale
royal flush

jeux^M de plateau^M
board games

jacquet^M
backgammon

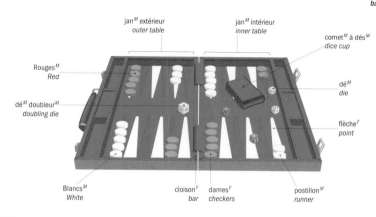

jan^M extérieur
outer table

jan^M intérieur
inner table

cornet^M à dés^M
dice cup

Rouges^M
Red

dé^M
die

dé^M doubleur^M
doubling die

flèche^F
point

Blancs^M
White

cloison^F
bar

dames^F
checkers

postillon^M
runner

serpents^M et échelles^F
snakes and ladders

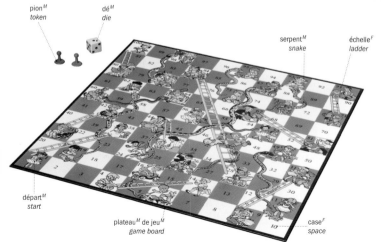

pion^M
token

dé^M
die

serpent^M
snake

échelle^F
ladder

départ^M
start

plateau^M de jeu^M
game board

case^F
space

échecs^M
chess

échiquier^M
chessboard

aile^F Dame^F
queen's side

aile^F Roi^M
king's side

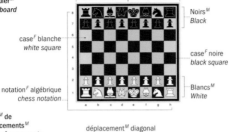

Noirs^M
Black

case^F blanche
white square

case^F noire
black square

notation^F algébrique
chess notation

Blancs^M
White

pièces
chess piece

Pion^M
pawn

Tour^F
rook

Fou^M
bishop

Cavalier^M
knight

Roi^M
king

Dame^F
queen

types^M de déplacements^M
types of movements

déplacement^M diagonal
diagonal movement

déplacement^M vertical
vertical movement

déplacement^M en équerre^F
square movement

déplacement^M horizontal
horizontal movement

go^M
go

plateau^M
board

point^M de handicap^M
handicap spot

centre^M
center

pierre^F noire
black stone

pierre^F blanche
white stone

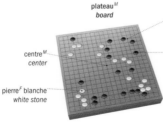

principau
mouvements
major motion

connexion^F
connection

capture^F
capture

contact^M
contact

jeu^M de dames^F
checkers

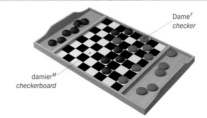

Dame^F
checker

damier^M
checkerboard

système^M de jeux^M vidéo
video entertainment system

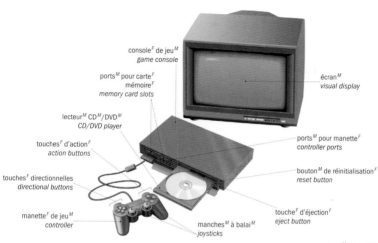

console^F de jeu^M
game console

ports^M pour carte^F
mémoire^F
memory card slots

lecteur^M CD^M/DVD^M
CD/DVD player

touches^F d'action^F
action buttons

touches^F directionnelles
directional buttons

manette^F de jeu^M
controller

écran^M
visual display

ports^M pour manette^F
controller ports

bouton^M de réinitialisation^F
reset button

touche^F d'éjection^F
eject button

manches^M à balai^M
joysticks

jeu^M de fléchettes^F
darts

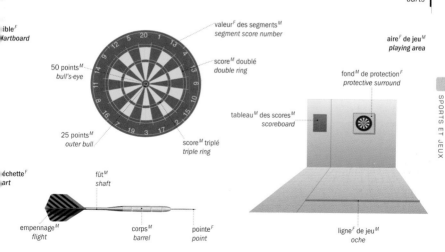

cible^F
dartboard

valeur^F des segments^M
segment score number

aire^F de jeu^M
playing area

50 points^M
bull's-eye

score^M doublé
double ring

fond^M de protection^F
protective surround

tableau^M des scores^M
scoreboard

25 points^M
outer bull

score^M triplé
triple ring

fléchette^F
dart

fût^M
shaft

empennage^M
flight

corps^M
barrel

pointe^F
point

ligne^F de jeu^M
oche

SPORTS ET JEUX

471

stade^M

arena

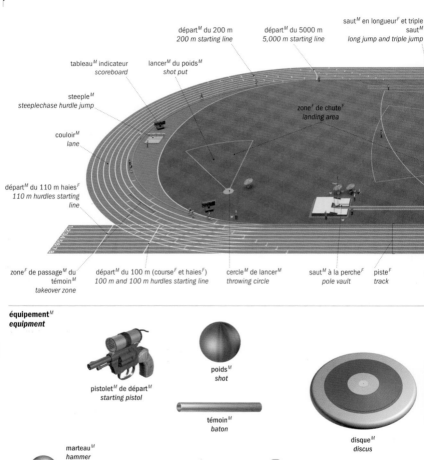

départ^M du 200 m
200 m starting line

départ^M du 5000 m
5,000 m starting line

saut^M en longueur^F et triple
saut^M
long jump and triple jump

tableau^M indicateur
scoreboard

lancer^M du poids^M
shot put

steeple^M
steeplechase hurdle jump

zone^F de chute^F
landing area

couloir^M
lane

départ^M du 110 m haies^F
*110 m hurdles starting
line*

zone^F de passage^M du
témoin^M
takeover zone

départ^M du 100 m (course^F et haies^F)
100 m and 100 m hurdles starting line

cercle^M de lancer^M
throwing circle

saut^M à la perche^F
pole vault

piste^F
track

équipement^M
equipment

pistolet^M de départ^M
starting pistol

poids^M
shot

témoin^M
baton

disque^M
discus

marteau^M
hammer

javelot^M
javelin

stade^M

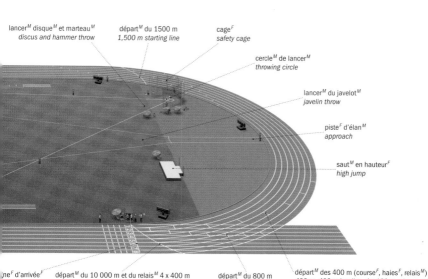

lancer^M disque^M et marteau^M
discus and hammer throw

départ^M du 1500 m
1,500 m starting line

cage^F
safety cage

cercle^M de lancer^M
throwing circle

lancer^M du javelot^M
javelin throw

piste^F d'élan^M
approach

saut^M en hauteur^F
high jump

ne^F d'arrivée^F
finish line

départ^M du 10 000 m et du relais^M 4 x 400 m
10,000 m and 4 x 400 m relay starting line

départ^M du 800 m
800 m starting line

départ^M des 400 m (course^F, haies^F, relais^M)
400 m, 400 m hurdles, 4 x 100 m relay starting line

athlète^F : bloc^M de départ^M
athlete: starting block

maillot^M
shirt

dossard^M
number

short^M
shorts

sabot^M
pedal

chaussure^F de piste^F
track shoe

cran^M
notch

ligne^F de départ^M
starting line

fixation^F
anchor

ligne^F de couloir^M
lane line

crémaillère^F
rack

pointe^F
spike

bloc^M
block

embase^F
base

SPORTS ET JEUX

baseball^M
baseball

position^F des joueurs^M
player positions

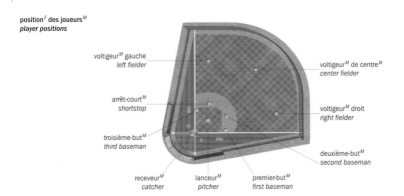

voltigeur^M gauche
left fielder

voltigeur^M de centre^M
center fielder

arrêt-court^M
shortstop

voltigeur^M droit
right fielder

troisième-but^M
third baseman

deuxième-but^M
second baseman

receveur^M
catcher

lanceur^M
pitcher

premier-but^M
first baseman

terrain^M
field

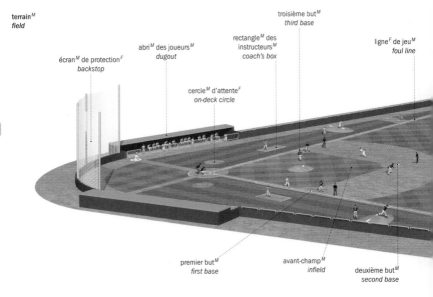

troisième but^M
third base

abri^M des joueurs^M
dugout

rectangle^M des instructeurs^M
coach's box

ligne^F de jeu^M
foul line

écran^M de protection^F
backstop

cercle^M d'attente^F
on-deck circle

premier but^M
first base

avant-champ^M
infield

deuxième but^M
second base

lancer^M
pitch

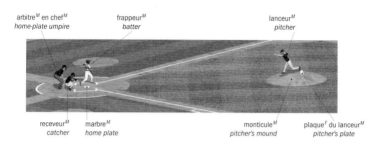

arbitre^M en chef^M
home-plate umpire

frappeur^M
batter

lanceur^M
pitcher

receveur^M
catcher

marbre^M
home plate

monticule^M
pitcher's mound

plaque^F du lanceur^M
pitcher's plate

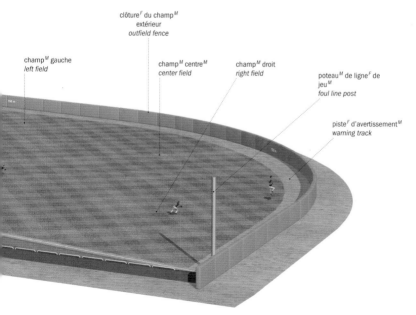

clôture^F du champ^M
extérieur
outfield fence

champ^M gauche
left field

champ^M centre^M
center field

champ^M droit
right field

poteau^M de ligne^F de
jeu^M
foul line post

piste^F d'avertissement^M
warning track

baseball^M

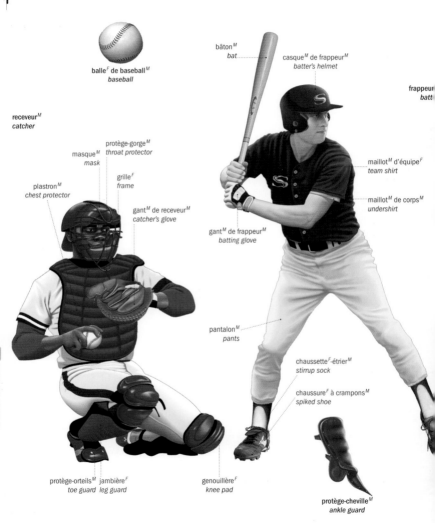

balle^F de baseball^M
baseball

bâton^M
bat

casque^M de frappeur^M
batter's helmet

frappeur
batt

receveur^M
catcher

protège-gorge^M
throat protector

masque^M
mask

grille^F
frame

plastron^M
chest protector

gant^M de receveur^M
catcher's glove

maillot^M d'équipe^F
team shirt

maillot^M de corps^M
undershirt

gant^M de frappeur^M
batting glove

pantalon^M
pants

chaussette^F-étrier^M
stirrup sock

chaussure^F à crampons^M
spiked shoe

protège-orteils^M
toe guard

jambière^F
leg guard

genouillère^F
knee pad

protège-cheville^M
ankle guard

bâton^M
bat

pommeau^M
knob

manche^M
handle

écusson^M
crest

surface^F de frappe^F
hitting area

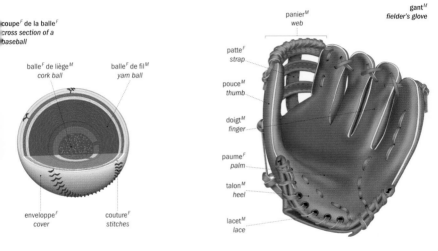

coupe^F de la balle^F
cross section of a baseball

gant^M
fielder's glove

balle^F de liège^M
cork ball

balle^F de fil^M
yarn ball

panier^M
web

patte^F
strap

pouce^M
thumb

doigt^M
finger

paume^F
palm

talon^M
heel

enveloppe^F
cover

couture^F
stitches

lacet^M
lace

softball^M
softball

gant^M de softball^M
softball glove

balle^F de softball^M
softball

bâton^M de softball^M
softball bat

SPORTS ET JEUX

cricket^M

cricket

joueur^M de cricket^M :
batteur^M
cricket player: batsman

balle^F de cricket
cricket ba

enveloppe^F
leather skin

couture^F
seam

batte^F
bat

casque^M
helmet

masque^M
face mask

gant^M
glove

batte
ba

manche^M
handle

plat^M
willow

jambière^F
pad

chaussure^F
cricket shoe

crampon^M
stud

vue^F de face^F
front view

vue^F de profil^M
side view

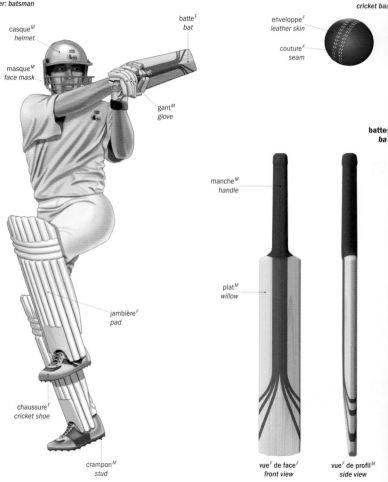

cricket^M

terrain^M
field

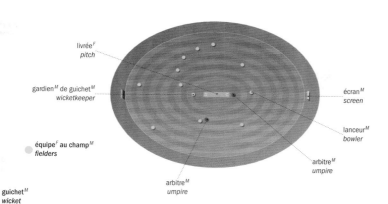

livrée^F
pitch

gardien^M de guichet^M
wicketkeeper

écran^M
screen

équipe^F au champ^M
fielders

lanceur^M
bowler

arbitre^M
umpire

arbitre^M
umpire

guichet^M
wicket

barreau^M
bail

piquet^M
stump

livrée^F
pitch

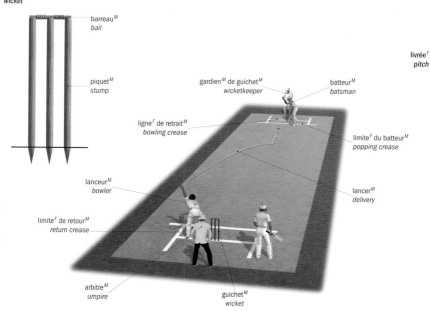

gardien^M de guichet^M
wicketkeeper

batteur^M
batsman

ligne^F de retrait^M
bowling crease

limite^F du batteur^M
popping crease

lanceur^M
bowler

lancer^M
delivery

limite^F de retour^M
return crease

arbitre^M
umpire

guichet^M
wicket

football^M

soccer

footballeur^M
soccer player

maillot^M d'équipe^F
team shirt

gants^M de gardien^M de
but^M
goalkeeper's gloves

short^M
shorts

crampons^M
interchangeables
interchangeable studs

chaussure^F de
football^M
soccer shoe

protège-tibia^M
shin guard

chaussette^F
sock

ballon^M de football^M
soccer ball

terrain^M
playing field

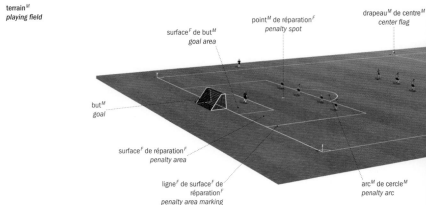

point^M de réparation^F
penalty spot

drapeau^M de centre^M
center flag

surface^F de but^M
goal area

but^M
goal

surface^F de réparation^F
penalty area

ligne^F de surface^F de
réparation^F
penalty area marking

arc^M de cercle^M
penalty arc

SPORTS ET JEUX

position^F des joueurs^M
player positions

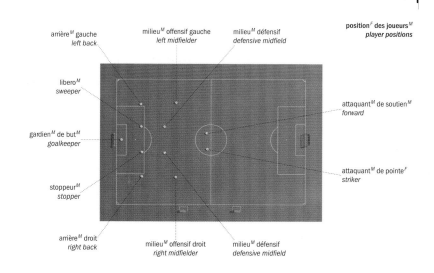

arrière^M gauche
left back

milieu^M offensif gauche
left midfielder

milieu^M défensif
defensive midfield

libero^M
sweeper

attaquant^M de soutien^M
forward

gardien^M de but^M
goalkeeper

attaquant^M de pointe^F
striker

stoppeur^M
stopper

arrière^M droit
right back

milieu^M offensif droit
right midfielder

milieu^M défensif
defensive midfield

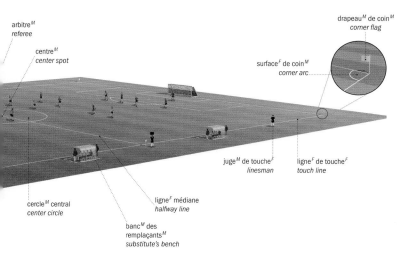

arbitre^M
referee

centre^M
center spot

drapeau^M de coin^M
corner flag

surface^F de coin^M
corner arc

juge^M de touche^F
linesman

ligne^F de touche^F
touch line

cercle^M central
center circle

ligne^F médiane
halfway line

banc^M des
remplaçants^M
substitute's bench

rugby^M
rugby

position^F des joueurs^M
players' positions

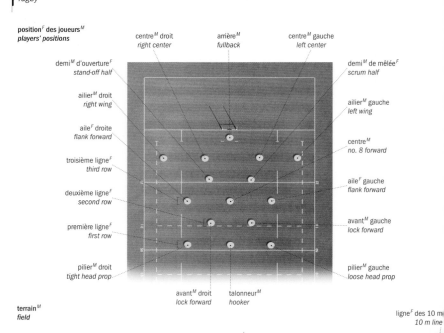

centre^M droit
right center

arrière^M
fullback

centre^M gauche
left center

demi^M d'ouverture^F
stand-off half

demi^M de mêlée^F
scrum half

ailier^M droit
right wing

ailier^M gauche
left wing

aile^F droite
flank forward

centre^M
no. 8 forward

troisième ligne^F
third row

aile^F gauche
flank forward

deuxième ligne^F
second row

première ligne^F
first row

avant^M gauche
lock forward

pilier^M droit
tight head prop

pilier^M gauche
loose head prop

avant^M droit
lock forward

talonneur^M
hooker

terrain^M
field

ligne^F des 10 m
10 m line

drapeau^M
flag

ligne^F de but^M
goal line

but^M
goal

ligne^F de ballon^M mort
dead ball line

ligne^F des 22 m
22 m line

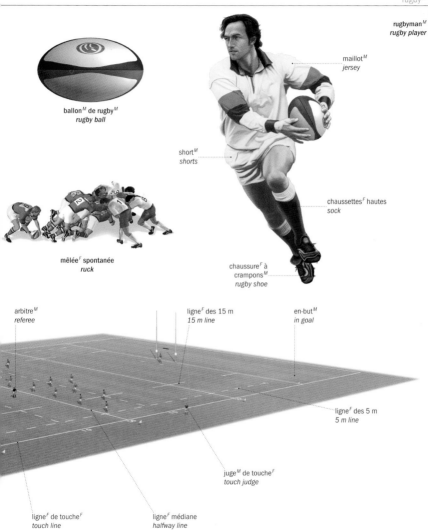

rugbyman^M
rugby player

maillot^M
jersey

ballon^M de rugby^M
rugby ball

short^M
shorts

chaussettes^F hautes
sock

mêlée^F spontanée
ruck

chaussure^F à
crampons^M
rugby shoe

arbitre^M
referee

ligne^F des 15 m
15 m line

en-but^M
in goal

ligne^F des 5 m
5 m line

juge^M de touche^F
touch judge

ligne^F de touche^F
touch line

ligne^F médiane
halfway line

football^M américain

American football

mêlée^F : défense^F
scrimmage: defense

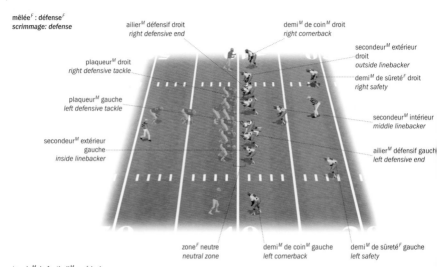

ailier^M défensif droit
right defensive end

demi^M de coin^M droit
right cornerback

secondeur^M extérieur droit
outside linebacker

plaqueur^M droit
right defensive tackle

demi^M de sûreté^F droit
right safety

plaqueur^M gauche
left defensive tackle

secondeur^M intérieur
middle linebacker

secondeur^M extérieur gauche
inside linebacker

ailier^M défensif gauche
left defensive end

zone^F neutre
neutral zone

demi^M de coin^M gauche
left cornerback

demi^M de sûreté^F gauche
left safety

terrain^M de football^M américain
playing field for American football

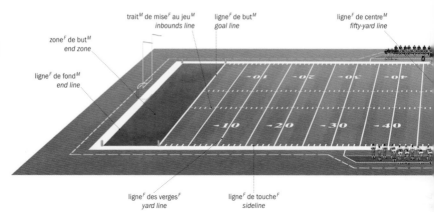

trait^M de mise^F au jeu^M
inbounds line

ligne^F de but^M
goal line

ligne^F de centre^M
fifty-yard line

zone^F de but^M
end zone

ligne^F de fond^M
end line

ligne^F des verges^F
yard line

ligne^F de touche^F
sideline

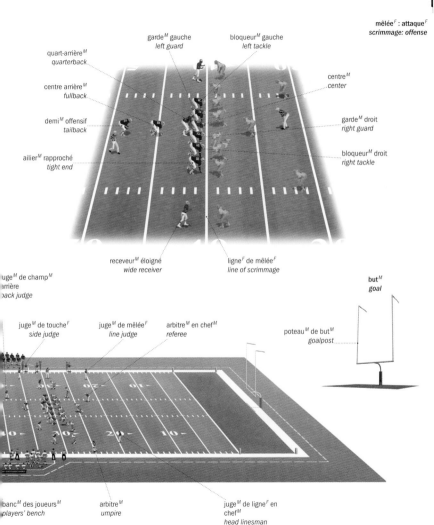

mêlée^F : attaque^F
scrimmage: offense

garde^M gauche
left guard

bloqueur^M gauche
left tackle

quart-arrière^M
quarterback

centre^M
center

centre arrière^M
fullback

garde^M droit
right guard

demi^M offensif
tailback

ailier^M rapproché
tight end

bloqueur^M droit
right tackle

receveur^M éloigné
wide receiver

ligne^F de mêlée^F
line of scrimmage

juge^M de champ^M
arrière
back judge

but^M
goal

juge^M de touche^F
side judge

juge^M de mêlée^F
line judge

arbitre^M en chef^M
referee

poteau^M de but^M
goalpost

banc^M des joueurs^M
players' bench

arbitre^M
umpire

juge^M de ligne^F en
chef^M
head linesman

football^M américain

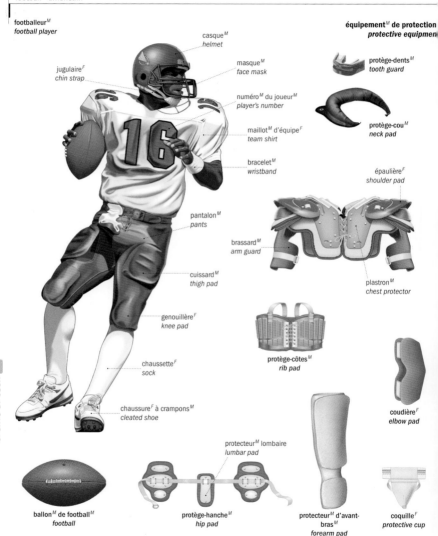

footballeur^M
football player

casque^M
helmet

masque^M
face mask

numéro^M du joueur^M
player's number

maillot^M d'équipe^F
team shirt

bracelet^M
wristband

jugulaire^F
chin strap

pantalon^M
pants

cuissard^M
thigh pad

genouillère^F
knee pad

chaussette^F
sock

chaussure^F à crampons^M
cleated shoe

équipement^M de protection
protective equipment

protège-dents^M
tooth guard

protège-cou^M
neck pad

épaulière^F
shoulder pad

brassard^M
arm guard

plastron^M
chest protector

protège-côtes^M
rib pad

coudière^F
elbow pad

protecteur^M lombaire
lumbar pad

ballon^M de football^M
football

protège-hanche^M
hip pad

protecteur^M d'avant-bras^M
forearm pad

coquille^F
protective cup

volleyball^M
volleyball

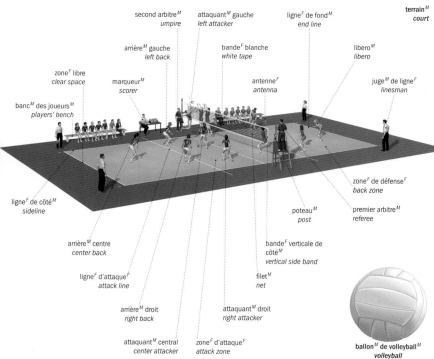

terrain^M
court

second arbitre^M
umpire

attaquant^M gauche
left attacker

ligne^F de fond^M
end line

arrière^M gauche
left back

bande^F blanche
white tape

libero^M
libero

zone^F libre
clear space

marqueur^M
scorer

antenne^F
antenna

juge^M de ligne^F
linesman

banc^M des joueurs^M
players' bench

zone^F de défense^F
back zone

ligne^F de côté^M
sideline

poteau^M
post

premier arbitre^M
referee

arrière^M centre
center back

bande^F verticale de côté^M
vertical side band

ligne^F d'attaque^F
attack line

filet^M
net

arrière^M droit
right back

attaquant^M droit
right attacker

ballon^M de volleyball^M
volleyball

attaquant^M central
center attacker

zone^F d'attaque^F
attack zone

techniques^F
techniques

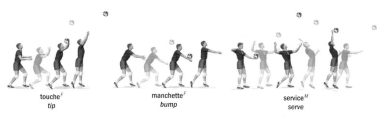

touche^F
tip

manchette^F
bump

service^M
serve

SPORTS ET JEUX

basketball^M

basketball

joueur^M de basketball^M
basketball player

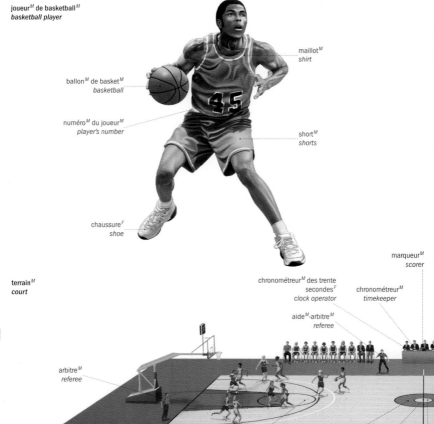

maillot^M
shirt

ballon^M de basket^M
basketball

numéro^M du joueur^M
player's number

short^M
shorts

chaussure^F
shoe

marqueur^M
scorer

terrain^M
court

chronométreur^M des trente
secondes^F
clock operator

chronométreur^M
timekeeper

aide^M-arbitre^M
referee

arbitre^M
referee

ligne^F de touche^F
sideline

demi-cercle^M
semicircle

cercle^M restrictif
restricting circle

ligne^F médiane
center line

cercle^M central
center circle

position^F des joueurs^M
player positions

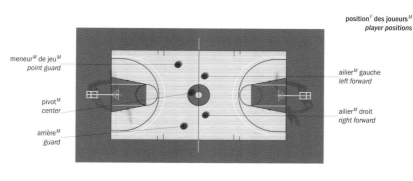

meneur^M de jeu^M
point guard

ailier^M gauche
left forward

pivot^M
center

ailier^M droit
right forward

arrière^M
guard

but^M
backstop

panneau^M
backboard

anneau^M
rim

filet^M
net

panier^M
basket

support^M de panneau^M
backboard support

montant^M rembourré
padded upright

socle^M rembourré
padded base

entraîneur^M
coach

entraîneur^M adjoint
assistant coach

soigneur^M
trainer

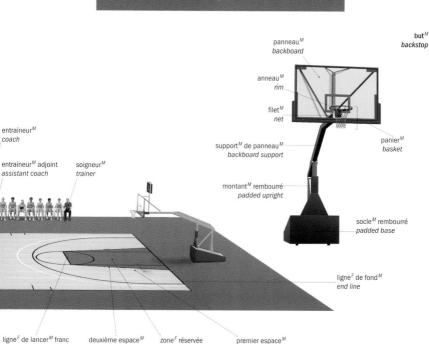

ligne^F de fond^M
end line

ligne^F de lancer^M franc
free throw line

deuxième espace^M
second space

zone^F réservée
restricted area

premier espace^M
first space

SPORTS ET JEUX

tennis^M
tennis

court^M
court

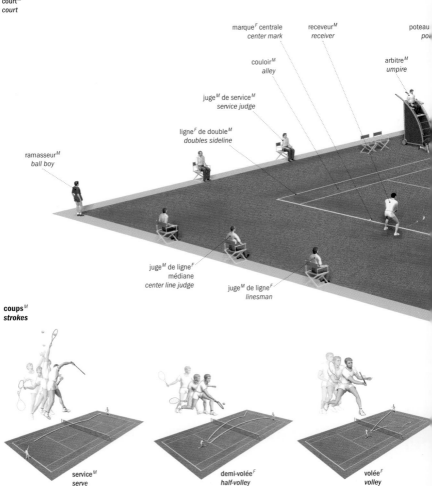

marque^F centrale
center mark

receveur^M
receiver

poteau
po

couloir^M
alley

arbitre^M
umpire

juge^M de service^M
service judge

ligne^F de double^M
doubles sideline

ramasseur^M
ball boy

juge^M de ligne^F
médiane
center line judge

juge^M de ligne^F
linesman

coups^M
strokes

service^M
serve

demi-volée^F
half-volley

volée^F
volley

juge^M de faute^F de pied^M
foot fault judge

serveur^M
server

sangle^F
center strap

court^M de service^M droit
right service court

court^M de service^M gauche
left service court

bande^F de filet^M
net band

ligne^F de service^M
service line

ligne^F de fond^M
baseline

ligne^F de simple^M
singles sideline

juge^M de filet^M
net judge

avant court^M
forecourt

filet^M
net

ligne^F médiane de service^M
center service line

arrière court^M
backcourt

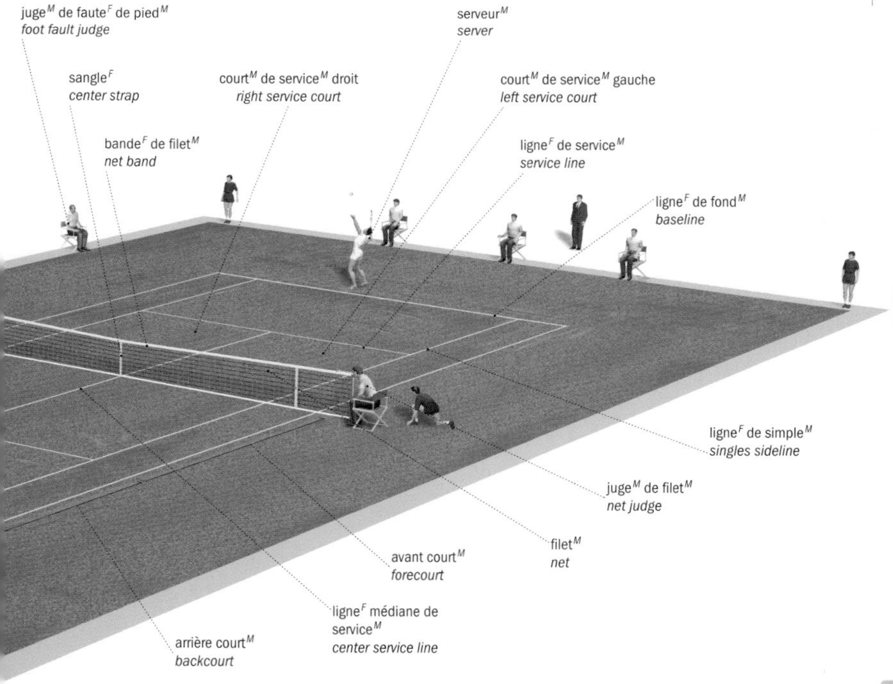

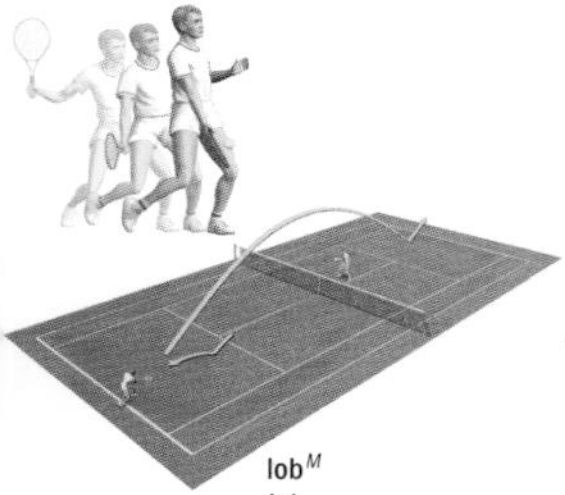

lob^M
lob

amorti^M
drop shot

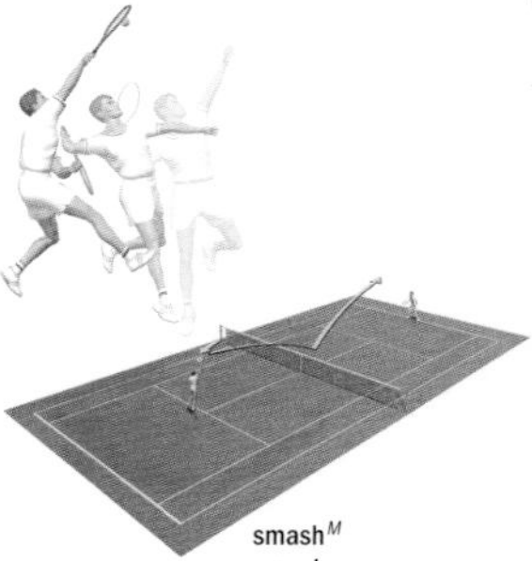

smash^M
smash

tennis^M

raquette^F de tennis^M
tennis racket

cadre^M
frame

tamis^M
stringing

tête^F
head

épaule^F
shoulder

cœur^M
throat

manche^M
shaft

poignée^F
handle

talon^M
butt

balle^F de tennis^M
tennis ball

polo^M
polo shirt

joueuse^F de tennis^M
tennis player

serre-poignet^M
wristband

jupette^F
skirt

chaussette^F
sock

chaussure^F de tennis^M
tennis shoe

tableau^M d'affichage^M
scoreboard

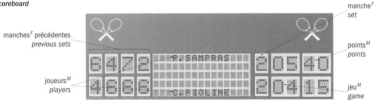

manche^F
set

manches^F précédentes
previous sets

points^M
points

joueurs^M
players

jeu^M
game

P. SAMPRAS

C. PIOLINE

surfaces^F de jeu^M
playing surfaces

gazon^M
grass

terre^F battue
clay

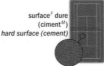

surface^F dure
(ciment^M)
hard surface (cement)

revêtement^M
synthétique
synthetic surface

tennis^M de table^F
table tennis

table^F
table

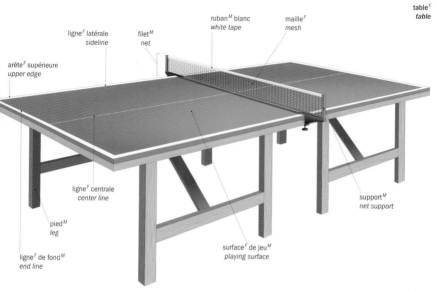

arête^F supérieure
upper edge

ligne^F latérale
sideline

filet^M
net

ruban^M blanc
white tape

maille^F
mesh

ligne^F centrale
center line

support^M
net support

pied^M
leg

surface^F de jeu^M
playing surface

ligne^F de fond^M
end line

raquette^F de tennis^M de table^F
table tennis paddle

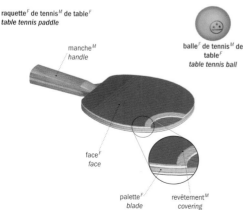

manche^M
handle

face^F
face

palette^F
blade

revêtement^M
covering

balle^F de tennis^M de table^F
table tennis ball

types^M de prises^F
types of grips

prise^F porte-plume^M
penholder grip

prise^F classique
shake-hands grip

SPORTS ET JEUX

493

badminton^M
badminton

terrain^M
court

juge^M de service^M
service judge

ligne^F médiane
center line

juge^M de ligne^F
linesman

ligne^F de fond^M
back boundary line

ligne^F de service^M long
long service line

serveur^M
server

raquette^F de badminton^M
badminton racket

cadre^M
frame

poignée^F
handle

tamis^M
stringing

manche^M
shaft

talon^M
butt

tête^F
head

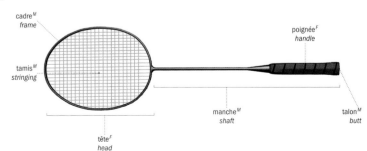

SPORTS ET JEUX

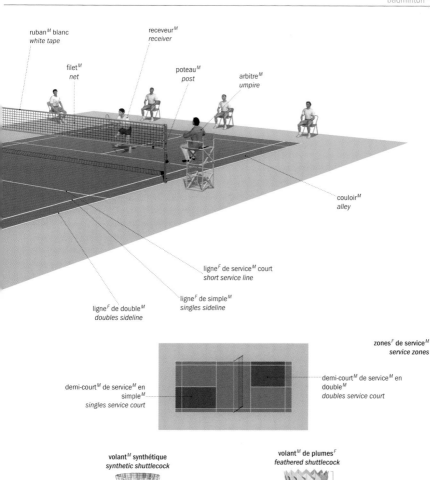

ruban^M blanc
white tape

receveur^M
receiver

filet^M
net

poteau^M
post

arbitre^M
umpire

couloir^M
alley

ligne^F de service^M court
short service line

ligne^F de simple^M
singles sideline

ligne^F de double^M
doubles sideline

zones^F de service^M
service zones

demi-court^M de service^M en
simple^M
singles service court

demi-court^M de service^M en
double^M
doubles service court

volant^M synthétique
synthetic shuttlecock

volant^M de plumes^F
feathered shuttlecock

empennage^M
feather crown

tête^F en liège^M
cork tip

gymnastique[F]

gymnastics

podium[M] des épreuves[F]
event platform

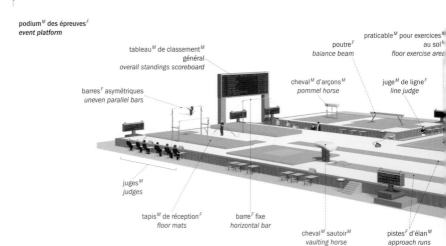

tableau[M] de classement[M]
général
overall standings scoreboard

poutre[F]
balance beam

praticable[M] pour exercices[M]
au sol[M]
floor exercise area

barres[F] asymétriques
uneven parallel bars

cheval[M] d'arçons[M]
pommel horse

juge[M] de ligne[F]
line judge

juges[M]
judges

tapis[M] de réception[F]
floor mats

barre[F] fixe
horizontal bar

cheval[M] sautoir[M]
vaulting horse

pistes[F] d'élan[M]
approach runs

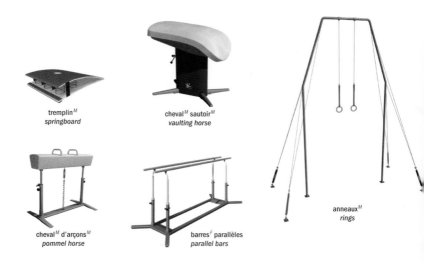

tremplin[M]
springboard

cheval[M] sautoir[M]
vaulting horse

cheval[M] d'arçons[M]
pommel horse

barres[F] parallèles
parallel bars

anneaux[M]
rings

gymnastique^F

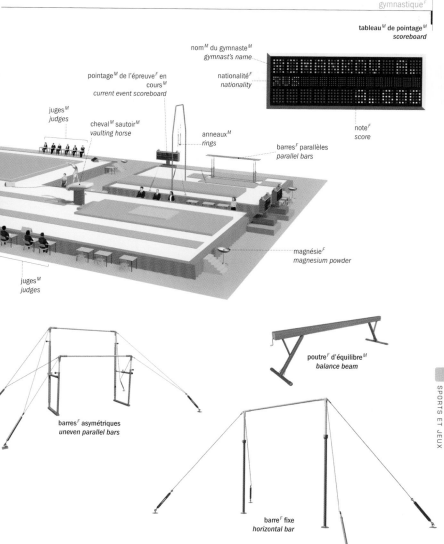

tableau^M de pointage^M
scoreboard

nom^M du gymnaste^M
gymnast's name

pointage^M de l'épreuve^F en cours^M
current event scoreboard

nationalité^F
nationality

juges^M
judges

cheval^M sautoir^M
vaulting horse

anneaux^M
rings

barres^F parallèles
parallel bars

note^F
score

magnésie^F
magnesium powder

juges^M
judges

barres^F asymétriques
uneven parallel bars

poutre^F d'équilibre^M
balance beam

barre^F fixe
horizontal bar

SPORTS ET JEUX

497

boxe^F
boxing

boxeur^M
boxer

casque^M
headgear

gant^M
glove

gants^M de boxe^F
boxing gloves

lacet^M
lace

ballon^M de boxe^F
punching ball

short^M de boxe^F
boxing trunks

sac^M de sable^M
punching bag

protège-dents^M
mouthpiece

coin^M
corner

corde^F
rope

tirant^M des cordes^F
turnbuckle

ring^M
ring

arbitre^M
referee

chronométreur^M
timekeeper

escalier^M
ring step

boxeur^M
boxer

coussin^M de
rembourrage^M
corner pad

poteau^M du ring^M
ring post

entraîneur^M
trainer

soigneur^M
second

tabouret^M
corner stool

médecin^M
physician

tapis^M
canvas

près du ring^M
ringside

tablier^M
apron

juge^M
judge

judo[M]
judo

marqueurs[M] et
chronométreurs[M]
scorers and timekeepers

équipe[F] médicale
medical team

tapis[M]
mat

surface[F] de sécurité[F]
safety area

combattant[M]
contestant

zone[F] de danger[M]
danger area

tableau[M] d'affichage[M]
scoreboard

surface[F] de combat[M]
contest area

arbitre[M]
referee

juge[M]
judge

exemples[M] de prises[F]
examples of holds and throws

judogi[M]
judogi

veste[F]
jacket

immobilisation[F]
holding

projection[F] en cercle[M]
stomach throw

hanche[F] ailée
sweeping hip throw

grand fauchage[M] extérieur
major outer reaping throw

grand fauchage[M] intérieur
major inner reaping throw

étranglement[M]
naked strangle

pantalon[M]
trousers

ceinture[F]
belt

clé[F] de bras[M]
arm lock

projection[F] d'épaule[F] par un côté[M]
one-arm shoulder throw

SPORTS ET JEUX

499

haltérophilie^F
weightlifting

haltère^M long
barbell

poignet^M de force^F
wristband

ceinture^F d'haltérophilie^F
weightlifting belt

maillot^M de corps^M
sleeveless jersey

culotte^F
trunks

genouillère^F
knee wrap

lanière^F
strap

chaussure^F d'haltérophilie^F
weightlifting shoe

épaulé^M-jeté^M
clean and jerk

arraché
snatc

appareils^M de conditionnement^M physique
fitness equipment

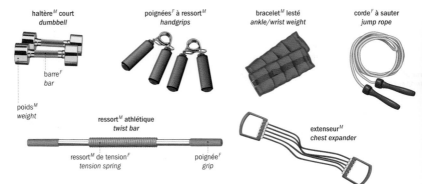

haltère^M court
dumbbell

poignées^F à ressort^M
handgrips

bracelet^M lesté
ankle/wrist weight

corde^F à sauter
jump rope

barre^F
bar

poids^M
weight

ressort^M athlétique
twist bar

ressort^M de tension^F
tension spring

poignée^F
grip

extenseur^M
chest expander

appareils^M de conditionnement^M physique

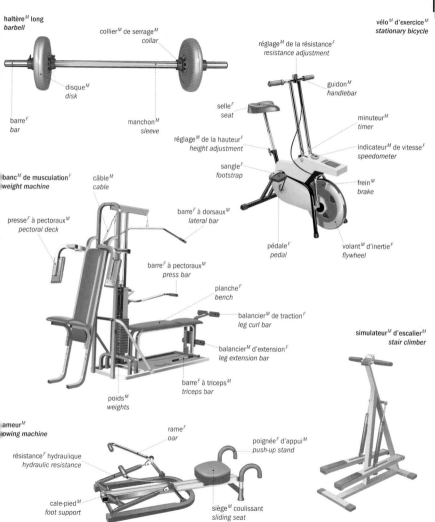

haltère^M long
barbell

collier^M de serrage^M
collar

disque^M
disk

barre^F
bar

manchon^M
sleeve

vélo^M d'exercice^M
stationary bicycle

réglage^M de la résistance^F
resistance adjustment

guidon^M
handlebar

selle^F
seat

minuteur^M
timer

réglage^M de la hauteur^F
height adjustment

indicateur^M de vitesse^F
speedometer

sangle^F
footstrap

frein^M
brake

banc^M de musculation^F
weight machine

câble^M
cable

barre^F à dorsaux^M
lateral bar

presse^F à pectoraux^M
pectoral deck

barre^F à pectoraux^M
press bar

pédale^F
pedal

volant^M d'inertie^F
flywheel

planche^F
bench

balancier^M de traction^F
leg curl bar

simulateur^M d'escalier^M
stair climber

balancier^M d'extension^F
leg extension bar

barre^F à triceps^M
triceps bar

poids^M
weights

rameur^M
rowing machine

rame^F
oar

poignée^F d'appui^M
push-up stand

résistance^F hydraulique
hydraulic resistance

cale-pied^M
foot support

siège^M coulissant
sliding seat

billard^M
billiards

billard^M français
carom billiards

billard^M pool
pool

billes^F numérotées
object balls

bille^F de choc^M
cue ball

bille^F rouge
red ball

bille^F de visée^F blanche
white object ball

bille^F de choc^M
cue ball

poche^F
pocket

table^F
table

mouche^F de ligne^F de
cadre^M
balk line spot

D^M
D

mouche^F supérieure
pyramid spot

tapis^M
baize

cadre^M
balk area

poche^F inférieure
bottom pocket

mouche^F centrale
center spot

poche^F supérieure
top pocket

coussin^M de tête^F
head cushion

ligne^F de cadre^M
balk line

crochet^M
hook

mouche^F
billiard spot

poche^F centrale
center pocket

bande^F
rail

coussin^M arrière
foot cushion

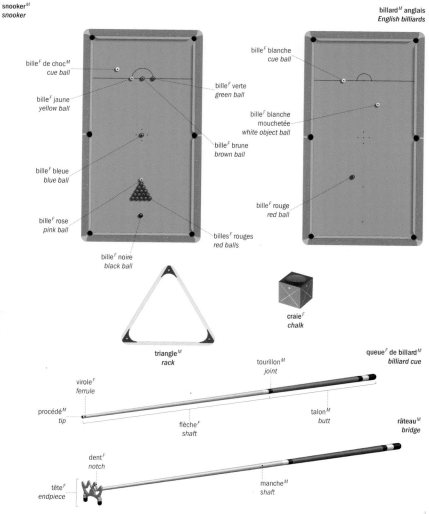

snooker^M
snooker

billard^M anglais
English billiards

bille^F de choc^M
cue ball

bille^F blanche
cue ball

bille^F verte
green ball

bille^F jaune
yellow ball

bille^F blanche
mouchetée
white object ball

bille^F brune
brown ball

bille^F bleue
blue ball

bille^F rouge
red ball

bille^F rose
pink ball

billes^F rouges
red balls

bille^F noire
black ball

triangle^M
rack

craie^F
chalk

tourillon^M
joint

queue^F de billard^M
billiard cue

virole^F
ferrule

procédé^M
tip

flèche^F
shaft

talon^M
butt

râteau^M
bridge

dent^F
notch

tête^F
endpiece

manche^M
shaft

SPORTS ET JEUX

503

golf^M
golf

parcours^M
course

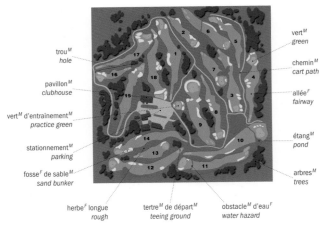

vert^M
green

trou^M
hole

chemin^M
cart path

pavillon^M
clubhouse

allée^F
fairway

vert^M d'entraînement^M
practice green

stationnement^M
parking

étang^M
pond

fosse^F de sable^M
sand bunker

arbres^M
trees

herbe^F longue
rough

tertre^M de départ^M
teeing ground

obstacle^M d'eau^F
water hazard

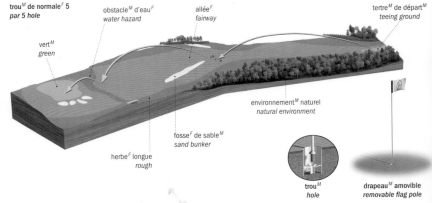

trou^M de normale^F 5
par 5 hole

obstacle^M d'eau^F
water hazard

allée^F
fairway

tertre^M de départ^M
teeing ground

vert^M
green

environnement^M naturel
natural environment

fosse^F de sable^M
sand bunker

herbe^F longue
rough

trou^M
hole

drapeau^M amovible
removable flag pole

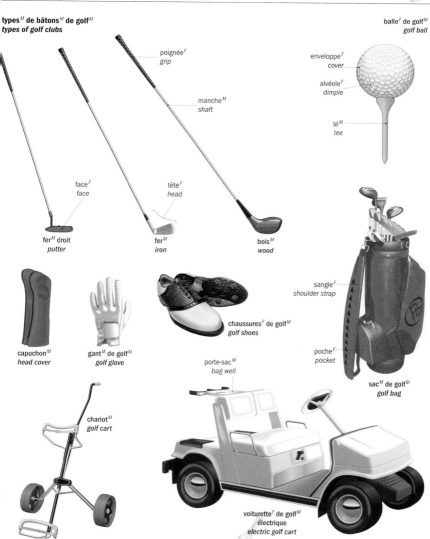

types^M de bâtons^M de golf^M
types of golf clubs

poignée^F
grip

manche^M
shaft

face^F
face

tête^F
head

fer^M droit
putter

fer^M
iron

bois^M
wood

balle^F de golf^M
golf ball

enveloppe^F
cover

alvéole^F
dimple

té^M
tee

capuchon^M
head cover

gant^M de golf^M
golf glove

chaussures^F de golf^M
golf shoes

sangle^F
shoulder strap

poche^F
pocket

sac^M de golf^M
golf bag

chariot^M
golf cart

porte-sac^M
bag well

voiturette^F de golf^M
électrique
electric golf cart

SPORTS ET JEUX

hockey^M sur glace^F
ice hockey

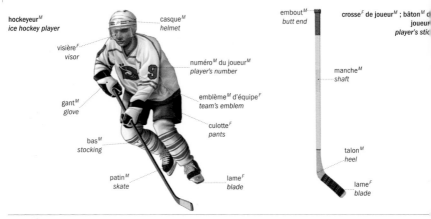

hockeyeur^M
ice hockey player

casque^M
helmet

visière^F
visor

numéro^M du joueur^M
player's number

gant^M
glove

emblème^M d'équipe^F
team's emblem

bas^M
stocking

culotte^F
pants

patin^M
skate

lame^F
blade

embout^M
butt end

crosse^F de joueur^M ; bâton^M d...
joueur...
player's stic...

manche^M
shaft

talon^M
heel

lame^F
blade

patinoire^F
rink

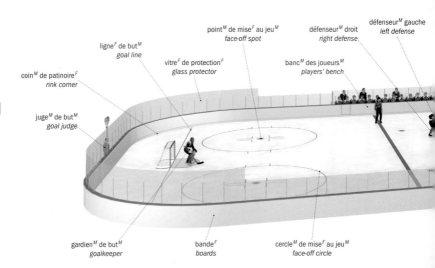

point^M de mise^F au jeu^M
face-off spot

défenseur^M droit
right defense

défenseur^M gauche
left defense

ligne^F de but^M
goal line

vitre^F de protection^F
glass protector

banc^M des joueurs^M
players' bench

coin^M de patinoire^F
rink corner

juge^M de but^M
goal judge

gardien^M de but^M
goalkeeper

bande^F
boards

cercle^M de mise^F au jeu^M
face-off circle

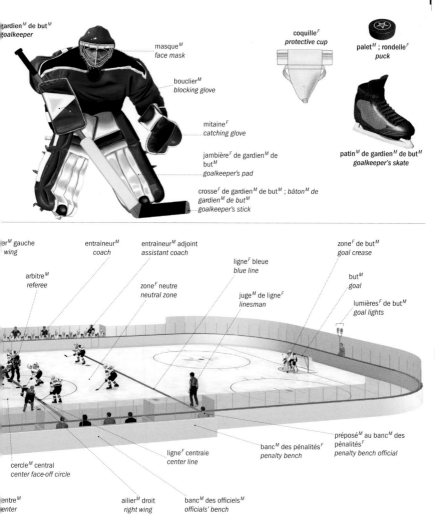

gardien^M de but^M
goalkeeper

masque^M
face mask

bouclier^M
blocking glove

mitaine^F
catching glove

jambière^F de gardien^M de but^M
goalkeeper's pad

crosse^F de gardien^M de but^M ; bâton^M de gardien^M de but^M
goalkeeper's stick

coquille^F
protective cup

palet^M ; rondelle^F
puck

patin^M de gardien^M de but^M
goalkeeper's skate

ailier^M gauche
wing

arbitre^M
referee

entraîneur^M
coach

entraîneur^M adjoint
assistant coach

zone^F neutre
neutral zone

ligne^F bleue
blue line

juge^M de ligne^F
linesman

zone^F de but^M
goal crease

but^M
goal

lumières^F de but^M
goal lights

cercle^M central
center face-off circle

centre^M
center

ailier^M droit
right wing

ligne^F centrale
center line

banc^M des officiels^M
officials' bench

banc^M des pénalités^F
penalty bench

préposé^M au banc^M des pénalités^F
penalty bench official

patinage^M de vitesse^F

speed skating

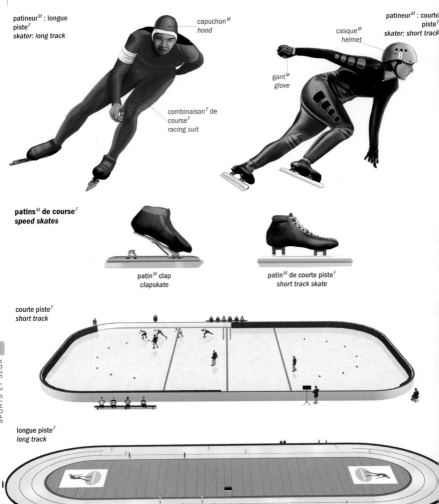

patineur^M : longue piste^F
skater: long track

capuchon^M
hood

patineur^M : courte piste^F
skater: short track

casque^M
helmet

gant^M
glove

combinaison^F de course^F
racing suit

patins^M de course^F
speed skates

patin^M clap
clapskate

patin^M de courte piste^F
short track skate

courte piste^F
short track

longue piste^F
long track

patinage^M artistique
figure skating

patin^M de figure^F
figure skate

doublure^F
lining

crochet^M
hook

languette^F
tongue

tige^F
backstay

lacet^M
lace

chaussure^F
boot

lame^F de danse^F sur glace^F
dance blade

œillet^M
eyelet

talon^M
heel

lame^F pour programme^M libre
free skating blade

semelle^F
sole

montant^M
stanchion

carre^F
edge

lame^F
blade

dent^F
toe pick

exemples^M de sauts^M
examples of jumps

salchow^M
salchow

axel^M
axel

boucle^F piquée
toe loop

flip^M
flip

lutz^M
lutz

patinoire^F
rink

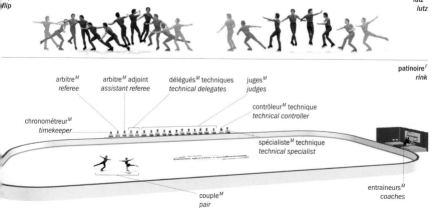

arbitre^M
referee

arbitre^M adjoint
assistant referee

délégués^M techniques
technical delegates

juges^M
judges

contrôleur^M technique
technical controller

chronométreur^M
timekeeper

spécialiste^M technique
technical specialist

couple^M
pair

entraîneurs^M
coaches

SPORTS ET JEUX

ski^M alpin
alpine skiing

skieur^M alpin
alpine skier

lunettes^F de ski^M
ski goggles

combinaison^F de ski^M
ski suit

casque^M
helmet

gant^M de ski^M
ski glove

rondelle^F
basket

bâton^M de ski^M
ski pole

chaussure^F de ski^M
ski boot

dragonne^F
wrist strap

rainure^F
groove

poignée^F
handle

ski^M
ski

semelle^F
bottom

fixation^F de sécurité^F
safety binding

pointe^F
tip

talon^M
tail

spatule^F
shovel

carre^F
edge

ski^M
ski

exemples^M de skis^M
examples of skis

ski^M de slalom^M
slalom ski

ski^M de grand slalom^M
giant slalom ski

ski^M de descente^F/super-G^M
downhill and super-G ski

SPORTS ET JEUX

ski^M alpin

épreuves^F
technical events

chaussure^F de ski^M
ski boot

chausson^M intérieur
inner boot

collier^M
upper cuff

languette^F
tongue

tige^F
upper

coque^F supérieure
upper shell

courroie^F de tige^F
upper strap

boucle^F
buckle

cran^M de réglage^M
adjusting catch

charnière^F
hinge

semelle^F
sole

coque^F inférieure
lower shell

descente^F
downhill

super-géant^M
super giant (super-G)
slalom

slalom^M géant
giant slalom

fixation^F de sécurité^F
safety binding

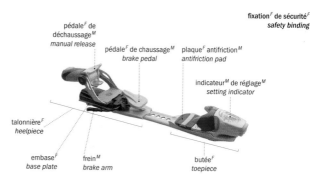

pédale^F de
déchaussage^M
manual release

pédale^F de chaussage^M
brake pedal

plaque^F antifriction^M
antifriction pad

indicateur^M de réglage^M
setting indicator

talonnière^F
heelpiece

embase^F
base plate

frein^M
brake arm

butée^F
toepiece

slalom^M spécial
special slalom

SPORTS ET JEUX

station^F de ski^M

ski resort

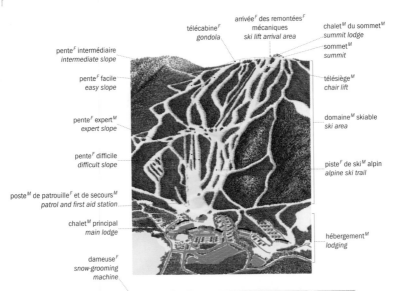

arrivée^F des remontées^F
mécaniques
ski lift arrival area

télécabine^F
gondola

chalet^M du sommet^M
summit lodge

sommet^M
summit

pente^F intermédiaire
intermediate slope

pente^F facile
easy slope

télésiège^M
chair lift

pente^F expert^M
expert slope

domaine^M skiable
ski area

pente^F difficile
difficult slope

piste^F de ski^M alpin
alpine ski trail

poste^M de patrouille^F et de secours^M
patrol and first aid station

chalet^M principal
main lodge

hébergement^M
lodging

dameuse^F
*snow-grooming
machine*

école^F de ski^M
ski school

départ^M des
télésièges^M
chair lift departure area

téléski^M biplace
T-bar

piste^F de ski^M de fond^M
cross-country ski trail

pavillon^M des skieurs^M
skiers' lodge

départ^M des
télécabines^F
gondolas departure area

copropriété^F
condominium

patinoire^F
ice rink

chalet^M de montagne^F
mountain lodge

hôtel^M
hotel

renseignements^M
information desk

village^M
village

parc^M de stationnement^M ;
stationnement^M
parking

SPORTS ET JEUX

surf^M des neiges^F
snowboarding

surfeur^M
snowboarder

casque^M
helmet

combinaison^F
coveralls

lunettes^F
goggles

protège-tibia^M
shin guard

surf^M des neiges^F
snowboard

gant^M
glove

botte^F rigide
hard boot

botte^F souple
flexible boot

surf^M acrobatique
freestyle snowboard

surf^M alpin
alpine snowboard

saut^M à ski^M
ski jumping

sauteur^M
ski jumper

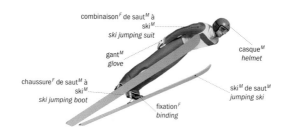

combinaison^F de saut^M à
ski^M
ski jumping suit

gant^M
glove

casque^M
helmet

chaussure^F de saut^M à
ski^M
ski jumping boot

ski^M de saut^M
jumping ski

fixation^F
binding

SPORTS ET JEUX

ski^M de fond^M

cross-country skiing

skieur^M de fond^M
cross-country skier

col^M roulé
turtleneck

bonnet^M ; tuque^F
ski hat

poignée^F
pole grip

tige^F
pole shaft

combinaison^F de ski^M
ski suit

bâton^M
ski pole

dragonne^F
wrist strap

ski^M de fond^M
cross-country ski

gant^M
glove

chaussure^F
boot

fixation^F
binding

spatule^F
shovel

trousse^F de fartage^M
waxing kit

liège^M
cork

fart^M
wax

racloir^M
scraper

ski^M de fond^M
cross-country ski

pointe^F de ski^M
ski tip

fixation^F à butée^F avant
toe binding

spatule^F
shovel

talon^M
tail

butée^F
toepiece

talonnière^F
heelplate

pas^M de patineur^M
skating step

pas^M alternatif
diagonal step

coup^M de patin^M
skating kick

phase^F de glisse^F
gliding phase

phase^F de poussée^F
pushing phase

phase^F de glisse^F
gliding phase

phase^F de poussée^F
pushing phase

curling^M
curling

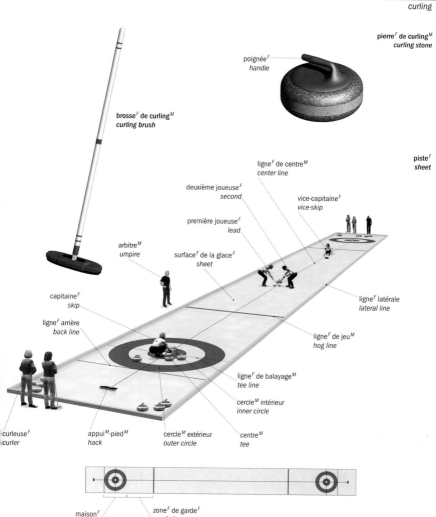

pierre^F de curling^M
curling stone

poignée^F
handle

brosse^F de curling^M
curling brush

piste^F
sheet

ligne^F de centre^M
center line

deuxième joueuse^F
second

vice-capitaine^F
vice-skip

première joueuse^F
lead

arbitre^M
umpire

surface^F de la glace^F
sheet

ligne^F latérale
lateral line

capitaine^F
skip

ligne^F arrière
back line

ligne^F de jeu^M
hog line

ligne^F de balayage^M
tee line

cercle^M intérieur
inner circle

centre^M
tee

curleuse^F
curler

appui^M-pied^M
hack

cercle^M extérieur
outer circle

maison^F
house

zone^F de garde^F
protégée
free guard zone

natation^F
swimming

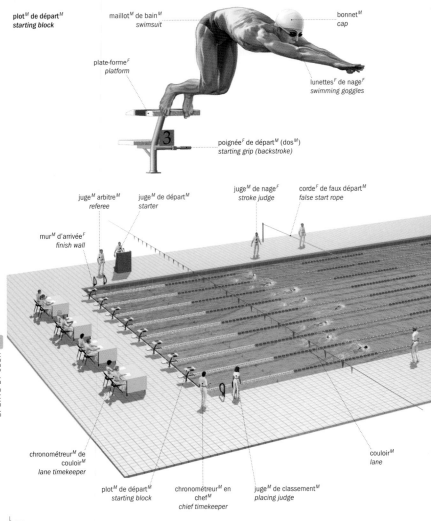

plot^M de départ^M
starting block

maillot^M de bain^M
swimsuit

bonnet^M
cap

plate-forme^F
platform

lunettes^F de nage^F
swimming goggles

poignée^F de départ^M (dos^M)
starting grip (backstroke)

juge^M arbitre^M
referee

juge^M de départ^M
starter

juge^M de nage^F
stroke judge

corde^F de faux départ^M
false start rope

mur^M d'arrivée^F
finish wall

chronométreur^M de
couloir^M
lane timekeeper

plot^M de départ^M
starting block

chronométreur^M en
chef^M
chief timekeeper

juge^M de classement^M
placing judge

couloir^M
lane

SPORTS ET JEUX

types^M de nages^F
types of strokes

crawl^M
front crawl stroke

brasse^F
breaststroke

papillon^M
butterfly stroke

nage^F sur le dos^M
backstroke

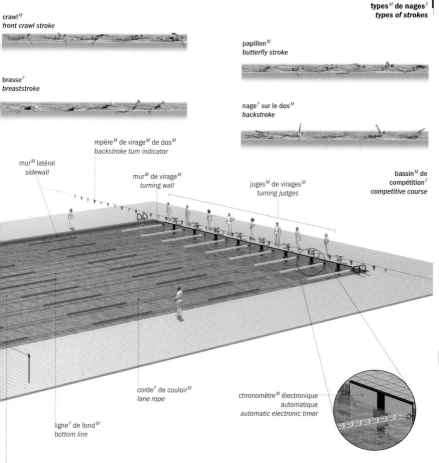

repère^M de virage^M de dos^M
backstroke turn indicator

mur^M latéral
sidewall

mur^M de virage^M
turning wall

juges^M de virages^M
turning judges

bassin^M de
compétition^F
competitive course

corde^F de couloir^M
lane rope

chronomètre^M électronique
automatique
automatic electronic timer

ligne^F de fond^M
bottom line

bassin^M
swimming pool

plongeon^M
diving

positions^F **de départ**^M
starting positions

vols^M
flights

renversé
reverse

retourné
inward

arrière
backward

avant
forward

en équilibre^M
armstand

position^F groupée
tuck position

position^F droite
straight position

position^F carpée
pike position

plongeoir^M
diving installations

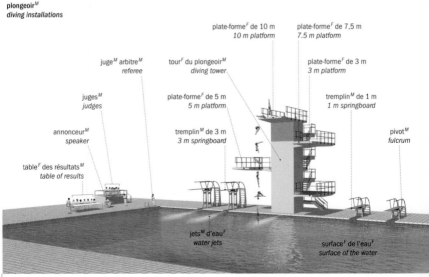

plate-forme^F de 10 m
10 m platform

plate-forme^F de 7,5 m
7.5 m platform

juge^M arbitre^M
referee

tour^F du plongeoir^M
diving tower

plate-forme^F de 3 m
3 m platform

juges^M
judges

plate-forme^F de 5 m
5 m platform

tremplin^M de 1 m
1 m springboard

annonceur^M
speaker

tremplin^M de 3 m
3 m springboard

pivot^M
fulcrum

table^F des résultats^M
table of results

jets^M d'eau^F
water jets

surface^F de l'eau^F
surface of the water

planche^F à voile^F
sailboard

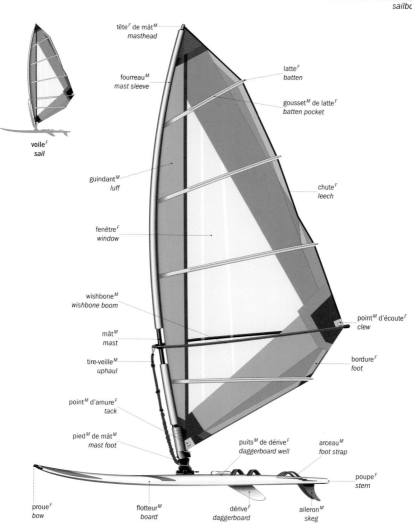

voile^F
sail

tête^F de mât^M
masthead

fourreau^M
mast sleeve

latte^F
batten

gousset^M de latte^F
batten pocket

guindant^M
luff

chute^F
leech

fenêtre^F
window

wishbone^M
wishbone boom

point^M d'écoute^F
clew

mât^M
mast

tire-veille^M
uphaul

bordure^F
foot

point^M d'amure^F
tack

pied^M de mât^M
mast foot

puits^M de dérive^F
daggerboard well

arceau^M
foot strap

poupe^F
stern

proue^F
bow

flotteur^M
board

dérive^F
daggerboard

aileron^M
skeg

voile^F
sailing

dériveur^M
sailboat

girouette^F
wind indicator

mât^M
mast

gousset^M de latte^F
batten pocket

étai^M avant
forestay

latte^F
batten

foc^M
jib

grand-voile^F
mainsail

hauban^M
shroud

barre^F de flèche^F
crosstree

laize^F
sail panel

halebas^M
boom vang

pennon^M
telltale

écoute^F de foc^M
jibsheet

bôme^F
boom

taquet^M
cleat

écoute^F de grand-voile^F
mainsheet

barre^F d'écoute^F
traveler

barre^F
tiller

gouvernail^M
rudder

étrave^F
bow

coque^F
hull

cockpit^M
cockpit

dérive^F
centerboard

voile^F

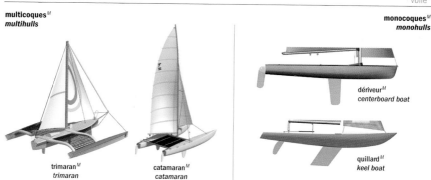

multicoques^M
multihulls

monocoques^M
monohulls

dériveur^M
centerboard boat

quillard^M
keel boat

trimaran^M
trimaran

catamaran^M
catamaran

accastillage^M
upperworks

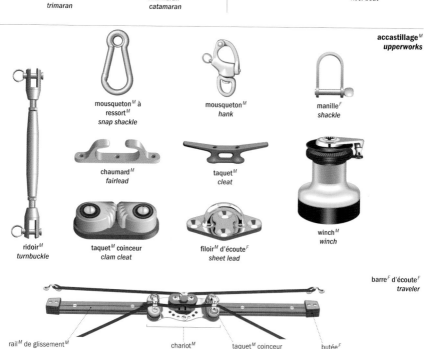

mousqueton^M à
ressort^M
snap shackle

mousqueton^M
hank

manille^F
shackle

chaumard^M
fairlead

taquet^M
cleat

ridoir^M
turnbuckle

taquet^M coinceur
clam cleat

filoir^M d'écoute^F
sheet lead

winch^M
winch

barre^F d'écoute^F
traveler

rail^M de glissement^M
sliding rail

chariot^M
car

taquet^M coinceur
clam cleat

butée^F
end stop

cyclisme^M sur route^F

road racing

vélo^M de course^F et cycliste^M
road-racing bicycle and cyclist

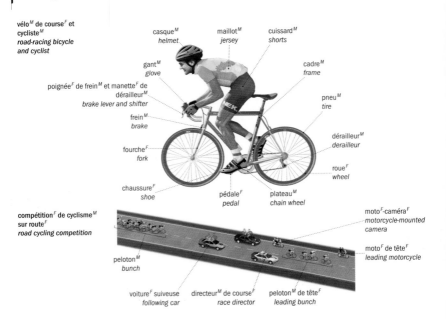

casque^M
helmet

maillot^M
jersey

cuissard^M
shorts

gant^M
glove

cadre^M
frame

poignée^F de frein^M et manette^F de dérailleur^M
brake lever and shifter

pneu^M
tire

frein^M
brake

fourche^F
fork

dérailleur^M
derailleur

roue^F
wheel

chaussure^F
shoe

pédale^F
pedal

plateau^M
chain wheel

compétition^F de cyclisme^M sur route^F
road cycling competition

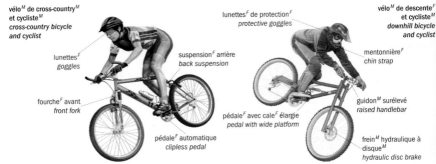

moto^F-caméra^F
motorcycle-mounted camera

moto^F de tête^F
leading motorcycle

peloton^M
bunch

voiture^F suiveuse
following car

directeur^M de course^F
race director

peloton^M de tête^F
leading bunch

vélo^M de montagne^F

mountain biking

vélo^M de cross-country^M et cycliste^M
cross-country bicycle and cyclist

lunettes^F de protection^F
protective goggles

vélo^M de descente^F et cycliste^M
downhill bicycle and cyclist

lunettes^F
goggles

suspension^F arrière
back suspension

mentonnière^F
chin strap

fourche^F avant
front fork

guidon^M surélevé
raised handlebar

pédale^F avec cale^F élargie
pedal with wide platform

pédale^F automatique
clipless pedal

frein^M hydraulique à disque^M
hydraulic disc brake

scooter^M de mer^F ; motomarine^F
personal watercraft

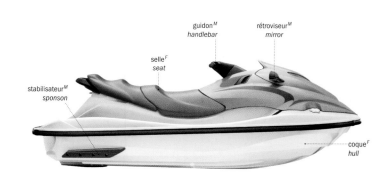

guidon^M
handlebar

rétroviseur^M
mirror

selle^F
seat

stabilisateur^M
sponson

coque^F
hull

motoneige^F
snowmobile

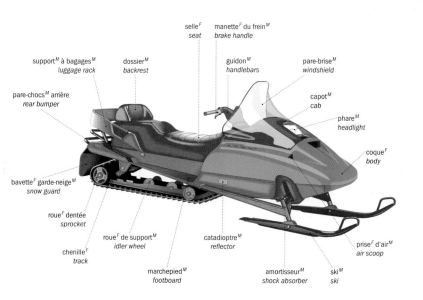

selle^F
seat

manette^F du frein^M
brake handle

support^M à bagages^M
luggage rack

dossier^M
backrest

guidon^M
handlebars

pare-brise^M
windshield

pare-chocs^M arrière
rear bumper

capot^M
cab

phare^M
headlight

coque^F
body

bavette^F garde-neige^M
snow guard

roue^F dentée
sprocket

roue^F de support^M
idler wheel

catadioptre^M
reflector

chenille^F
track

prise^F d'air^M
air scoop

marchepied^M
footboard

amortisseur^M
shock absorber

ski^M
ski

SPORTS ET JEUX

course^F automobile
car racing

pilote^M
driver

cagoule^F
balaclava

sous-vêtement^M
undergarment

combinaison^F résistante
au feu^M
flame-resistant driving suit

casque^M
crash helmet

chaussure^F
shoe

voiture^F de rallye^M
rally car

voiture^F de formule^F
Indy
formula Indy car

voiture^F de formule^F
3000
formula 3000 car

grille^F de départ^M
starting grid

pole position^F
pole position

piste^F
track

circuit^M
circuit

chicane^F
chicane

ligne^F de départ^M
starting line

stands^M
pits

bac^M à gravier^M
gravel bed

voie^F des stands^M
pit lane

bordure^F
curb

barrière^F de pneus^M
tire barrier

course^F automobile

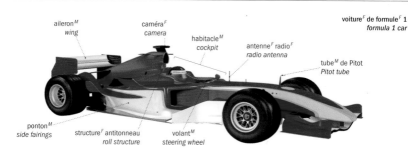

voiture^F de formule^F 1
formula 1 car

aileron^M
wing

caméra^F
camera

habitacle^M
cockpit

antenne^F radio^F
radio antenna

tube^M de Pitot
Pitot tube

ponton^M
side fairings

structure^F antitonneau
roll structure

volant^M
steering wheel

motocyclisme^M

motorcycling

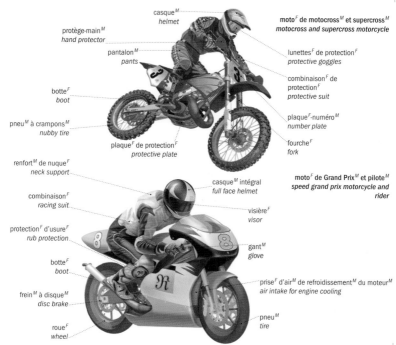

casque^M
helmet

protège-main^M
hand protector

pantalon^M
pants

botte^F
boot

pneu^M à crampons^M
nubby tire

plaque^F de protection^F
protective plate

moto^F de motocross^M et supercross^M
motocross and supercross motorcycle

lunettes^F de protection^F
protective goggles

combinaison^F de
protection^F
protective suit

plaque^F-numéro^M
number plate

fourche^F
fork

renfort^M de nuque^F
neck support

combinaison^F
racing suit

protection^F d'usure^F
rub protection

botte^F
boot

frein^M à disque^M
disc brake

roue^F
wheel

casque^M intégral
full face helmet

visière^F
visor

gant^M
glove

prise^F d'air^M de refroidissement^M du moteur^M
air intake for engine cooling

pneu^M
tire

moto^F de Grand Prix^M et pilote^M
speed grand prix motorcycle and rider

planche^F à roulettes^F
skateboarding

planche^F à roulettes^F
skateboard

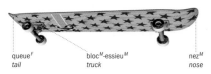

queue^F
tail

bloc^M-essieu^M
truck

nez^M
nose

genouillère^F
knee pad

planchiste^M
skateboarder

bande^F antidérapante
grip tape

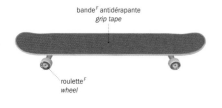

roulette^F
wheel

protège-coude^M
elbow pad

casque^M
helmet

arête^F
coping

rampe^F
ramp

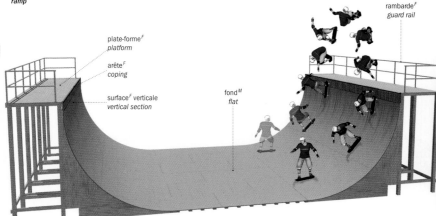

plate-forme^F
platform

arête^F
coping

surface^F verticale
vertical section

fond^M
flat

rambarde^F
guard rail

patin^M à roues^F alignées
in-line skating

patin^M acrobatique
acrobatic skate

chausson^M intérieur
inner boot

coque^F supérieure
upper shell

patineuse^F
skater

casque^M
helmet

coudière^F
elbow pad

genouillère^F
knee pad

platine^F
frame

roue^F
wheel

protège-poignet^M
wrist guard

patin^M de vitesse^F
in-line speed skate

patin^M à roues^F alignées
in-line skate

chausson^M intérieur
inner boot

coque^F supérieure
upper shell

boucle^F de réglage^M
adjusting buckle

patin^M de hockey^M
in-line hockey skate

chaussure^F
boot

essieu^M
axle

frein^M de talon^M
heel stop

roue^F
wheel

bloc^M-essieu^M
truck

SPORTS ET JEUX

527

camping^M
camping

exemples^M de tentes^F
examples of tents

double toit^M
rainfly

porte^F
door

hauban^M
guy line

tendeur^M
strainer

fermeture^F à glissière^F
zipper

tente^F intérieure
inner tent

tente^F deux places^F
two-person tent

auvent^M
canopy

piquet^M
stake

Sandow®^{M}
elastic strainer

tente^F familiale
family tent

séjour^M
living room

auvent^M de fenêtre^F
window canopy

hauban^M
guy line

Sandow®^{M}
elastic strainer

chambre^F
bedroom

tapis^M de sol^M cousu
sewn-in floor

cloison^F
canvas divider

armature^F
frame

mur^M
wall

fenêtre^F moustiquaire^F
screen window

boucle^F de piquet^M
stake loop

tente^F grange^F
wagon tent

tente^F rectangulaire
wall tent

tente^F canadienne
pup tent

double toit^M
rainfly

mât^M de toit^M
roof pole

Sandow®^{M}
elastic strainer

tente^F intérieure
inner tent

porte^F
door

boucle^F de piquet^M
stake loop

tapis^M de sol^M cousu
sewn-in floor

piquet^M
stake

tente^F individuelle
one-person tent

tente^F dôme^M
dome tent

tente^F igloo^M
pop-up tent

lanterne^F
lantern

bâti^M du brûleur^M
burner frame

globe^M
globe

régulateur^M de
pression^F
pressure regulator

pompe^F
pump

bouchon^M antifuite
leakproof cap

réservoir^M
tank

accessoires^M au propane^M ou au
butane^M
propane or butane accessories

chaufferette^F
heater

réchaud^M à deux feux^M
double-burner camp stove

brûleur^M
burner

réservoir^M
tank

grille^F stabilisatrice
wire support

réchaud^M à un feu^M
single-burner camp stove

robinet^M relais^M
control valve

SPORTS ET JEUX

camping^M

exemples^M de sacs^M de couchage^M
examples of sleeping bags

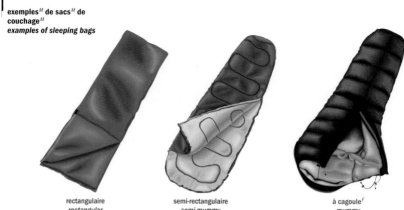

rectangulaire
rectangular

semi-rectangulaire
semi-mummy

à cagoule^F
mummy

lit^M et matelas^M
bed and mattress

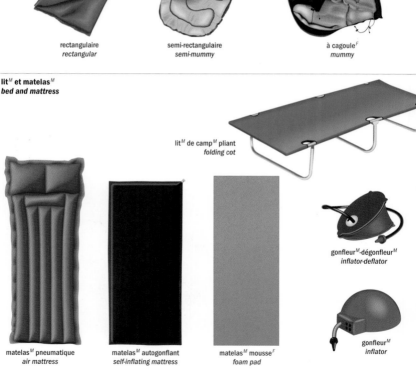

lit^M de camp^M pliant
folding cot

gonfleur^M-dégonfleur^M
inflator-deflator

gonfleur^M
inflator

matelas^M pneumatique
air mattress

matelas^M autogonflant
self-inflating mattress

matelas^M mousse^F
foam pad

SPORTS ET JEUX

camping^M

ustensiles^M de
campeur^M
cutlery set

popote^F
cooking set

cuiller^F
spoon

ganse^F
belt loop

assiette^F plate
plate

fourchette^F
fork

étui^M
sheath

faitout^M
saucepan

couteau^M
knife

queue^F
handle

poêle^F à frire
frying pan

cafetière^F
coffee pot

tasse^F
cup

matériel^M de camping^M
camping equipment

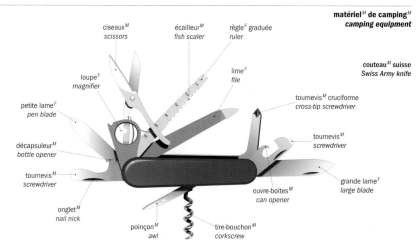

ciseaux^M
scissors

écailleur^M
fish scaler

règle^F graduée
ruler

couteau^M suisse
Swiss Army knife

loupe^F
magnifier

lime^F
file

petite lame^F
pen blade

tournevis^M cruciforme
cross-tip screwdriver

décapsuleur^M
bottle opener

tournevis^M
screwdriver

tournevis^M
screwdriver

grande lame^F
large blade

onglet^M
nail nick

ouvre-boîtes^M
can opener

poinçon^M
awl

tire-bouchon^M
corkscrew

SPORTS ET JEUX

531

camping^M

sac^M à dos^M
backpack

rabat^M
top flap

bretelle^F
shoulder strap

boucle^F de réglage^M
tightening buckle

sangle^F de
compression^F
side compression strap

sangle^F de fermeture^F
front compression strap

passe-sangle^M
strap loop

ceinture^F
waist belt

pelle^F-pioche^F pliante
folding shovel

bouteille^F isolante
vacuum bottle

bouteille^F
bottle

bouchon^M
stopper

tasse^F
cup

lampe^F-tempête^F
hurricane lamp

gourde^F
canteen

glacière^F
cooler

cruche^F
water carrier

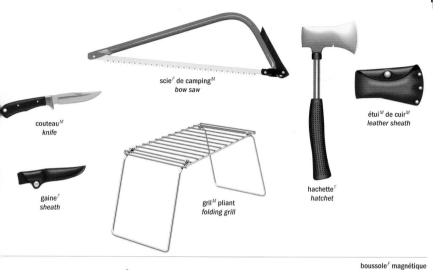

scie^F de camping^M
bow saw

couteau^M
knife

étui^M de cuir^M
leather sheath

gaine^F
sheath

gril^M pliant
folding grill

hachette^F
hatchet

boussole^F magnétique
magnetic compass

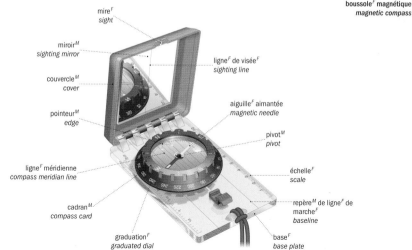

mire^F
sight

miroir^M
sighting mirror

ligne^F de visée^F
sighting line

couvercle^M
cover

pointeur^M
edge

aiguille^F aimantée
magnetic needle

pivot^M
pivot

ligne^F méridienne
compass meridian line

échelle^F
scale

cadran^M
compass card

repère^M de ligne^F de
marche^F
baseline

graduation^F
graduated dial

base^F
base plate

chasse^F
hunting

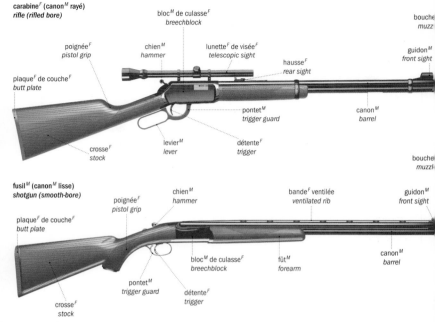

carabine^F (canon^M rayé)
rifle (rifled bore)

bloc^M de culasse^F
breechblock

bouche^
muzzl

poignée^F
pistol grip

chien^M
hammer

lunette^F de visée^F
telescopic sight

hausse^F
rear sight

guidon^M
front sight

plaque^F de couche^F
butt plate

pontet^M
trigger guard

canon^M
barrel

crosse^F
stock

levier^M
lever

détente^F
trigger

bouche^
muzzle

fusil^M (canon^M lisse)
shotgun (smooth-bore)

chien^M
hammer

bande^F ventilée
ventilated rib

guidon^M
front sight

poignée^F
pistol grip

plaque^F de couche^F
butt plate

bloc^M de culasse^F
breechblock

fût^M
forearm

canon^M
barrel

pontet^M
trigger guard

détente^F
trigger

crosse^F
stock

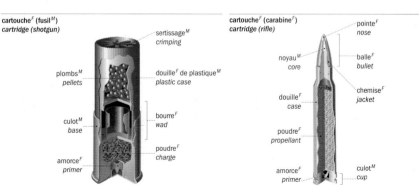

cartouche^F (fusil^M)
cartridge (shotgun)

sertissage^M
crimping

plombs^M
pellets

douille^F de plastique^M
plastic case

bourre^F
wad

culot^M
base

poudre^F
charge

amorce^F
primer

cartouche^F (carabine^F)
cartridge (rifle)

pointe^F
nose

noyau^M
core

balle^F
bullet

douille^F
case

chemise^F
jacket

poudre^F
propellant

amorce^F
primer

culot^M
cup

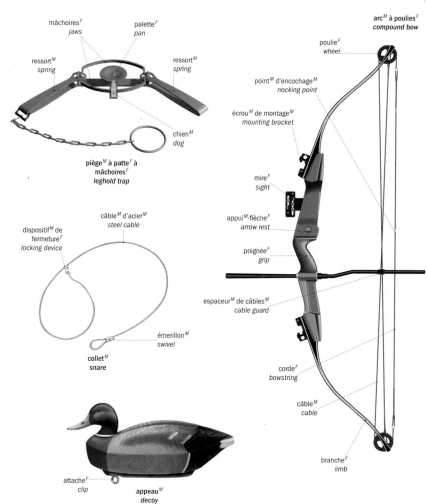

mâchoires^F
jaws

palette^F
pan

arc^M à poulies^F
compound bow

ressort^M
spring

ressort^M
spring

poulie^F
wheel

point^M d'encochage^M
nocking point

écrou^M de montage^M
mounting bracket

chien^M
dog

piège^M à patte^F à
mâchoires^F
leghold trap

mire^F
sight

câble^M d'acier^M
steel cable

appui^M-flèche^F
arrow rest

dispositif^M de
fermeture^F
locking device

poignée^F
grip

espaceur^M de câbles^M
cable guard

émerillon^M
swivel

collet^M
snare

corde^F
bowstring

câble^M
cable

attache^F
clip

appeau^M
decoy

branche^F
limb

SPORTS ET JEUX

535

pêche^F
fishing

pêche^F à la mouche^F
flyfishing

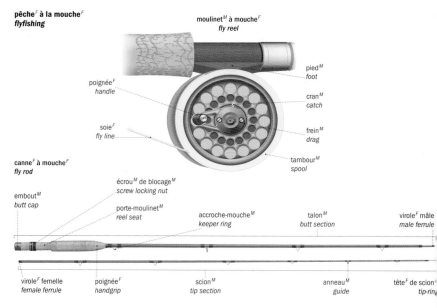

moulinet^M à mouche^F
fly reel

pied^M
foot

poignée^F
handle

cran^M
catch

soie^F
fly line

frein^M
drag

tambour^M
spool

canne^F à mouche^F
fly rod

écrou^M de blocage^M
screw locking nut

embout^M
butt cap

porte-moulinet^M
reel seat

accroche-mouche^M
keeper ring

talon^M
butt section

virole^F mâle
male ferrule

virole^F femelle
female ferrule

poignée^F
handgrip

scion^M
tip section

anneau^M
guide

tête^F de scion
tip-ring

mouche^F artificielle
artificial fly

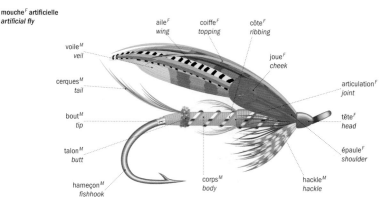

aile^F
wing

coiffe^F
topping

côte^F
ribbing

voile^M
veil

joue^F
cheek

cerques^M
tail

articulation^F
joint

bout^M
tip

tête^F
head

talon^M
butt

épaule^F
shoulder

hameçon^M
fishhook

corps^M
body

hackle^M
hackle

pêche^F au lancer^M
casting

canne^F à lancer^M
spinning rod

écrou^M de blocage^M
screw locking nut

porte-moulinet^M
reel seat

virole^F mâle
male ferrule

virole^F femelle
female ferrule

poignée^F arrière
butt grip

anneau^M de départ^M
butt guide

anneau^M de tête^F
tip-ring

moulinet^M à tambour^M fixe
open-face spinning reel

talon^M
foot

pied^M
leg

mécanisme^M d'ouverture^F de
l'anse^F
bail arm opening mechanism

poignée^F
handle

guide-ligne^M
line guide

manivelle^F
crank

anse^F
bail arm

réglage^M de la tension^F
tension adjustment

tambour^M
spool

carter^M
gear housing

rotor^M
rotor

moulinet^M à tambour^M
tournant
baitcasting reel

mécanisme^M de débrayage^M du
tambour^M
spool-release mechanism

étoile^F de freinage^M
star drag wheel

tambour^M
spool

axe^M de tambour^M
spool axle

manivelle^F
crank

pied^M
stand

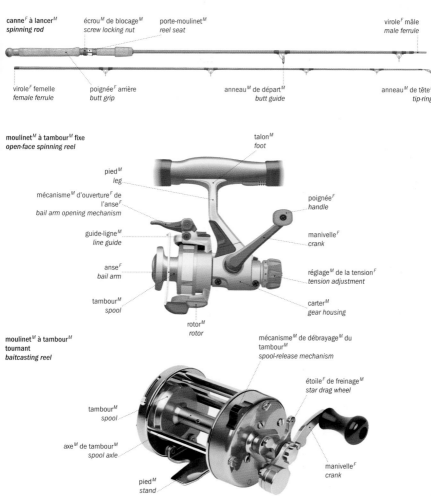

SPORTS ET JEUX

pêche^F

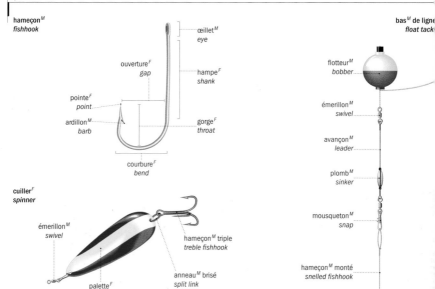

hameçon^M
fishhook

œillet^M
eye

ouverture^F
gap

hampe^F
shank

pointe^F
point

ardillon^M
barb

gorge^F
throat

courbure^F
bend

bas^M de ligne
float tack

flotteur^M
bobber

émerillon^M
swivel

avançon^M
leader

plomb^M
sinker

mousqueton^M
snap

hameçon^M monté
snelled fishhook

cuiller^F
spinner

émerillon^M
swivel

hameçon^M triple
treble fishhook

anneau^M brisé
split link

palette^F
blade

**vêtements^M et
accessoires^M**
clothing and accessories

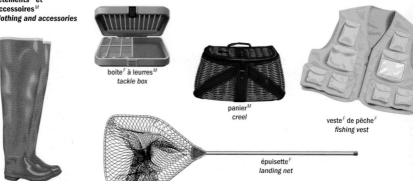

boîte^F à leurres^M
tackle box

panier^M
creel

veste^F de pêche^F
fishing vest

épuisette^F
landing net

cuissardes^F
waders

Index français

ASTRONOMIE > 2-13; TERRE > 14-49; RÈGNE VÉGÉTAL > 50-65; RÈGNE ANIMAL > 66-91; ÊTRE HUMAIN > 92-119; ALIMENTATION ET CUISINE > 120-181; MAISON > 182-215;
BRICOLAGE ET JARDINAGE > 216-237; VÊTEMENTS > 238-263; PARURE ET OBJETS PERSONNELS > 264-277; ARTS ET ARCHITECTURE > 278-311; COMMUNICATIONS ET BUREAUTIQUE > 312-341;
TRANSPORT ET MACHINERIE > 342-401; ÉNERGIES > 402-413; SCIENCE > 414-429; SOCIÉTÉ > 430-467; SPORTS ET JEUX > 468-538

INDEX FRANÇAIS

539

ASTRONOMIE ▸ 2-13;   TERRE ▸ 14-49;   RÈGNE VÉGÉTAL ▸ 50-65;   RÈGNE ANIMAL ▸ 66-91;   ÊTRE HUMAIN ▸ 92-119;   ALIMENTATION ET CUISINE ▸ 120-181;   MAISON ▸ 182-21...
BRICOLAGE ET JARDINAGE ▸ 216-237;   VÊTEMENTS ▸ 238-263;   PARURE ET OBJETS PERSONNELS ▸ 264-277;   ARTS ET ARCHITECTURE ▸ 278-311;   COMMUNICATIONS ET BUREAUTIQUE ▸ 312-34...
TRANSPORT ET MACHINERIE ▸ 342-401;   ÉNERGIES ▸ 402-413;   SCIENCE ▸ 414-423;   SOCIÉTÉ ▸ 430-467;   SPORTS ET JEUX ▸ 468-538

ASTRONOMIE > 2-13; TERRE > 14-49; RÈGNE VÉGÉTAL > 50-65; RÈGNE ANIMAL > 66-91; ÊTRE HUMAIN > 92-119; ALIMENTATION ET CUISINE > 120-181; MAISON > 182-215; BRICOLAGE ET JARDINAGE > 216-237; VÊTEMENTS > 238-263; PARURE ET OBJETS PERSONNELS > 264-277; ARTS ET ARCHITECTURE > 278-311; COMMUNICATIONS ET BUREAUTIQUE > 312-341; TRANSPORT ET MACHINERIE > 342-401; ÉNERGIES > 402-413; SCIENCE > 414-429; SOCIÉTÉ > 430-467; SPORTS ET JEUX > 468-538

541

INDEX FRANÇAIS

ASTRONOMIE > 2-13; TERRE > 14-49; RÈGNE VÉGÉTAL > 50-65; RÈGNE ANIMAL > 66-91; ÊTRE HUMAIN > 92-119; ALIMENTATION ET CUISINE > 120-181; MAISON > 182-215;
BRICOLAGE ET JARDINAGE > 216-237; VÊTEMENTS > 238-263; PARURE ET OBJETS PERSONNELS > 264-277; ARTS ET ARCHITECTURE > 278-311; COMMUNICATIONS ET BUREAUTIQUE > 312-341;
TRANSPORT ET MACHINERIE > 342-401; ÉNERGIES > 402-413; SCIENCE > 414-429; SOCIÉTÉ > 430-467; SPORTS ET JEUX > 468-538

543

ASTRONOMIE > 2-13;   TERRE > 14-49;   RÈGNE VÉGÉTAL > 50-65;   RÈGNE ANIMAL > 66-91;   ÊTRE HUMAIN > 92-119;   ALIMENTATION ET CUISINE > 120-181;   MAISON > 182-215;
BRICOLAGE ET JARDINAGE > 216-237;   VÊTEMENTS > 238-263;   PARURE ET OBJETS PERSONNELS > 264-277;   ARTS ET ARCHITECTURE > 278-311;   COMMUNICATIONS ET BUREAUTIQUE > 312-341;
TRANSPORT ET MACHINERIE > 342-401;   ÉNERGIES > 402-413;   SCIENCE > 414-429;   SOCIÉTÉ > 430-467;   SPORTS ET JEUX > 468-538

545

INDEX FRANÇAIS

ASTRONOMIE › 2-13; TERRE › 14-49; RÈGNE VÉGÉTAL › 50-65; RÈGNE ANIMAL › 66-91; ÊTRE HUMAIN › 92-119; ALIMENTATION ET CUISINE › 120-181; MAISON › 182-215; BRICOLAGE ET JARDINAGE › 216-237; VÊTEMENTS › 238-263; PARURE ET OBJETS PERSONNELS › 264-277; ARTS ET ARCHITECTURE › 278-311; COMMUNICATIONS ET BUREAUTIQUE › 312-341; TRANSPORT ET MACHINERIE › 342-401; ÉNERGIES › 402-413; SCIENCE › 414-429; SOCIÉTÉ › 430-467; SPORTS ET JEUX › 468-538

547

INDEX FRANÇAIS

ASTRONOMIE > 2-13; TERRE > 14-49; RÈGNE VÉGÉTAL > 50-65; RÈGNE ANIMAL > 66-91; ÊTRE HUMAIN > 92-119; ALIMENTATION ET CUISINE > 120-181; MAISON > 182-215;
BRICOLAGE ET JARDINAGE > 216-237; VÊTEMENTS > 238-263; PARURE ET OBJETS PERSONNELS > 264-277; ARTS ET ARCHITECTURE > 278-311; COMMUNICATIONS ET BUREAUTIQUE > 312-341;
TRANSPORT ET MACHINERIE > 342-401; ÉNERGIES > 402-413; SCIENCE > 414-429; SOCIÉTÉ > 430-467; SPORTS ET JEUX > 468-538

549

INDEX FRANÇAIS

ASTRONOMIE > 2-13; TERRE > 14-49; RÈGNE VÉGÉTAL > 50-65; RÈGNE ANIMAL > 66-91; ÊTRE HUMAIN > 92-119; ALIMENTATION ET CUISINE > 120-181; MAISON > 182-215; BRICOLAGE ET JARDINAGE > 216-237; VÊTEMENTS > 238-263; PARURE ET OBJETS PERSONNELS > 264-277; ARTS ET ARCHITECTURE > 278-311; COMMUNICATIONS ET BUREAUTIQUE > 312-341; TRANSPORT ET MACHINERIE > 342-401; ÉNERGIES > 402-413; SCIENCE > 414-429; SOCIÉTÉ > 430-467; SPORTS ET JEUX > 468-538

551

ASTRONOMIE > 2-13; TERRE > 14-49; RÈGNE VÉGÉTAL > 50-65; RÈGNE ANIMAL > 66-91; ÊTRE HUMAIN > 92-119; ALIMENTATION ET CUISINE > 120-181; MAISON > 182-215; BRICOLAGE ET JARDINAGE > 216-237; VÊTEMENTS > 238-263; PARURE ET OBJETS PERSONNELS > 264-277; ARTS ET ARCHITECTURE > 278-311; COMMUNICATIONS ET BUREAUTIQUE > 312-341; TRANSPORT ET MACHINERIE > 342-401; ÉNERGIES > 402-413; SCIENCE > 414-429; SOCIÉTÉ > 430-467; SPORTS ET JEUX > 468-538.

553

ASTRONOMIE > 2-13;   TERRE > 14-49;   RÈGNE VÉGÉTAL > 50-65;   RÈGNE ANIMAL > 66-91;   ÊTRE HUMAIN > 92-119;   ALIMENTATION ET CUISINE > 120-181;   MAISON > 182-215;
BRICOLAGE ET JARDINAGE > 216-237;   VÊTEMENTS > 238-263;   PARURE ET OBJETS PERSONNELS > 264-277;   ARTS ET ARCHITECTURE > 278-311;   COMMUNICATIONS ET BUREAUTIQUE > 312-341;
TRANSPORT ET MACHINERIE > 342-401;   ÉNERGIES > 402-413;   SCIENCE > 414-429;   SOCIÉTÉ > 430-467;   SPORTS ET JEUX > 468-538.

555

INDEX FRANÇAIS

ASTRONOMIE > 2-13;   TERRE > 14-49;   RÈGNE VÉGÉTAL > 50-65;   RÈGNE ANIMAL > 66-91;   ÊTRE HUMAIN > 92-119;   ALIMENTATION ET CUISINE > 120-181;   MAISON > 182-215;
BRICOLAGE ET JARDINAGE > 216-237;   VÊTEMENTS > 238-263;   PARURE ET OBJETS PERSONNELS > 264-277;   ARTS ET ARCHITECTURE > 278-311;   COMMUNICATIONS ET BUREAUTIQUE > 312-341;
TRANSPORT ET MACHINERIE > 342-401;   ÉNERGIES > 402-413;   SCIENCE > 414-429;   SOCIÉTÉ > 430-467;   SPORTS ET JEUX > 468-538;

557

ASTRONOMIE > 2-13; TERRE > 14-49; RÈGNE VÉGÉTAL > 50-65; RÈGNE ANIMAL > 66-91; ÊTRE HUMAIN > 92-119; ALIMENTATION ET CUISINE > 120-181; MAISON > 182-215; BRICOLAGE ET JARDINAGE > 216-237; VÊTEMENTS > 238-263; PARURE ET OBJETS PERSONNELS > 264-277; ARTS ET ARCHITECTURE > 278-311; COMMUNICATIONS ET BUREAUTIQUE > 312-341; TRANSPORT ET MACHINERIE > 342-401; ÉNERGIES > 402-413; SCIENCE > 414-429; SOCIÉTÉ > 430-467; SPORTS ET JEUX > 468-538

559

INDEX FRANÇAIS

ASTRONOMIE > 2-13; TERRE > 14-49; RÈGNE VÉGÉTAL > 50-65; RÈGNE ANIMAL > 66-91; ÊTRE HUMAIN > 92-119; ALIMENTATION ET CUISINE > 120-181; MAISON > 182-215;
BRICOLAGE ET JARDINAGE > 216-237; VÊTEMENTS > 238-263; PARURE ET OBJETS PERSONNELS > 264-277; ARTS ET ARCHITECTURE > 278-311; COMMUNICATIONS ET BUREAUTIQUE > 312-341;
TRANSPORT ET MACHINERIE > 342-401; ÉNERGIES > 402-413; SCIENCE > 414-429; SOCIÉTÉ > 430-467; SPORTS ET JEUX > 468-538

561

INDEX FRANÇAIS

ASTRONOMIE > 2-13; TERRE > 14-49; RÈGNE VÉGÉTAL > 50-65; RÈGNE ANIMAL > 66-91; ÊTRE HUMAIN > 92-119; ALIMENTATION ET CUISINE > 120-181; MAISON > 182-215; BRICOLAGE ET JARDINAGE > 216-237; VÊTEMENTS > 238-263; PARURE ET OBJETS PERSONNELS > 264-277; ARTS ET ARCHITECTURE > 278-311; COMMUNICATIONS ET BUREAUTIQUE > 312-341; TRANSPORT ET MACHINERIE > 342-401; ÉNERGIES > 402-413; SCIENCE > 414-429; SOCIÉTÉ > 430-467; SPORTS ET JEUX > 468-538

563

ASTRONOMIE > 2-13; TERRE > 14-49; RÈGNE VÉGÉTAL > 50-65; RÈGNE ANIMAL > 66-91; ÊTRE HUMAIN > 92-119; ALIMENTATION ET CUISINE > 120-181; MAISON > 182-215;
BRICOLAGE ET JARDINAGE > 216-237; VÊTEMENTS > 238-263; PARURE ET OBJETS PERSONNELS > 264-277; ARTS ET ARCHITECTURE > 278-311; COMMUNICATIONS ET BUREAUTIQUE > 312-341;
TRANSPORT ET MACHINERIE > 342-401; ÉNERGIES > 402-413; SCIENCE > 414-429; SOCIÉTÉ > 430-467; SPORTS ET JEUX > 468-538

565

INDEX FRANÇAIS

English Index

ASTRONOMY > 2-13; EARTH > 14-49; VEGETABLE KINGDOM > 50-65; ANIMAL KINGDOM > 66-91; HUMAN BEING > 92-119; FOOD AND KITCHEN > 120-181; HOUSE > 182-215;
DO-IT-YOURSELF AND GARDENING > 216-237; CLOTHING > 238-263; PERSONAL ADORNMENT AND ARTICLES > 264-277; ARTS AND ARCHITECTURE > 278-311; COMMUNICATIONS AND
OFFICE AUTOMATION > 312-341; TRANSPORT AND MACHINERY > 342-401; ENERGY > 402-413; SCIENCE > 414-429; SOCIETY > 430-467; SPORTS AND GAMES > 468-538

571

ENGLISH INDEX

ENGLISH INDEX

ENGLISH INDEX

ASTRONOMY > 2-13;   EARTH > 14-49;   VEGETABLE KINGDOM > 50-65;   ANIMAL KINGDOM > 66-91;   HUMAN BEING > 92-119;   FOOD AND KITCHEN > 120-181;   HOUSE > 182-215;
DO-IT-YOURSELF AND GARDENING > 216-237;   CLOTHING > 238-263;   PERSONAL ADORNMENT AND ARTICLES > 264-277;   ARTS AND ARCHITECTURE > 278-311;   COMMUNICATIONS AND
OFFICE AUTOMATION > 312-341;   TRANSPORT AND MACHINERY > 342-401;   ENERGY > 402-413;   SCIENCE > 414-429;   SOCIETY > 430-467;   SPORTS AND GAMES > 468-538

579

ENGLISH INDEX

ASTRONOMY > 2-13; EARTH > 14-49; VEGETABLE KINGDOM > 50-65; ANIMAL KINGDOM > 66-91; HUMAN BEING > 92-119; FOOD AND KITCHEN > 120-181; HOUSE > 182-215; DO-IT-YOURSELF AND GARDENING > 216-237; CLOTHING > 238-263; PERSONAL ADORNMENT AND ARTICLES > 264-277; ARTS AND ARCHITECTURE > 278-311; COMMUNICATIONS AND OFFICE AUTOMATION > 312-341; TRANSPORT AND MACHINERY > 342-401; ENERGY > 402-413; SCIENCE > 414-429; SOCIETY > 430-467; SPORTS AND GAMES > 468-538.

581

ENGLISH INDEX

ASTRONOMY > 2-13; EARTH > 14-49; VEGETABLE KINGDOM > 50-65; ANIMAL KINGDOM > 66-91; HUMAN BEING > 92-119; FOOD AND KITCHEN > 120-181; HOUSE > 182-215; DO-IT-YOURSELF AND GARDENING > 216-237; CLOTHING > 238-263; PERSONAL ADORNMENT AND ARTICLES > 264-277; ARTS AND ARCHITECTURE > 278-311; COMMUNICATIONS AND OFFICE AUTOMATION > 312-341; TRANSPORT AND MACHINERY > 342-401; ENERGY > 402-413; SCIENCE > 414-429; SOCIETY > 430-467; SPORTS AND GAMES > 468-538

583

ENGLISH INDEX

ASTRONOMY > 2-13; EARTH > 14-49; VEGETABLE KINGDOM > 50-65; ANIMAL KINGDOM > 66-91; HUMAN BEING > 92-119; FOOD AND KITCHEN > 120-181; HOUSE > 182-215; DO-IT-YOURSELF AND GARDENING > 216-237; CLOTHING > 238-263; PERSONAL ADORNMENT AND ARTICLES > 264-277; ARTS AND ARCHITECTURE > 278-311; COMMUNICATIONS AND OFFICE AUTOMATION > 312-341; TRANSPORT AND MACHINERY > 342-401; ENERGY > 402-413; SCIENCE > 414-429; SOCIETY > 430-467; SPORTS AND GAMES > 468-538

587

ENGLISH INDEX

ENGLISH INDEX

ASTRONOMY > 2-13;   EARTH > 14-49;   VEGETABLE KINGDOM > 50-65;   ANIMAL KINGDOM > 66-91;   HUMAN BEING > 92-119;   FOOD AND KITCHEN > 120-181;   HOUSE > 182-215;
DO-IT-YOURSELF AND GARDENING > 216-237;   CLOTHING > 238-263;   PERSONAL ADORNMENT AND ARTICLES > 264-277;   ARTS AND ARCHITECTURE > 278-311;   COMMUNICATIONS AND
OFFICE AUTOMATION > 312-341;   TRANSPORT AND MACHINERY > 342-401;   ENERGY > 402-413;   SCIENCE > 414-429;   SOCIETY > 430-467;   SPORTS AND GAMES > 468-538   589

ENGLISH INDEX

ASTRONOMY > 2-13; EARTH > 14-49; VEGETABLE KINGDOM > 50-65; ANIMAL KINGDOM > 66-91; HUMAN BEING > 92-119; FOOD AND KITCHEN > 120-181; HOUSE > 182-215;
DO-IT-YOURSELF AND GARDENING > 216-237; CLOTHING > 238-263; PERSONAL ADORNMENT AND ARTICLES > 264-277; ARTS AND ARCHITECTURE > 278-311; COMMUNICATIONS AND
OFFICE AUTOMATION > 312-341; TRANSPORT AND MACHINERY > 342-401; ENERGY > 402-413; SCIENCE > 414-429; SOCIETY > 430-467; SPORTS AND GAMES > 468-538

591